Książkę tę dedykuję Trixie, choć ona sama nigdy jej nie przeczyta. W najtrudniejsze dni przy klawiaturze, gdy rozpaczałem, zawsze umiała mnie rozbawić. Słowa „dobry pies" w jej przypadku nie są adekwatne. Trixie ma dobre serce i życzliwą duszę, jest aniołem na czterech łapach.

Dean
KOONTZ
Dar widzenia

Z angielskiego przełożyli
MARIA i CEZARY FRĄC

Wydawnictwo
A. Kuryłowicz

WARSZAWA 2007

Tytuł oryginału:
FOREVER ODD

Redakcja: Lucyna Lewandowska
Ilustracja na okładce: Jacek Kopalski
Projekt graficzny okładki i serii: Andrzej Kuryłowicz

ISBN 978-83-7359-540-8

Dystrybucja
Firma Księgarska Jacek Olesiejuk
Poznańska 91, 05-850 Ożarów Maz.
t./f. 022-535-0557, 022-721-3011/7007/7009
www.olesiejuk.pl

Sprzedaż wysyłkowa – księgarnie internetowe
www.merlin.pl
www.empik.com
www.ksiazki.wp.pl

WYDAWNICTWO ALBATROS
ANDRZEJ KURYŁOWICZ
Wiktorii Wiedeńskiej 7/24, 02-954 Warszawa

Wydanie I
Skład: Laguna
Druk: WZDZ – Drukarnia Lega, Opole

DEAN KOONTZ (ur. 1945) należy do najpopularniejszych autorów amerykańskich. Karierę literacką rozpoczął w wieku 20 lat, startując w konkursie na opowiadanie zorganizowanym przez *Atlantic Monthly*. Po ukończeniu studiów pracował jako nauczyciel, jednocześnie sporo publikował, głównie z obszaru science fiction i horroru. Należy do pisarzy bardzo płodnych: jego dorobek to około 60 powieści oraz liczne opowiadania wydane pod własnym nazwiskiem i kilkoma pseudonimami. Obok Stephena Kinga, Koontz stał się głównym przedstawicielem gatunku thrillera psychologicznego, łączącego elementy grozy i zagadki kryminalnej ze zjawiskami nadprzyrodzonymi. Do jego najbardziej znanych powieści należą: SZEPTY (1980), *Strangers* (1986), OPIEKUNOWIE (1987), ZIMNY OGIEŃ (1991), MROCZNE ŚCIEŻKI SERCA (1994), FAŁSZYWA PAMIĘĆ (2000), a z ostatnio opublikowanych – APOKALIPSA (2004), PRZEPOWIEDNIA (2004), PRĘDKOŚĆ (2005), DAR WIDZENIA (2005), *The Husband* (2006), *Brother Odd* (2006) i *The Good Guy* (2007). Wiele z nich zostało przeniesionych na ekran telewizyjny lub kinowy.

Polecamy powieści Deana Koontza

ODD THOMAS
TRZYNASTU APOSTOŁÓW
APOKALIPSA
PRZEPOWIEDNIA
PRĘDKOŚĆ
DAR WIDZENIA

W przygotowaniu

MĄŻ
INWAZJA
NIEZNAJOMI
OCZY CIEMNOŚCI
BRACISZEK ODD
DOBRY ZABÓJCA
INTENSYWNOŚĆ
PÓŁNOC
INNY

———————

Oficjalna strona internetowa Deana Koontza
www.deankoontz.com

Niezasłużone cierpienie jest zbawcze.

Martin Luther King Jr.

Spójrz na te ręce, Boże, te ręce, które się trudziły, żeby mnie wychować.

Elvis Presley nad trumną matki

1

Budząc się, usłyszałem ciepły wiatr brzdąkający na luźnej siatce w otwartym oknie i pomyślałem: burzowo*, choć wcale tak nie było.

Pustynne powietrze lekko pachniało różami, które nie kwitły, i kurzem, którego na pustyni Mojave nie brakuje przez dwanaście miesięcy w roku.

Deszcz pada na miasto Pico Mundo tylko w czasie naszej krótkiej zimy. Ta łagodna lutowa noc nie została odświeżona zapachem deszczu.

Miałem nadzieję, że usłyszę cichnący łoskot gromu. Jeśli jednak zbudził mnie grzmot, to musiał rozbrzmiewać we śnie.

Wstrzymując oddech, leżałem i wsłuchiwałem się w ciszę, i czułem, jak cisza wsłuchuje się we mnie.

Zegar na nocnej szafce malował w mroku jarzące się cyfry — 2:41 nad ranem.

Przez chwilę się zastanawiałem, czy nie zostać w łóżku,

---

* *Stormy* (ang.) — Burzowa, przydomek dziewczyny narratora ale ostatnio nie sypiam tak dobrze jak wówczas, kiedy byłem młody. Mam dwadzieścia jeden lat i jestem znacznie starszy niż rok wcześniej.

Pewny, że mam towarzystwo, spodziewając się zobaczyć czuwających nade mną dwóch Elvisów, jednego z zawadiackim uśmiechem, drugiego z wyrazem melancholijnego zatroskania na twarzy, usiadłem i zapaliłem lampkę. W kącie stał jeden Elvis: naturalnej wielkości tekturowa postać, która stanowiła element wystroju holu kina w czasie wyświetlania *Blue Hawaii*. W hawajskiej koszuli i wieńcu *lei* Elvis wyglądał na pewnego siebie i szczęśliwego.

W roku 1961 miał powody do zadowolenia. Film *Blue Hawaii* okazał się hitem, a piosenki trafiły na pierwsze miejsca list przebojów. Elvis dostał sześć Złotych Płyt, w tym za *Can't Help falling in Love*, i zakochał się w Priscilli Beaulieu.

Mniej szczęśliwe było to, że za namową menadżera, Toma Parkera, odrzucił główną rolę w *West Side Story* na rzecz miernego filmu *Follow That Dream*. Gladys Presley, jego ukochana matka, nie żyła już od trzech lat, a on wciąż dotkliwie cierpiał z powodu tej straty. W wieku zaledwie dwudziestu sześciu lat zaczął mieć poważne problemy.

Tekturowy Elvis wciąż się uśmiecha, wiecznie młody, niezdolny do popełnienia błędu czy do rozpaczy, obojętny na żal, nieznający smutku.

Zazdroszczę mu. Nie ma mojej kartonowej repliki, mnie takiego, jaki kiedyś byłem i jaki już nigdy nie będę.

Światło lampy ujawniło obecność drugiej postaci, tyleż cierpliwej, co zdesperowanej. Gość najwyraźniej patrzył na mnie, gdy spałem, i czekał na moje przebudzenie.

— Witam, doktorze Jessup.

Doktor Wilbur Jessup nie mógł odpowiedzieć. Na jego twarzy malował się ból. Oczy były martwymi kałużami; cała nadzieja spłynęła do tych samotnych głębi.

— Przykro mi, że pana tu widzę.

Zacisnął ręce w pięści, nie z zamiarem uderzenia czegokolwiek, lecz na znak frustracji. Przyłożył je do piersi.

Nigdy dotąd nie odwiedził mojego mieszkania, a ja w głębi serca wiedziałem, że już nie należy do Pico Mundo. Uparcie jednak chciałem wierzyć, że jest inaczej, dlatego po wstaniu z łóżka zapytałem:

— Czyżbym nie zamknął drzwi na klucz?

Pokręcił głową. Łzy zaćmiły mu oczy, lecz nie rozpłakał się ani nawet nie załkał.

Ubierając się w wyjęte z szafy dżinsy, mówiłem:

— Ostatnio jestem zapominalski.

Otworzył ręce i spojrzał na nie. Drżały. Schował w nich twarz.

— O tylu rzeczach chciałbym zapomnieć — mówiłem, wciągając skarpety i wkładając obuwie — ale tylko drobiazgi umykają mi z głowy... gdzie zostawiłem klucze, czy zamknąłem drzwi, że skończyło się mleko...

Doktor Jessup, radiolog z Country General Hospital, był łagodnym i cichym człowiekiem, choć nigdy dotąd aż tak cichym.

Otworzyłem szufladę, żeby wyjąć białą bawełnianą koszulkę.

Mam kilka czarnych, ale przeważają białe. Poza licznymi dżinsami moją garderobę uzupełniają dwie pary białych drelichów.

W tym mieszkaniu stoi tylko mała szafa. Jest w połowie pusta. Podobnie jak dolne szuflady komody.

Nie mam garnituru. Ani krawata. Ani butów, które trzeba polerować.

Na chłody zaopatrzyłem się w dwa pulowery.

Kiedyś kupiłem kamizelkę. Chwilowa niepoczytalność. Uświadomiwszy sobie, że w nieprawdopodobny sposób skomplikowałem sobie garderobę, nazajutrz oddałem ją do sklepu.

Mój ważący sto osiemdziesiąt kilogramów przyjaciel i mentor P. Oswald Boone stwierdził, że mój styl ubierania się stanowi poważne zagrożenie dla przemysłu odzieżowego.

Zauważyłem jednak, że ubrania w garderobie Ozziego mają ogromne rozmiary i to nie pozwala upaść zakładom tekstylnym, które ja narażam na niebezpieczeństwo.

Doktor Jessup był bosy, miał na sobie bawełnianą piżamę, zmiętą w czasie niespokojnego snu.

— Chciałbym, żeby coś pan powiedział. Naprawdę.

Zamiast mnie posłuchać, radiolog opuścił ręce i wyszedł z sypialni.

Spojrzałem na ścianę nad łóżkiem. Wisi tam oprawiona w ramkę kartka z maszyny do wróżenia. Obiecuje: LOS SPRAWI, ŻE NA ZAWSZE BĘDZIECIE RAZEM.

Każdego ranka zaczynam dzień od przeczytania tych siedmiu słów. Co wieczór czytam je znowu, czasami niejeden raz przed zaśnięciem — o ile w ogóle zasypiam.

Krzepi mnie wiara, że życie ma sens. Podobnie jak śmierć.

Podniosłem z szafki telefon komórkowy. Pierwszy numer na liście należy do biura Wyatta Portera, komendanta policji

Pico Mundo. Drugi to jego numer domowy. Trzeci — komórka.

Wiedziałem, że najprawdopodobniej jeszcze przed świtem będę musiał zadzwonić do komendanta Portera, pod taki czy inny numer.

W saloniku zapaliłem światło. Doktor Jessup stał wśród wyszukanych w sklepach ze starociami skarbów, w jakie umeblowany jest pokój.

Otworzyłem drzwi frontowe, on jednak nie ruszył się z miejsca. Choć przyszedł do mnie po pomoc, brakowało mu odwagi na pokazanie mi tego, co chciał pokazać.

Wyraźnie mu się podobał eklektyczny wystrój mojego mieszkania — fotele w stylu Stickleya, pulchne wiktoriańskie podnóżki, grafiki Maxfielda Parrisha, wazony z kolorowego, wytłaczanego szkła — zalanego czerwonawym światłem starej brązowej lampy z ozdobionym koralikami kloszem.

— Bez obrazy — powiedziałem — ale tu nie pańskie miejsce.

Doktor Jessup bez słowa popatrzył na mnie z czymś, co mogło być błaganiem.

— To mieszkanie jest przepełnione przeszłością — dodałem. — Jest tu miejsce dla mnie i Elvisa, i dla wspomnień, lecz dla nikogo nowego.

Wyszedłem na korytarz i zatrzasnąłem drzwi.

Moje mieszkanie jest jednym z dwóch na parterze przerobionego wiktoriańskiego domu. Ta pełna zakamarków niegdyś jednorodzinna siedziba wciąż ma dużo uroku.

Przez lata koczowałem w wynajętym pokoju nad garażem. Łóżko stało kilka kroków od lodówki. Życie było wtedy prostsze, a przyszłość jaśniejsza.

Przeprowadziłem się nie dlatego, że potrzebowałem większej przestrzeni, ale ponieważ moje serce jest teraz tutaj, na zawsze.

Drzwi frontowe domu zdobi owalna witrażowa szyba. Noc za nią wydawała się skośnie pocięta i ułożona w niezrozumiały dla nikogo wzór.

Gdy wyszedłem na werandę, noc okazała się taka sama jak wszystkie inne: głęboka, tajemnicza, drżąca — jakby w oczekiwaniu na wybuch chaosu.

Schodząc ze stopni werandy na wyłożoną kamiennymi płytami ścieżkę i potem na chodniku, rozglądałem się w poszukiwaniu doktora Jessupa, lecz nigdzie go nie dostrzegłem.

Na wyżynnej pustyni, która wznosi się daleko na wschód od Pico Mundo, zima potrafi być chłodna, natomiast nasze noce na pustyni położonej niżej nawet w lutym są całkiem ciepłe.

W okolicznych domach panowała cisza równa głębią mrokowi, jaki zalegał w oknach. Nie szczekały psy. Nie pohukiwały sowy.

Ani pieszych na chodnikach, ani aut na jezdni. Miasto wyglądało jak po zbiorowym wniebowzięciu, jak gdybym tylko ja został, żeby znosić panowanie piekła na ziemi.

Doktor Jessup dołączył do mnie, zanim dotarłem do rogu. Piżama i późna pora sugerowały, że przyszedł ze swojego domu przy Jacaranda Way, pięć przecznic na północ i na lepszym osiedlu niż moje. Teraz prowadził mnie w tamtą stronę.

Mógł unosić się w powietrzu, ale szedł ciężkim krokiem. Pobiegłem, wyprzedzając go.

Choć bałem się tego, co zastanę — być może nie mniej, niż on bał się to pokazać — chciałem jak najszybciej dotrzeć do celu. Być może czyjeś życie wciąż było w niebezpieczeństwie.

W połowie drogi uświadomiłem sobie, że mogłem zabrać chevy. Przez długi czas nie miałem własnego samochodu i w razie potrzeby pożyczałem wóz od przyjaciół. Zeszłej jesieni odziedziczyłem chevroleta camaro berlinetta coupe z roku tysiąc dziewięćset osiemdziesiątego. Wciąż zachowuję się tak, jakbym nie miał czterech kółek. Posiadanie ważącego ponad tonę ruchomego dobytku przytłacza mnie, gdy myślę o nim zbyt często. Ponieważ staram się nie myśleć, niekiedy zapominam, że go mam.

Biegłem pod dziobatym obliczem ślepego księżyca.

Rezydencja Jessupów na Jacaranda Way to elegancko wykończona georgiańska willa z białej cegły. Stoi pomiędzy przeuroczą siedzibą w amerykańskim stylu wiktoriańskim z tyloma dekoracyjnymi gzymsami, że przypomina tort weselny, i barokowym domem — barokowym pod każdym niewłaściwym względem.

Żadne z tych domostw, ocienionych przez palmy i rozjaśnionych przez pnącą bugenwillę, nie pasuje do pustyni. Nasze miasto zostało założone w roku tysiąc dziewięćsetnym przez przybyszów ze Wschodniego Wybrzeża, którzy uciekli przed srogimi zimami, ale przynieśli z sobą style architektoniczne i mentalność typową dla chłodnego klimatu.

Terri Stambaugh, moja przyjaciółka i pracodawczyni, właścicielka Pico Mundo Grille, mówi, że ta przesiedlona architektura jest lepsza niż ponure akry tynku i wysypanych żwirem dachów w wielu pustynnych miastach Kalifornii.

Pewnie ma rację. Nieczęsto wyjeżdżam z Pico Mundo i nigdy nie byłem poza granicami hrabstwa Maravilla.

Prowadzę zbyt intensywne życie, żebym mógł sobie pozwolić na przejażdżki czy podróże. Nawet nie oglądam Travel Channel.

Radość życia można znaleźć wszędzie. Dalekie strony oferują tylko egzotyczne sposoby cierpienia.

Ponadto w świecie poza Pico Mundo roi się od obcych, a ja stwierdzam, że jest mi dostatecznie trudno radzić sobie z martwymi, których przecież znałem za życia.

W niektórych oknach na parterze i na piętrze rezydencji Jessupa paliły się światła. Za większością czaił się mrok.

Gdy dotarłem do stopni frontowej werandy, doktor Wilbur Jessup już na mnie czekał.

Wiatr wichrzył mu włosy i marszczył piżamę, choć nie wiem, dlaczego miał na niego wpływ. Księżycowa poświata też go znalazła. I cień.

Potrzebował pociechy, żeby zebrać siły i wprowadzić mnie do domu, gdzie bez wątpienia leżał martwy, być może nie sam.

Objąłem go. Był duchem, widzialnym wyłącznie dla mnie, a jednak czułem ciepło i twardość jego ciała.

Może zmarli podlegają wpływom pogody tego świata, zmieniają się w świetle i cieniu, a także są ciepli jak żywe osoby nie dlatego, że tak jest naprawdę, ale ponieważ ja chcę, żeby tak było. Może w ten sposób próbuję podważać potęgę śmierci.

Być może mój nadnaturalny dar mieszka nie w głowie, lecz w sercu. Serce jest artystą, który maluje to, co głęboko go niepokoi, oddając na płótnie mniej mroczną, mniej ostrą wersję prawdy.

Doktor Jessup był niematerialny, ale wsparł się na mnie ciężko, naprawdę ciężko. Wstrząsnął nim bezgłośny szloch. Martwi nie mówią. Może wiedzą o śmierci takie rzeczy, o których żywym nie wolno się dowiedzieć.

W tej chwili zdolność mówienia nie zapewniała mi żadnej przewagi. Słowa nie mogłyby go uspokoić.

Nic poza wymierzeniem sprawiedliwości nie ulży jego cierpieniu. Może nawet sprawiedliwość nie dokona tej sztuki.

Za życia znał mnie jako Odda Thomasa, osobę dość popularną w lokalnym środowisku. Niektórzy — błędnie — uważają mnie za bohatera, a prawie wszyscy inni za ekscentryka.

Odd* nie jest przydomkiem; to moje prawdziwe imię.

Historia mojego imienia jest interesująca, jak sądzę, ale wspomniałem o niej już wcześniej. Sprowadza się do tego, że moi rodzice są dysfunkcyjni. Niewyobrażalnie.

Sądzę, że za życia doktor Jessup uważał mnie za interesującego, zabawnego, zagadkowego chłopaka. Chyba mnie lubił.

Dopiero po śmierci zrozumiał, kim jestem: towarzyszem błąkających się zmarłych.

Widzę ich, choć wolałbym nie widzieć. Zbyt mocno jednak cenię życie, żeby odwracać się do nich plecami. Zasługują na moje współczucie z racji tego, co wycierpieli na tym świecie.

Doktor Jessup odsunął się ode mnie i zmienił. Teraz widziałem rany.

---

* *odd* (ang.) — dziwny; wcześniejsze przeżycia Odda zostały opisane w powieści *Odd Thomas*

Został uderzony w twarz jakimś tępym przedmiotem, może kawałkiem rurki albo młotkiem. Wiele razy. Czaszka była pęknięta, rysy zniekształcone.

Pokaleczone, potłuczone, połamane ręce sugerowały, że desperacko próbował się bronić — albo śpieszył z pomocą komuś innemu. Mieszkał tylko z synem Dannym.

Moja litość szybko ustąpiła słusznej wściekłości, która jest uczuciem niebezpiecznym, bo zaćmiewa zdrowy rozsądek i eliminuje ostrożność.

W tym stanie, którego nie pragnę, który mnie przeraża, który opada mnie niczym opętanie, nie mogę odwrócić się od tego, co trzeba zrobić. I rzucam się na łeb, na szyję.

Przyjaciele, nieliczne osoby, które znają moje sekrety, uważają ten przymus za boskie natchnienie. Może to tylko chwilowa niepoczytalność.

Wchodząc stopień po stopniu, a potem przemierzając werandę, zastanawiałem się, czy nie zadzwonić do komendanta Wyatta Portera. Bałem się jednak, że Danny może umrzeć, podczas gdy ja będę rozmawiał i czekał na władze.

Drzwi były uchylone.

Obejrzałem się i zobaczyłem, że doktor Jessup woli błąkać się po podwórku, nie w domu. Został na trawniku.

Rany znikły. Wyglądał jak wtedy, zanim śmierć go znalazła — i sprawiał wrażenie przerażonego.

Nawet zmarli znają strach, dopóki nie opuszczą tego świata. Myślałby kto, że nie mają nic do stracenia, ale czasami dręczy ich lęk. Boją się nie tego, co ich czeka na tamtym świecie, lecz o tych, których zostawili na tym.

Pchnąłem drzwi. Otworzyły się płynnie i cicho jak mechanizm porządnie naoliwionej sprężynowej pułapki.

2

W świetle matowych żarówek w kształcie płomienia świecy, palących się w posrebrzanych kinkietach, zobaczyłem korytarz z rzędem zamkniętych białych drzwi z płycinami i schody wznoszące się w ciemność.

Marmurowa podłoga holu, szlifowana, ale nie polerowana, bielała niczym chmura i wyglądała na równie miękką. Perski dywanik w kolorze rubinów, szmaragdów i szafirów zdawał się unosić na niej niczym czarodziejska taksówka, która czeka na spragnionego przygód pasażera.

Przestąpiłem próg i chmura posadzki utrzymała mój ciężar. Dywanik pracował na jałowym biegu pod moimi stopami.

W takiej sytuacji zamknięte drzwi zwykle mnie przyciągają. Przez wszystkie te lata kilka razy miałem sen, w którym podczas poszukiwań otwieram białe drzwi z płycinami, a wówczas coś ostrego, zimnego i grubego jak słupek ogrodzenia przeszywa mi gardło.

Zawsze budzę się przed śmiercią, krztusząc się, jakbym

wciąż był nadziany. Potem zwykle wstaję, niezależnie od pory nocy.

Moje sny w zasadzie nie są wiarygodnie prorocze. Nigdy na przykład nie jeździłem na oklep na słoniu, nagi, kochając się z Jennifer Aniston. Minęło siedem lat, odkąd jako czternastoletni chłopak snułem tę pamiętną nocną fantazję. Po tak długim czasie już się nie łudzę, że sen z Aniston się spełni.

Jestem jednak całkiem pewien, że scenariusz z białymi drzwiami kiedyś się urzeczywistni. Nie wiem tylko, czy zostanę ranny, okaleczony do końca życia czy zabity.

Można by pomyśleć, że powinienem unikać białych drzwi. Unikałbym... gdybym nie wiedział, że przeznaczenia nie można ominąć ani przeskoczyć. Cena zapłacona za tę lekcję sprawiła, że moje serce przypomina prawie pustą sakiewkę z dwoma czy trzema monetami pobrzękującymi na dnie.

Wolę kopniakiem otwierać każde drzwi i stawiać czoło temu, co za nimi czeka, zamiast się odwracać, bo wtedy wciąż musiałbym być wyczulony na szczęk przekręcanej gałki, na cichy zgrzyt zawiasów za plecami.

W tym przypadku drzwi mnie nie przyciągały. Intuicja kierowała mnie ku schodom, na górę.

Ciemny korytarz na piętrze rozjaśniało tylko blade światło sączące się z dwóch pokoi.

Nie śnię o otwartych drzwiach. Bez wahania podszedłem do pierwszych i stanąłem na progu sypialni.

Widok krwi zniechęca nawet tych z dużym doświadczeniem. Bryzgi, kleksy, krople i rozpylone drobiny tworzą niezliczone plamy Rorschacha, a z każdej wyczytuje się to samo: kruchość istnienia, prawdę o śmiertelności.

Desperackie szkarłatne odciski dłoni na ścianie układały się w język znaków ofiary: „Oszczędź mnie, pomóż mi, pamiętaj o mnie, pomścij mnie".

Na podłodze w pobliżu łóżka leżało ciało doktora Wilbura Jessupa, brutalnie zmasakrowane.

Okaleczone zwłoki przygnębiają i rażą nawet tych, którzy wiedzą, że ciało jest tylko naczyniem dla esencji ducha. Ten świat mógłby być rajem, lecz zamiast tego stał się przedsionkiem piekła. Uczyniliśmy go takim w naszej arogancji.

Drzwi do łazienki były uchylone. Pchnąłem je stopą.

W cieniach łazienki światło z sypialni miało krwawe zabarwienie, ale nie ukazało żadnych niespodzianek.

Świadom, że przebywam na miejscu zbrodni, niczego nie dotykałem. Stąpałem ostrożnie z szacunku dla dowodów.

Niektórzy chcą wierzyć, że najczęstszym motywem morderstw jest chciwość, lecz zabójca rzadko kieruje się chciwością. Większość zabójstw ma tę samą ponurą przyczynę: zbrodniczy brutale mordują tych, którym zazdroszczą, i robią to z powodu tego, czego zazdroszczą.

Zawiść jest wielką tragedią nie tylko ludzkiego istnienia, lecz również politycznej historii świata.

Zdrowy rozsądek, a nie moc psychiczna, powiedział mi, że w tym przypadku zabójca zazdrościł szczęścia, jakim do niedawna doktor Jessup cieszył się w małżeństwie. Czternaście lat temu poślubił Carol Makepeace. Byli dla siebie stworzeni. Carol miała już siedmioletniego syna Danny'ego. Doktor Jessup go adoptował.

Przyjaźniliśmy się z Dannym od szóstego roku życia, kiedy to odkryliśmy wspólne zainteresowanie obrazkami z *Monster Gum*. Dałem mu marsjańskiego wija mózgożercę w zamian za wenusjańskiego śluzowca metanowego, co zbliżyło nas w czasie pierwszego spotkania i zaowocowało dozgonnym braterskim uczuciem.

Zbratał nas również fakt, że obaj się różnimy, każdy na swój sposób, od innych ludzi. Ja widzę błąkających się zmarłych, a Danny cierpi na *osteogenesis imperfecta*, chorobę zwaną również wrodzoną łamliwością kości.

Te przypadłości zdefiniowały — i zdeformowały — nasze życie. Moje deformacje mają charakter głównie społeczny; jego są w znacznej mierze fizyczne.

Rok temu Carol zmarła na raka. Teraz zabrakło również doktora Jessupa i Danny został sam.

Wyszedłem z sypialni i pośpieszyłem cicho na tyły domu. Minąłem dwa zamknięte pokoje, zmierzając do otwartych drzwi, z których płynęło światło. Martwiłem się, że zostawiam za sobą nieprzeszukane miejsca.

Kiedyś, gdy popełniłem błąd polegający na obejrzeniu wiadomości w telewizji, przez jakiś czas się martwiłem, że asteroida uderzy w Ziemię i unicestwi ludzką cywilizację. Spikerka powiedziała, że to nie tylko możliwe, ale wręcz prawdopodobne. Zakończyła relację z uśmiechem.

Przejmowałem się asteroidą, dopóki nie zrozumiałem, że przecież nijak nie mogę jej powstrzymać. Nie jestem Supermanem. Jestem kucharzem przygotowującym szybkie dania, obecnie na urlopie, odpoczywającym od grilla i płyty do smażenia.

Znacznie dłużej martwiłem się o tę panią z telewizji. Jak można podawać takie straszne wiadomości, a potem się uśmiechać?

Jeśli kiedyś otworzę białe drzwi z płycinami i żelazna pika — albo coś innego — przeszyje mi gardło, prawdopodobnie będzie ją trzymać tamta spikerka.

Dotarłem do otwartych drzwi, wszedłem w światło, przestąpiłem próg. Ani ofiary, ani zabójcy.

To, co niepokoi nas najbardziej, w większości przypadków nie jest tym, co nas ukąsi. Najbardziej ostre zęby gryzą wtedy, gdy patrzymy w inną stronę.

Bezsprzecznie był to pokój Danny'ego. Na ścianie za rozgrzebanym łóżkiem wisiał plakat z Johnem Merrickiem, prawdziwym Człowiekiem Słoniem.

Danny często żartował na temat swojego kalectwa — dotyczącego głównie kończyn. Ani trochę nie przypominał Merricka, ale Człowiek Słoń był jego bohaterem.

„Pokazywali go jako wybryk natury — wyjaśnił kiedyś. — Kobiety mdlały na jego widok, dzieci płakały, twardzi mężczyźni się wzdrygali. Był znienawidzony i napiętnowany. A jednak sto lat później na podstawie jego życia powstał film i dziś znamy jego nazwisko. Kto zna nazwisko łajdaka, który był jego właścicielem i pokazywał go ciekawskim, albo nazwiska tych, którzy mdleli, płakali i wzdrygali się na jego widok? Obrócili się w proch, a on jest nieśmiertelny. Poza tym, gdy wychodził między ludzi, nosił fantastyczny płaszcz z kapturem".

Na innych ścianach wisiały plakaty wiecznie młodej bogini seksu, Demi Moore, obecnie bardziej zachwycającej niż kiedykolwiek w serii reklam dla Versace.

Dwudziestojednoletni Danny, mający sto czterdzieści pięć centymetrów wzrostu (pięć mniej niż utrzymywał), powykręcany wskutek nieprawidłowego rozrostu kości, do czego dochodziło w czasie gojenia się licznych złamań, wiódł skromne życie, ale miał śmiałe marzenia.

Nikt mnie nie dźgnął, gdy znowu wyszedłem na korytarz. Nie spodziewałem się, że ktoś mnie dźgnie, lecz jeśli kiedyś tak się stanie, wydarzy się to prawdopodobnie w takim właśnie momencie.

Jeżeli wiatr Mojave wciąż smagał noc, nie słyszałem go w grubych murach georgiańskiego domu, który ciszą, klimatyzowanym chłodem i lekkim zapachem krwi przypominał prosektorium.

Nie śmiałem dłużej zwlekać z powiadomieniem komendanta Portera. Stojąc w holu na górze, wcisnąłem na klawiaturze komórki dwójkę, przycisk szybkiego wybierania jego numeru domowego.

Odebrał po drugim sygnale. Wyglądało na to, że nie wyrwałem go z łóżka.

Sprawdzając, czy nie podkrada się do mnie obłąkana spikerka albo coś gorszego, powiedziałem cicho:

— Przepraszam, jeśli pana zbudziłem.

— Nie spałem. Siedziałem z Louisem L'Amourem.

— Z tym pisarzem? Myślałem, że nie żyje.

— Mniej więcej tak samo jak Dickens. Powiedz mi, synu, że doskwiera ci samotność, a nie jakiś kłopot.

— Nie proszę się o kłopoty. Ale niech pan lepiej przyjedzie do domu doktora Jessupa.

— Mam nadzieję, że to tylko włamanie.

— Morderstwo. Wilbur Jessup leży na podłodze w sypialni. Brutalne morderstwo.

— Gdzie jest Danny?

— Myślę, że został uprowadzony.

— Simon — mruknął.

Simon Makepeace — pierwszy mąż Carol, ojciec Danny'ego — cztery miesiące temu został zwolniony z więzienia po odsiedzeniu szesnastu lat za nieumyślne spowodowanie śmierci.

— Lepiej niech pan przyjedzie z obstawą — poradziłem. — I po cichu.

— Ktoś wciąż tam jest?

— Mam takie wrażenie.

— Trzymaj się z daleka, Odd.

— Pan wie, że nie mogę.

— Nie rozumiem tego przymusu.

— Ja też nie, proszę pana.

Wcisnąłem ZAKOŃCZ i schowałem komórkę do kieszeni.

3

Zakładając, że sterroryzowany przez porywacza Danny wciąż musi być w pobliżu, najprawdopodobniej gdzieś na dole, skierowałem się ku schodom. Zanim do nich dotarłem, zawróciłem tą samą trasą, którą przed chwilą przebyłem.

Spodziewałem się, że wrócę do dwojga zamkniętych drzwi po prawej stronie korytarza, pomiędzy sypialnią doktora Jessupa i pokojem Danny'ego, aby zobaczyć, co się za nimi kryje. Ale jak wcześniej, nie do nich mnie ciągnęło.

Po lewej stronie znajdowało się troje zamkniętych drzwi. One też mnie nie przyciągały.

Oprócz zdolności widzenia duchów, daru, który z radością zamieniłbym na talent muzyczny albo umiejętność układania kwiatów, zostałem obdarzony czymś, co nazywam magnetyzmem psychicznym.

Kiedy kogoś nie ma tam, gdzie spodziewam się go znaleźć, mogę wybrać się na spacer bądź na rowerową lub samochodową przejażdżkę. Myśląc o imieniu albo twarzy poszukiwanej osoby, skręcam w przypadkowe ulice i spotykam ją czasami w ciągu paru minut, czasami po godzinie. To tak, jakby położyć na stole dwa magnesy i patrzeć, jak nieuchronnie suną ku sobie.

Słowem kluczowym jest „czasami".

Niekiedy mój psychiczny magnetyzm funkcjonuje niczym najlepszy zegarek od Cartiera. Kiedy indziej przypomina minutnik kupiony na wyprzedaży: nastawiasz na jaja na miękko, a wychodzą na twardo.

Zawodność tego daru nie świadczy o okrucieństwie czy obojętności Boga, ale może być kolejnym dowodem, że Stwórca ma poczucie humoru.

To ja jestem winny. Nie potrafię odprężyć się na tyle, żeby dar mógł zrobić swoje. Łatwo się rozpraszam: w tym przypadku dekoncentrowała mnie świadomość, że Simon Makepeace*, rozmyślnie lekceważąc pokojowy wydźwięk swojego nazwiska, gwałtownie otworzy drzwi, wyskoczy na korytarz i zatłucze mnie na śmierć.

Przeszedłem przez pas światła wylewający się z pokoju Danny'ego, gdzie Demi Moore wciąż wyglądała olśniewająco, a Człowiek Słoń pachydermicznie. Przystanąłem w mroku na skrzyżowaniu z drugim, krótszym korytarzem.

Dom był ogromny. Został zbudowany w roku tysiąc dziewięćset dziesiątym przez imigranta z Filadelfii, który zbił fortunę na serku śmietankowym albo na gelignicie. Nie pamiętam.

Gelignit jest galaretowanym materiałem wybuchowym złożonym z nitrogliceryny z dodatkiem nitrocelulozy. W pierwszym dziesięcioleciu ubiegłego wieku, nazywany

---

* *make peace* (ang.) — czyń pokój

dynamitem żelatynowym, był prawdziwym hitem w kręgach szczególnie zainteresowanych wysadzaniem różnych rzeczy. Serek śmietankowy jest serkiem śmietankowym. Pysznie smakuje w całej gamie potraw, ale rzadko kiedy wybucha.

Powinienem lepiej znać miejscową historię, lecz nigdy nie mogłem poświęcić jej tyle czasu, ile bym chciał. Martwi ludzie ciągle mnie rozpraszają.

Skręciłem w lewo w drugi korytarz, w którym panowały ciemności, choć nie czarne jak smoła. Blada poświata jaśniała w drzwiach u szczytu schodów na tyłach domu.

Klatka schodowa nie była oświetlona. Blask płynął z dołu.

Minąłem rozmieszczone po obu stronach korytarza pokoje i schowki, których nie miałem chęci przeszukiwać, a potem windę. Wilbur zainstalował hydrauliczny dźwig przed ślubem z Carol, zanim Danny — wówczas siedmioletni — wprowadził się do domu.

Jeśli cierpisz na *osteogenesis imperfecta*, od czasu do czasu łamiesz kość bez szczególnego wysiłku. Danny w wieku sześciu lat złamał prawy nadgarstek, gdy rzucał karty podczas gry w Czarnego Piotrusia.

Z tego powodu schody są ogromnie niebezpieczne. Gdyby Danny w dzieciństwie spadł ze schodów, na pewno umarłby z powodu pęknięć czaszki.

Choć sam nie boję się upadku, schody mnie wystraszyły. Były kręte i zabudowane, co ograniczało widoczność zaledwie do kilku stopni.

Intuicja mi podszeptywała, że ktoś czeka na dole.

Ale winda jako alternatywa dla schodów mogła być zbyt hałaśliwa. Simon Makepeace, uprzedzony, będzie na mnie czekał, gdy zjawię się na parterze.

Nie mogłem się wycofać. Wewnętrzny przymus kazał mi zejść na dół — i to szybko — do pokoi na tyłach domu.

Zanim w pełni zdałem sobie sprawę, co robię, wcisnąłem guzik windy. Oderwałem palec tak szybko, jakby ukłuła mnie igła.

Drzwi nie od razu się otworzyły. Kabina była na dole.

Gdy silnik z szumem zbudził się do życia, gdy westchnął hydrauliczny mechanizm, gdy kabina z cichym szmerem sunęła szybem, uświadomiłem sobie, że mam plan. To dobrze.

Szczerze mówiąc, słowo „plan" było zbyt ambitne. Obmyśliłem coś w rodzaju podstępu, drobnej dywersji.

Winda zahamowała ze szczękiem, który w cichym domu zabrzmiał tak głośno, że aż się skrzywiłem, choć spodziewałem się hałasu. Sprężyłem się, gdy drzwi się otworzyły, nikt jednak na mnie nie skoczył.

Wyciągnąłem rękę i wcisnąłem guzik w kabinie, odsyłając windę z powrotem na parter.

Kiedy drzwi się zamykały, pobiegłem do schodów i na oślep popędziłem na dół. Wartość mojego podstępu spadnie do zera, gdy kabina dotrze do celu, bo wtedy Simon odkryje, że nikt nią nie przyjechał.

Przyprawiające o klaustrofobię schody prowadziły do sieni przy kuchni. W Filadelfii wyłożona kamiennymi płytami sień mogła być niezbędna, gdyż są tam deszczowe wiosny i śnieżne zimy, ale na spieczonej słońcem pustyni Mojave przydawała się nie bardziej niż wieszak do rakiet śnieżnych.

Ale przynajmniej nie był to składzik pełen gelingitu.

Z sieni jedne drzwi prowadziły do garażu, drugie na podwórko. Trzecie do kuchni.

Projektant domu nie przewidywał obecności windy. Przedsiębiorca dokonujący przebudowy usytuował ją, niezbyt szczęśliwie, w kącie wielkiej kuchni.

Ledwie wpadłem do sieni, z zawrotami głowy po pokonaniu ciasno skręconych schodów, brzdęk oznajmił przyjazd kabiny.

Chwyciłem szczotkę na kiju, jakbym przy jej pomocy mógł zmieść morderczego psychopatę z powierzchni ziemi. W najlepszym wypadku, znienacka uderzając włosiem w twarz, mogłem go oślepić i wytrącić z równowagi.

Miotacz ognia byłby lepszy od miotły, ale miotła była lepsza od mopa i z pewnością groźniejsza od miotełki z piór.

Ustawiłem się przy drzwiach do kuchni i przygotowałem do zbicia Simona z nóg, gdy wpadnie do sieni w poszukiwaniu intruza. Nie wpadł.

Po czasie, który wydawał się wystarczająco długi, żeby przemalować szare ściany na weselszy kolor — w rzeczywistości upłynęło może piętnaście sekund — spojrzałem na drzwi do garażu. Potem na drzwi na podwórko.

Zastanawiałem się, czy Simon Makepeace już wyprowadził Danny'ego z domu. Mogli być w garażu, Simon za kierownicą samochodu doktora Jessupa, Danny związany i bezradny na siedzeniu z tyłu.

A może szli przez podwórko do bramy. Może Simon miał własny wóz w uliczce za posesją.

Kusiło mnie, żeby pchnąć wahadłowe drzwi i wejść do kuchni.

Paliły się tylko lampki zamontowane pod wiszącymi szafkami, oświetlając blaty wzdłuż ścian pomieszczenia. Zobaczyłem, że jestem sam.

Niezależnie od tego, co widziałem, wyczuwałem czyjąś obecność. Ktoś kucał, chowając się za wyspą stojącej pośrodku wielkiej lady.

Uzbrojony w groźną szczotkę, trzymając ją jak maczugę, ostrożnie okrążyłem kontuar. Lśniąca mahoniowa podłoga popiskiwała cichutko pod gumowymi podeszwami moich tenisówek.

Gdy okrążyłem trzy czwarte wyspy, usłyszałem szmer rozsuwających się drzwi windy.

Odwróciłem się i zobaczyłem nie Simona, lecz obcego. Czekał na windę, a kiedy nie przyjechałem, jak się spodziewał, zrozumiał, że to podstęp. Był bystry i szybki — zanim wyszedłem z sieni, schował się w kabinie.

Był śliski jak wąż i pełen sprężystej siły. W jego zielonych oczach płonęła straszna wiedza; były to oczy człowieka, który znał wiele wyjść z rajskiego ogrodu. Jego łuskowate usta ułożyły się w krzywiznę doskonałego kłamstwa: uśmiech, w którym złośliwość próbowała uchodzić za przyjazne zamiary, w którym rozbawienie w rzeczywistości ociekało jadem.

Zanim zdążyłem wymyślić wężową metaforę na opisanie nosa, wężowaty drań uderzył. Nacisnął spust tasera, wystrzeliwując dwie elektrody, które, wlokąc za sobą cienkie przewody, przebiły moją koszulkę i wywołały obezwładniający wstrząs.

Poczułem się jak lecąca wysoko czarownica, nagle pozbawiona magii: ciężki, z bezużyteczną miotłą.

4

Kiedy porazi cię prąd o napięciu może pięćdziesięciu tysięcy woltów, minie trochę czasu, zanim znów się poczujesz jak nowo narodzony.

Leżąc na podłodze, udając zdeptanego karalucha, podrygując gwałtownie, pozbawiony kontroli motorycznej, próbowałem wrzasnąć, lecz z moich ust wydobył się tylko świst.

Błysk bólu przemknął przez wszystkie włókna nerwowe w moim ciele, a potem rozjaśniła je uparcie pulsująca czerwień. Widziałem sieć nerwów w wyobraźni tak wyraźnie, jak autostrady na mapie drogowej.

Skląłem napastnika — niestety szeptem. Popiskiwałem niczym przestraszony myszoskoczek.

Stanął nade mną i spodziewałem się, że zaraz mnie rozdepcze. Zaliczał się do tych, których bawi rozdeptywanie. Jeśli nie nosił butów podbitych ćwiekami, to tylko dlatego, że oddał je do szewca, aby dorobić kolce na noski.

Moje ręce tłukły podłogę, dłonie miałem zaciśnięte. Nie mogłem zasłonić twarzy.

Przemówił, ale jego słowa nic nie znaczyły, brzmiały jak skwierczenie i trzask zwartych przewodów.

Podniósł miotłę z podłogi. Odgadłem, że zamierza tłuc mnie po twarzy tępym metalowym uchwytem, dopóki Człowiek Słoń w porównaniu ze mną nie będzie wyglądał jak model z magazynu GQ.

Wzniósł wysoko oręż czarownicy, lecz nie uderzył. Odwrócił się gwałtownie, patrząc w stronę frontu domu. Najwyraźniej usłyszał coś, co zmieniło jego priorytety, bo odrzucił miotłę. Wymknął się przez sień i niewątpliwie opuścił dom tylnymi drzwiami.

Uparte brzęczenie w uszach zagłuszało to, co usłyszał napastnik, ale założyłem, że komendant Porter przybył z policjantami. Powiedziałem mu, że martwy doktor Jessup leży w sypialni na piętrze, lecz zgodnie z przepisami miał nakazać przeszukanie całego domu.

Nie chciałem, żeby ktoś mnie tu znalazł.

W komendzie policji Pico Mundo tylko szef wie o moim darze. Jeśli znowu zjawię się pierwszy na miejscu zbrodni, wielu podwładnych komendanta zacznie rozmyślać o mnie znacznie częściej niż do tej pory.

Prawdopodobieństwo, że któryś z nich dojdzie do wniosku, iż zmarli przychodzą do mnie po sprawiedliwość, było znikome. Mimo wszystko wolałem nie ryzykować.

Moje życie już jest *muy* dziwne i tak skomplikowane, że pozostaję przy zdrowych zmysłach tylko dzięki temu, iż hołduję minimalistycznej postawie. Nie podróżuję. Prawie wszędzie chodzę pieszo. Nie imprezuję. Nie śledzę wiadomości ani trendów mody. Nie interesuję się polityką. Nie mam planów na przyszłość. Odkąd w wieku szesnastu lat wyprowadziłem się z domu, pracowałem tylko jako kucharz. Ostatnio wziąłem urlop, ponieważ nawet smażenie odpowiednio pulchnych naleśników i przygotowywanie należycie chrupkich sandwiczy z bekonem, sałatą i pomidorem wydawało się zbyt trudnym dodatkiem do wszystkich moich innych problemów.

Gdyby świat się dowiedział, kim jestem, co mogę widzieć i robić, na drugi dzień miałbym pod drzwiami tysiące ludzi. Rozpaczających. Skruszonych. Podejrzliwych. Pełnych nadziei. Wierzących. Sceptycznych.

Chcieliby, żebym pośredniczył pomiędzy nimi a ukochanymi, których utracili; nalegaliby, żebym odgrywał detektywa w każdej nierozwiązanej sprawie morderstwa. Jedni chętnie otoczyliby mnie czcią, inni pragnęliby udowodnić, że jestem oszustem.

Nie wiem, czy mógłbym odprawić z kwitkiem tych osieroconych i pełnych nadziei. Gdybym przypadkiem nauczył się to robić, nie jestem pewien, czy lubiłbym człowieka, jakim bym się stał.

Z drugiej strony, gdybym nikogo nie odprawił, zamęczyliby mnie swoją miłością i nienawiścią. Ucieraliby mnie na żarnach własnych potrzeb, aż zostałby ze mnie pył.

Bojąc się, że ktoś niepowołany znajdzie mnie w domu doktora Jessupa, miotałem się, wiłem i pełzłem po podłodze. Nie odczuwałem już dojmującego bólu, ale jeszcze nie w pełni panowałem nad swoim ciałem.

Gałka drzwi spiżarni majaczyła jakieś sześć metrów nad moją głową, jakbym był Jasiem w kuchni olbrzyma. Nie mam pojęcia, jak do niej dosięgłem, mając gumowe nogi i wciąż niesprawne ręce, lecz w końcu dopiąłem swego.

Mam długą listę rzeczy, które sam nie wiem jak, ale zrobiłem. W ostatecznym rozrachunku wszystko zawsze sprowadza się do wytrwałości.

Zatrzasnąłem za sobą drzwi spiżarni. Zamknięta ciemna przestrzeń śmierdziała gryzącymi chemikaliami, jakich nigdy wcześniej nie wąchałem.

Posmak przypalonego aluminium przyprawiał mnie o mdłości. Nigdy wcześniej nie smakowałem przypalonego aluminium, nie mam więc pojęcia, jak je rozpoznałem, ale to musiało być właśnie ono.

W mojej czaszce trzaskały i skwierczały łuki elektryczne rodem z laboratorium Frankensteina. Mruczały przeciążone oporniki.

Najprawdopodobniej nie mogłem polegać na zmyśle powonienia i smaku. Impuls z tasera czasowo zakłócił ich działanie.

Czując wilgoć na brodzie, uznałem, że krwawię. Po głębszym zastanowieniu doszedłem do wniosku, że się ślinię.

W czasie dokładnego przeszukania domu spiżarnia nie zostanie przeoczona. Zostało mi tylko parę minut na uprzedzenie komendanta Portera.

Nigdy wcześniej nie miałem takich problemów ze zrozumieniem funkcji zwyczajnej kieszeni. Człowiek wkłada do niej różne rzeczy, wyjmuje z niej różne rzeczy.

Przez całą wieczność nie mogłem wsunąć ręki do kieszeni dżinsów; zdawało się, że ktoś ją zaszył. Kiedy wreszcie wsunąłem rękę, nie mogłem jej wyjąć. Gdy udało mi się wyrwać dłoń ze szczęk kieszeni, stwierdziłem, że nie trzymam komórki, po którą sięgałem.

W chwili gdy dziwaczne chemiczne zapachy zaczęły się

przemieniać w znajomą woń ziemniaków i cebuli, zdołałem wejść w posiadanie telefonu i uchylić klapkę. Wciąż zaśliniony, ale dumny, wcisnąłem i przytrzymałem trójkę, wybierając numer komórki komendanta.

Jeśli brał udział w przeszukaniu domu, najprawdopodobniej nie odbierze.

— Przypuszczam, że to ty — oświadczył Wyatt Porter.

— Tak, jestem tutaj.

— Zabawnie mówisz.

— Nie czuję się zabawnie. Czuję się staserowany.

— Możesz powtórzyć?

— Staserowany. Zły facet mnie poraził.

— Gdzie jesteś?

— Ukrywam się w spiżarni.

— Niedobrze.

— To lepsze, niż się tłumaczyć.

Jestem pod jego ochroną. Równie mocno jak mnie jemu też zależy na uniknięciu nieszczęścia, jakim byłoby publiczne ujawnienie moich zdolności.

— Tutaj na górze wygląda strasznie — powiedział.

— Zgadzam się, proszę pana.

— Strasznie. Doktor Jessup był przyzwoitym człowiekiem. Czekaj tam, gdzie jesteś.

— Simon może w tej chwili wywozić Danny'ego z miasta.

— Kazałem zablokować obie drogi.

Pico Mundo ma tylko dwie drogi wylotowe — trzy, jeśli doda się śmierć.

— A co będzie, jeśli ktoś otworzy drzwi spiżarni?

— Staraj się upodobnić do konserwy.

Rozłączył się, a ja wyłączyłem telefon.

Przez jakiś czas siedziałem po ciemku, starając się nie myśleć, co nigdy się nie udaje. Wciąż widziałem Danny'ego. Może żył, lecz gdziekolwiek przebywał, nie było to dla niego dobre miejsce.

Jak matka żył z dolegliwością, która narażała go na poważne niebezpieczeństwo. Danny miał kruche kości; jego matka była piękna.

Simon Makepeace nie miałby takiej obsesji na punkcie Carol, gdyby była brzydka lub choćby niezbyt ładna. Z pewnością wtedy z jej powodu nie zabiłby człowieka. Wliczając w to doktora Jessupa, dwóch ludzi.

Do tego momentu byłem sam w spiżarni. Choć drzwi się nie otworzyły, nagle zyskałem towarzystwo.

Ręka zacisnęła się na moim ramieniu, ale to mnie nie przestraszyło. Wiedziałem, że moim gościem musi być doktor Jessup, martwy i niespokojny.

5

Doktor Jessup po śmierci zagrażał mi nie bardziej niż za życia.

Od czasu do czasu poltergeist — czyli duch, który potrafi dawać fizyczny upust gniewowi — może spowodować jakieś szkody, lecz zwykle kieruje nim frustracja, a nie prawdziwa złośliwość. Duchy te czują, że mają niedokończone sprawy na tym świecie, i są emanacjami osób, u których śmierć nie zmniejszyła uporu cechującego je za życia.

Duchy ludzi na wskroś złych wcale nie błąkają się po ziemi przez długi czas, nie sieją spustoszenia i nie mordują żywych. To czysto hollywoodzki wymysł.

Duchy złych ludzi zwykle odchodzą szybko, jak gdyby były umówione na pośmiertne spotkanie z kimś, komu nie mogą kazać czekać.

Doktor Jessup przeniknął przez drzwi spiżarni prawdopodobnie z taką łatwością, z jaką deszcz przenika przez dym. Dla niego nawet ściany już nie były przeszkodą.

Kiedy zdjął dłoń z mojego ramienia, założyłem, że usadowi się na podłodze po turecku jak ja. Gdy złapał mnie za ręce, zrozumiałem, że siedzi dokładnie naprzeciwko mnie w ciemności.

Nie mógł powrócić do życia, ale potrzebował pokrzepienia. Nie musiał mówić, żeby wyrazić, czego potrzebuje.

— Zrobię dla Danny'ego wszystko co w mojej mocy — powiedziałem cicho, żeby nie usłyszał mnie nikt za drzwiami spiżarni.

Nie chciałem, żeby odebrał moje słowa jako poręczenie. Tak dalece nie zasługiwałem na zaufanie.

— Smutna prawda jest taka — podjąłem — że dobre chęci mogą nie wystarczyć. Wcześniej nie zawsze wystarczały.

Mocniej ścisnął moje dłonie.

Przez szacunek dla niego chciałem go zachęcić do odejścia z tego świata i pogodzenia się z łaską, jaką oferowała mu śmierć.

— Wszyscy wiedzą, że był pan dobrym mężem dla Carol. Ale mogą nie zdawać sobie sprawy, jakim dobrym ojcem był pan dla Danny'ego.

Im dłużej zwleka wyzwolony duch, tym większe prawdopodobieństwo, że utknie tu na zawsze.

— Okazał pan nadzwyczajną dobroć, adoptując siedmiolatka z takimi problemami zdrowotnymi. Dzięki pana postawie Danny czuł, że jest pan z niego dumny, dumny z cierpienia bez skargi, dumny z jego odwagi.

Doktor Jessup nie miał powodu bać się ruszenia w dalszą drogę. Pozostanie tutaj — w roli niemego obserwatora, który nie ma żadnego wpływu na bieg wydarzeń — tylko pogłębiłoby jego niedolę.

— On pana kocha, doktorze. Uważa pana za prawdziwego ojca, jedynego ojca.

Byłem rad z nieprzeniknionych ciemności i jego upiornego milczenia. Powinienem już choć trochę uodpornić się na rozpacz żywych i żal tych, którzy wskutek przedwczesnej śmierci musieli odejść bez pożegnania, a jednak rok po roku staję się coraz bardziej wrażliwy.

— Wie pan, jaki jest Danny — kontynuowałem. — Mały twardziel. Wieczny dowcipniś. Ale ja wiem, co czuje naprawdę. I na pewno pan wie, kim pan był dla Carol. Bardzo pana kochała.

Przez chwilę milczałem jak on. Jeśli naciska się na nich zbyt mocno, mogą się zaciąć, a nawet spanikować.

W takim stanie nie widzą drogi stąd do tamtego świata, nie widzą mostu, drzwi czy cokolwiek to jest.

Dałem mu czas na przyswojenie sobie moich słów i dodałem:

— Zrobił pan wiele z tego, co miał pan tutaj zrobić, i zrobił pan to dobrze. To wszystko, na co możemy liczyć... na szansę pokazania, ile jesteśmy warci.

Po kolejnej chwili obopólnego milczenia puścił moje ręce.

W tym samym momencie otworzyły się drzwi spiżarni. Światło z kuchni przepłoszyło ciemność. Stanął nade mną komendant Wyatt Porter.

Jest wielki, ma przygarbione ramiona i pociągłą twarz. Ludzie, którzy nie umieją wyczytać z oczu jego prawdziwej natury, uważają go za ponuraka.

Podnosząc się, zrozumiałem, że efekty porażenia prądem jeszcze nie całkiem przeminęły. W mojej głowie nadal skwierczały fantomowe wyładowania elektryczne.

Doktor Jessup odszedł. Może do następnego świata. Może z powrotem na podwórko przed domem.

— Jak się czujesz? — zapytał komendant, odsuwając się od drzwi.

— Jak usmażony.

— Tasery nie wyrządzają poważnej szkody.

— Czuje pan swąd spalonych włosów?

— Nie. Czy to był Makepeace?

— Nie — odparłem, wchodząc do kuchni. — Jakiś wężowaty facet. Znalazł pan Danny'ego?

— Tu go nie ma.

— Tak myślałem.

— Droga wolna. Idź na uliczkę.

— Pójdę na uliczkę.

— Czekaj przy drzewie śmierci.

— Będę czekał przy drzewie śmierci.

— Synu, dobrze się czujesz?

— Świerzbi mnie język.

— Możesz go drapać, czekając na mnie.

— Dziękuję, proszę pana.

— Odd?

— Słucham?

— Idź.

6

Drzewo śmierci rośnie po drugiej stronie uliczki, przecznicę od domu Jessupów, na podwórku za rezydencją Yingów. Latem i jesienią ta dziesięciometrowa brugmansja jest obwieszona wisiorami podobnych do trąbek żółtych kwiatów. Czasami z gałęzi zwisa ich ponad sto, może dwieście, każdy długi na dwadzieścia pięć do trzydziestu centymetrów.

Pan Ying uwielbia wygłaszać prelekcje o zabójczej naturze swojej ukochanej brugmansji. Każda część drzewa — korzenie, drewno, kora, liście, kielichy kwiatów — jest toksyczna.

Spożycie strzępka liścia spowoduje krwawienie z nosa, krwawienie z uszu, krwawienie z oczu i wycieńczającą biegunkę. W ciągu minuty wypadną ci zęby, sczernieje język, a mózg zacznie przechodzić w stan ciekły.

Może to przesada. Miałem osiem lat, gdy pan Ying pierwszy raz opowiedział mi o drzewie, i takie wrażenie wyniosłem z jego wykładu na temat zatrucia brugmansją.

Nie mam pojęcia, dlaczego pan Ying — i jego żona — są tacy dumni z hodowania drzewa śmierci.

Ernie i Pooka Yingowie są Amerykanami pochodzenia azjatyckiego, ale trudno doszukiwać się w nich cech łotra w rodzaju Fu Manchu. Są zbyt sympatyczni, żeby poświęcać czas na prowadzenie niecnych eksperymentów naukowych w wielkim tajnym laboratorium wyciętym w skale pod domem.

Gdyby nawet byli w stanie unicestwić świat, nie wyobrażam sobie, że ktoś, kto ma na imię Pooka, mógłby nacisnąć dźwignię zagłady na apokaliptycznej maszynie.

Yingowie chodzą na mszę do kościoła Świętego Bartłomieja. Pan Ying jest członkiem Rycerzy Kolumba. Pani Ying przez dziesięć godzin w tygodniu pracuje w przykościelnym sklepie z artykułami używanymi.

Yingowie często chodzą do kina, a Ernie, wyjątkowo sentymentalny, płacze w czasie scen śmierci, scen miłosnych, scen patriotycznych. Raz płakał nawet wtedy, gdy Bruce Willis niespodziewanie został postrzelony w ramię.

Rok po roku, przez trzy dziesięciolecia małżeństwa (w tym czasie adoptowali i wychowali dwie sieroty), sumiennie nawozili, nawadniali, przycinali, opryskiwali drzewo śmierci, by ustrzec je przed przędziorkiem chmielowcem i mączlikiem. Werandę na tyłach domu zastąpili znacznie większym sekwojowym tarasem, na którym urządzili różne punkty widokowe, żeby razem przy śniadaniu albo w ciepłe pustynne wieczory podziwiać wspaniałe śmiercionośne dzieło natury.

Pragnąc uniknąć wykrycia przez policję, która w ciągu pozostałych godzin nocy miała przyjeżdżać do domu Jessupów i stamtąd wyjeżdżać, przeszedłem przez furtkę w płocie na tyłach posesji Yingów. Ponieważ siadanie na tarasie bez zaproszenia wydawało mi się niekulturalne, usadowiłem się na podwórku pod brugmansją.

Ośmiolatek, który wciąż jest we mnie, zaczął się zastanawiać, czy trawa może wchłaniać truciznę z drzewa. Jeśli toksyna była wystarczająco silna, mogła przeniknąć przez siedzenie moich dżinsów.

Zadzwoniła komórka.

— Słucham?

— Cześć — powiedziała kobieta.

— Kto mówi?

— Ja.

— Myślę, że to pomyłka.

— Poważnie?

— Tak.

— Jestem rozczarowana.

— Zdarza się.

— Znasz pierwszą zasadę?

— Jak mówiłem...

— Przychodzisz sam — nie pozwoliła mi dokończyć.

— ...wybrała pani niewłaściwy numer.

— Rozczarowałeś mnie.

— Ja? — zapytałem.

— Bardzo rozczarowałeś.

— Bo mam niewłaściwy numer telefonu?

— To żałosne — powiedziała i zakończyła rozmowę.

Miała zastrzeżony numer. Na moim ekranie nie pojawiły się żadne cyfry.

Rewolucja telekomunikacyjna nie zawsze ułatwia komunikację.

Patrzyłem na telefon, czekając na ponowną pomyłkę, ale nie zadzwonił. Zamknąłem klapkę.

Zdawało się, że wiatr wiruje, spływając do rury kanalizacyjnej w powierzchni pustyni.

Za nieruchomymi konarami brugmansji, liściastymi, ale nie kwitnącymi do późnej wiosny, na wysokim sklepieniu nocy gwiazdy połyskiwały jak nowe szterlingi, a księżyc lśnił niczym zmatowiałe srebro.

Spojrzałem na zegarek i ze zdumieniem zobaczyłem, że jest siedemnaście po trzeciej. Minęło tylko trzydzieści sześć minut, odkąd po przebudzeniu ujrzałem doktora Jessupa w sypialni.

Wcześniej, nie mając pojęcia, która godzina, założyłem, że zbliża się świt. Pięćdziesiąt tysięcy woltów nabałaganiło w moim zegarku, ale jeszcze skuteczniej zakłóciło moje poczucie czasu.

Gdyby gałęzie nie obejmowały nieba tak czule, spróbowałbym znaleźć Kasjopeję, konstelację mającą dla mnie wyjątkowe znaczenie. Kasjopeja była matką Andromedy.

Inna Kasjopeja, nie ta z mitu, była matką dziewczyny, która miała na imię Bronwen. A Bronwen jest najpiękniejszą osobą, jaką kiedykolwiek znałem i jaką kiedykolwiek poznam.

Kiedy gwiazdozbiór Kasjopeja jest widoczny na północnej półkuli i gdy uda mi się go znaleźć, czuję się mniej samotny.

Nie jest to racjonalna reakcja na widok konfiguracji gwiazd, lecz serce nie może karmić się samą logiką. Brak rozsądku jest doskonałym lekarstwem, dopóki się go nie przedawkuje.

Wóz policyjny podjechał do bramy. Reflektory były przygaszone.

Podniosłem się spod drzewa śmierci. Jeśli nawet moje pośladki zostały zatrute, to jeszcze nie odpadły.

— Jak język? — zapytał komendant, gdy usiadłem w fotelu pasażera i zatrzasnąłem drzwi.

— Słucham?

— Wciąż swędzi?

— Aha. Nie. Przestał. Nawet nie zauważyłem kiedy.

— Byłoby lepiej, gdybyś siadł za kółkiem, prawda?

— Tak. Ale to wóz policyjny, a ja jestem tylko kucharzem.

Gdy jechaliśmy uliczką, komendant włączył długie światła i zaproponował:

— Może będę jechał byle gdzie, a kiedy poczujesz, że powinienem skręcić, po prostu mi o tym powiesz?

— Spróbujmy. — Ponieważ wyłączył radio, zapytałem: — Nie będą chcieli się z panem skontaktować?

— Z domu Jessupa? Zabezpieczają ślady. Chłopcy z laboratorium są w tym lepsi ode mnie. Opowiedz mi o facecie z taserem.

— Wredne zielone oczy. Chudy i szybki. Wężowaty.

— Koncentrujesz się na nim teraz?

— Nie. Widziałem go tylko przez chwilę, zanim mnie poraził. Aby magnetyzm zadziałał, muszę mieć lepszy obraz mentalny albo nazwisko.

— A Simon?

— Nie wiemy na pewno, czy Simon jest w to zamieszany.

— Postawię swoje oczy na dolara, że jest. Zabójca bił Wilbura Jessupa jeszcze długo po śmierci. Działał pod wpływem silnych emocji. Ale nie przyszedł sam. Miał kumpla, może poznanego w więzieniu.

— Tak czy inaczej spróbuję znaleźć Danny'ego.

Przejechaliśmy kilka przecznic w milczeniu.

Szyby były opuszczone. Powietrze wydawało się czyste, ale niosło krzemionkowy zapach pustkowia Mojave, które otacza nasze miasto. Pod oponami chrzęściły suche liście, zrzucone przez figowce.

Pico Mundo wyglądało jak po ewakuacji.

Komendant zerknął na mnie parę razy i zapytał:

— Wrócisz do pracy w Grille?

— Tak. Prędzej czy później.

— Prędzej byłoby lepiej. Ludzie tęsknią za frytkami.

— Poke też robi dobre — odparłem, mając na myśli Poke'a Barnetta, drugiego kucharza w Pico Munde Grille.

— Nie są takie złe, gdy trzeba się czymś napchać — przyznał — ale daleko im do twoich. Z naleśnikami jest tak samo.

— Nikt nie dorówna mojemu współczynnikowi pulchności — zgodziłem się.

— To jakiś kulinarny sekret?

— Nie, wrodzony instynkt.

— Dar robienia naleśników.

— Coś w tym rodzaju.

— Czujesz się już namagnesowany czy jak tam nazywasz to, co czujesz?

— Nie, jeszcze nie. I lepiej o tym nie rozmawiać. Po prostu niech się dzieje.

Komendant Porter westchnął.

— Nie wiem, kiedy przywyknę do korzystania z tych twoich zdolności parapsychicznych.

— Ja nie przywykłem. I nie przypuszczam, żebym kiedykolwiek przywykł.

Przed szkołą pomiędzy pniami dwóch palm wisiał rozpięty wielki transparent z napisem: NAPRZÓD, HALODERMY! Kiedy sam chodziłem do niej, drużyny sportowe nazywały się Braves, czyli Dzielni. Wszystkie cheerleaderki nosiły opaski z piórami. Ale później uznano to za obrazę miejscowych plemion indiańskich, chociaż żaden Indianin nigdy się nie poskarżył.

Dyrekcja szkoły doprowadziła do przemianowania Dzielnych na Halodermy. Uznano gada za idealny wybór, ponieważ symbolizuje zagrożenie środowiska naturalnego Mojave.

Ani w futbolu, koszykówce, baseballu, lekkoatletyce czy pływaniu Halodermy nie odniosły tylu zwycięstw co Dzielni. Większość ludzi wini za to trenerów.

Kiedyś sądziłem, że wszyscy wykształceni ludzie wiedzą, iż pewnego dnia w Ziemię może uderzyć asteroida, która zniszczy cywilizację. Ale może wielu z nich jeszcze o tym nie słyszało.

Jak gdyby czytając w moich myślach, komendant Porter stwierdził:

— Mogło być gorzej. Pluskwiak z Mojave też jest gatunkiem zagrożonym. Mogli nazwać drużynę Pluskwiakami.

— W lewo — zasugerowałem i komendant skręcił na następnym skrzyżowaniu.

— Myślałem, że jeśli Simon kiedyś tu wróci — powiedział — to cztery miesiące temu, zaraz po wyjściu z Folsom. W październiku i listopadzie wysyłaliśmy specjalne patrole na osiedle Jessupa.

— Danny mówił, że w domu podjęli środki ostrożności. Lepsze zamki w drzwiach. Najnowszy system alarmowy.

— Simon okazał się dość sprytny, żeby zaczekać. Stopniowo wszyscy zmniejszyli czujność. Ja też, kiedy rak zabrał Carol, nie spodziewałem się powrotu Simona do Pico Mundo.

Siedemnaście lat temu obsesyjnie zazdrosny Simon Makepeace doszedł do przekonania, że jego młoda żona ma romans. Nie miał racji.

Pewny, że schadzki odbywają się w jego własnym domu, w czasie gdy on pracuje, próbował po dobroci wyciągnąć nazwiska wszystkich męskich gości od czteroletniego wówczas syna. Ponieważ żadnych gości nie było, Danny nie mógł spełnić tych oczekiwań. Wówczas Simon chwycił go za ramiona, podniósł do góry i spróbował te nazwiska z niego wytrząsnąć.

Kruche kości popękały. Danny doznał złamania dwóch żeber, lewego obojczyka, prawego barku, prawej kości promieniowej, prawej kości łokciowej i trzech kości śródręcza w prawej dłoni.

Po nieudanej próbie wytrząśnięcia nazwisk Simon z odrazą rzucił chłopca na podłogę, łamiąc mu prawą kość udową, prawą piszczel i wszystkie kości stępu w prawej stopie.

Carol była w tym czasie na zakupach. Po powrocie do domu zastała syna samego, nieprzytomnego, krwawiącego, ze strzaskaną kością sterczącą przez skórę prawego ramienia.

Świadom, że zostanie oskarżony o maltretowanie dziecka, Simon uciekł. Zdawał sobie sprawę, że jego wolność może być mierzona w godzinach.

Mając mniej do stracenia i tym samym mniej zahamowań, postanowił zemścić się na człowieku, którego podejrzewał o romansowanie z żoną. Ponieważ żaden kochanek nie istniał, dopuścił się drugiego aktu bezmyślnej przemocy.

Pierwszym podejrzanym był Lewis Hallman, z którym Carol umówiła się kilka razy przed wyjściem za mąż. Simon śledził Lewisa w swoim fordzie explorerze, dopóki nie przyłapał go idącego pieszo, a wtedy potrącił i zabił.

W sądzie twierdził, że miał zamiar przestraszyć ofiarę, nie zamordować. Twierdzenie to wydawało się stać w sprzeczności z faktem, że po potrąceniu Lewisa Simon zawrócił i przejechał po nim drugi raz.

Wyraził skruchę. I nienawiść do samego siebie. Płakał. Bronił się tylko emocjonalną niedojrzałością. Niejeden raz, siedząc na ławie oskarżonych, modlił się głośno.

Prokuratorowi nie udało się doprowadzić do wyroku za morderstwo drugiego stopnia. Simon został skazany za nieumyślne pozbawienie życia.

Gdyby zrekonstruować i przepytać tamtą ławę przysięgłych, sędziowie bez wątpienia jednogłośnie poparliby zamianę Dzielnych na Halodermy.

— Niech pan skręci w prawo na następnym rogu — poprosiłem szefa.

Udział w więziennej bijatyce sprawił, że Simon Makepeace odsiedział całą karę za zabójstwo i krótszą za drugie wykroczenie. Nie został zwolniony warunkowo, dlatego po wyjściu na wolność mógł się zadawać, z kim tylko chciał, i chodzić, gdzie dusza zapragnie.

Jeśli wrócił do Pico Mundo, to teraz był porywaczem syna.

Z jego listów pisanych w więzieniu wynikało, że uważa rozwód i drugie małżeństwo Carol za zdradę. Mężczyźni o takim jak on profilu psychologicznym często dochodzą do wniosku, że jeśli nie mogą mieć upragnionej kobiety, to nikt inny też jej nie może dostać.

Rak zabrał Carol Wilburowi Jessupowi i Simonowi, ale Simon wciąż mógł odczuwać potrzebę ukarania człowieka, który według niego był jej kochankiem.

Gdziekolwiek przebywał Danny, jego położenie musiało być rozpaczliwe.

Choć ani psychicznie, ani fizycznie nie był taki bezbronny jak siedemnaście lat temu, nie mógł się równać z Simonem Makepeace'em. Nie mógł się bronić.

— Jedźmy przez Camp's End — zaproponowałem.

Camps's End jest podupadłym, wypalonym osiedlem, gdzie jasne marzenia umierają i gdzie zbyt często rodzą się mroczne koszmary. Moje kłopoty niejeden raz zawiodły mnie na te ulice.

Gdy komendant wcisnął pedał gazu, powiedziałem:

— Jeśli to Simon, nie zabierze Danny'ego daleko. Dziwię się, że nie zabił go w domu razem z doktorem Jessupem.

— Dlaczego?

— Simon nie wierzył, że spłodził syna z wrodzoną wadą. Wrodzona łamliwość kości zasugerowała mu, że Carol go zdradzała.

— Dlatego za każdym razem, gdy patrzy na syna... — Komendant nie musiał kończyć myśli. — Chłopak jest przemądrzałym dupkiem, ale zawsze go lubiłem.

Księżyc zżółkł, opadając ku zachodowi. Niebawem miał zrobić się pomarańczowy, błędny ognik po sezonie.

7

Nawet latarnie ze szkłem w kolorze ochry, nawet księżycowa poświata nie zdołała nałożyć warstwy romantyzmu na pękający tynk, spaczone deski szalunkowe i łuszczącą się farbę domów w Camp's End. Tu zapadnięty dach werandy. Tam zygzak taśmy bandażującej ranę na okiennej szybie.

Podczas gdy czekałem na natchnienie, komendant Porter krążył po ulicach jak na rutynowym patrolu.

— Skoro nie pracujesz w Grille, co robisz przez cały dzień?

— Sporo czytam.

— Książki są dobrodziejstwem.

— I myślę znacznie więcej niż kiedyś.

— Nie zalecałbym nadmiernego myślenia.

— Nie wykraczam poza medytowanie.

— Nawet medytowanie czasami bywa przesadą.

Obok odchwaszczonego trawnika leżał martwy trawnik sąsiadujący z trawnikiem, na którym trawa dawno temu zastąpiona została żwirem.

Architekci zieleni rzadko dotykali drzew na tym osiedlu. Te, które nie zostały trwale zdeformowane wskutek niewłaściwego przycinania, rosły, jak chciały.

— Chciałbym wierzyć w reinkarnację — powiedziałem.

— Ja nie. Jednorazowe przemierzenie ścieżki jest wystarczającą próbą. Zalicz albo oblej, dobry Boże, ale nie każ mi powtórnie chodzić do szkoły.

— Jeśli w tym życiu jest coś, czego ogromnie, lecz nadaremnie pragniemy, może udałoby się nam to zdobyć następnym razem.

— A może na tym właśnie polega jedna z lekcji życia: naucz się przyjmować mniej bez goryczy i cieszyć się z tego, co masz.

— Kiedyś powiedział pan, że żyjemy po to, żeby zjeść tyle dobrego meksykańskiego jedzenia, ile tylko damy radę — przypomniałem mu. — A kiedy najemy się do syta, będzie czas pójść dalej.

— Nie pamiętam, by nauczano tego w szkółce niedzielnej. Całkiem możliwe, że wypiłem dwie czy trzy butelki negra modelo przed dokonaniem tego teologicznego spostrzeżenia.

— Chyba trudno jest pogodzić się z życiem w Camp's End bez odczuwania goryczy.

Pico Mundo jest bogatym miastem, lecz nawet największe bogactwo nie wyeliminuje wszystkich nieszczęść, a gnuśność jest ślepa na okazje.

Tam, gdzie właściciel dbał o dom, świeża farba, proste sztachety w płocie, starannie przycięte krzewy tylko podkreślały brud, śmieci i ruinę sąsiednich posesji. Pojedyncza wyspa porządku nie sugerowała nadziei na przemianę całego osiedla, lecz przywodziła na myśl wał ochronny, który długo nie wytrzyma naporu nieuchronnie narastającej fali chaosu.

Zapuszczone ulice budziły we mnie niepokój, ale choć krążyliśmy po nich od jakiegoś czasu, nie czułem, że zbliżamy się do Danny'ego i Simona.

Na moją propozycję skierowaliśmy się ku przyjemniejszym osiedlom.

— Życie w Camp's End nie jest najgorsze — zauważył komendant. — Niektórzy są nawet zadowoleni. Pewnie kilku tutejszych mieszkańców mogłoby nauczyć nas paru rzeczy o szczęściu.

— Ja jestem szczęśliwy — zapewniłem go.

Milczał przez jakąś przecznicę. Potem stwierdził:

— Jesteś pogodzony z życiem, synu. To wielka różnica.

— Jaka?

— Jeśli człowiek jest wyciszony i nie ma zbyt wielkich nadziei, spływa na niego spokój. To dobrodziejstwo. Ale trzeba umieć wybrać szczęście.

— To łatwe, prawda? Tylko wybrać?

— Dokonanie wyboru nie zawsze bywa łatwe.

— Mówi pan tak, jakby wiele o tym rozmyślał.

— Czasami uciekamy w nieszczęście, co jest dziwnym rodzajem pociechy.

Umilkł, ja też się nie odzywałem.

— Ale obojętnie, co się dzieje w życiu — podjął — szczęście jest i czeka na schwytanie.

— Wpadło to panu do głowy po trzech butelkach negra modelo czy może po czwartej?

— Na pewno po trzeciej. Nigdy nie wypijam czterech.

Gdy krążyliśmy po centrum miasta, uznałem, że niezależnie od przyczyny mój magnetyzm psychiczny nie działa. Może sam musiałbym siedzieć za kółkiem. Może impuls z tasera spowodował czasowe zwarcie w moich paranormalnych obwodach.

Albo może Danny już nie żył, a ja podświadomie stawiałem opór przyciąganiu, żeby nie zobaczyć jego zmasakrowanego ciała. Na moją prośbę o 4:04 według zegara Bank of America komendant Porter wysadził mnie po północnej stronie zamkniętego w kwadracie ulic Memorial Park.

— Wygląda na to, że w tej sprawie nie przydam się na wiele — powiedziałem.

W przeszłości mogłem się przekonać, że w sytuacjach dotyczących ludzi wyjątkowo mi bliskich, darzonych przeze mnie głębokim uczuciem, moje dary nie spisują się równie dobrze jak wtedy, gdy w grę wchodzi pewna dawka emocjonalnej obojętności. Może uczucia, podobnie jak upicie się czy silny ból głowy, utrudniają funkcjonowanie psychiki.

Danny Jessup był mi bliski jak brat. Kochałem go.

Przy założeniu, że źródłem moich paranormalnych talentów jest coś więcej niż mutacja genetyczna, przyczyna ich nieregularnego funkcjonowania mogła być znacznie głębsza. Być może zawodność daru ma zapobiegać wykorzystywaniu go w celach egoistycznych; być może, co uważam za bardziej prawdopodobne, ma uczyć mnie pokory.

Jeśli pokora jest lekcją, to dobrze ją opanowałem. Świadomość ograniczeń często przepełniała mnie łagodną rezygnacją, która do popołudnia albo nawet do zmierzchu trzymała mnie w łóżku tak skutecznie, jak kajdany i pięćdziesięciokilogramowe ołowiane kule.

Gdy otworzyłem drzwi radiowozu, komendant Porter zapytał:

— Na pewno nie chcesz, żeby cię odwieźć do domu?

— Nie, dziękuję. Jestem rozbudzony, podkręcony i głodny. Będę pierwszym klientem, który wejdzie do Grille na śniadanie.

— Otworzą dopiero o szóstej.

Wysiadłem, pochyliłem się, popatrzyłem na niego.

— Posiedzę w parku, nakarmię gołębie.

— Nie ma tu gołębi.

— W takim razie nakarmię pterodaktyle.

— Chcesz siedzieć w parku i myśleć.

— Nie, słowo, nie będę myślał.

Zamknąłem drzwi. Radiowóz ruszył.

Gdy komendant zniknął z pola widzenia, wszedłem do parku, usiadłem na ławce i złamałem obietnicę.

8

Wokół skweru stały żelazne, pomalowane na czarno słupy latarń zwieńczone trzema kulami.

Okazały brązowy posąg trzech żołnierzy — pochodzący z czasów drugiej wojny światowej i uplasowany pośrodku Memorial Park — zwykle był oświetlony, w tej chwili jednak spowijały go ciemności. Reflektory zapewne padły ofiarą wandali.

Niedawno mała, ale zdeterminowana grupa obywateli zażądała usunięcia pomnika z uwagi na jego militarystyczny charakter. Chcieli, żeby Memorial Park upamiętniał człowieka pokoju.

Propozycje na bohatera nowego pomnika obejmowały cały wachlarz postaci, od Gandhiego po Woodrowa Wilsona i Jasera Arafata.

Ktoś zaproponował, żeby Gandhi miał rysy Bena Kingsleya, który grał w filmie tego wielkiego człowieka. Wtedy może aktor dałby się skusić i wziął udział w uroczystym odsłonięciu.

To skłoniło Terri Stambaugh, moją przyjaciółkę i właścicielkę Grille, do wysunięcia sugestii, że Gandhi powinien mieć twarz Brada Pitta, bo wówczas to on mógłby uczestniczyć w uroczystości, co według standardów Pico Mundo byłoby wiekopomnym wydarzeniem.

Na tym samym zgromadzeniu mieszkańców miasta Ozzie Boone zaproponował siebie jako temat pomnika. „Ludzi o mojej imponującej średnicy nigdy nie wysyłają na wojnę — oświadczył — więc gdyby wszyscy byli tacy grubi jak ja, nie byłoby armii".

Niektórzy odebrali te słowa jako drwinę, ale inni dostrzegli zalety pomysłu Ozziego.

Może pewnego dnia obecny pomnik zastąpiony zostanie przez grubego Gandhiego z twarzą Johnny'ego Deppa, ale na razie stoją żołnierze. W ciemności.

Wzdłuż głównych ulic śródmieścia rosną stare jakarandy, które z nadejściem wiosny obsypią się fioletowymi kwiatami, natomiast Memorial Park chlubi się wspaniałymi palmami daktylowymi. Usiadłem na ławce pod jedną z nich, przodem do ulicy. Najbliższa latarnia nie była zbyt blisko, a drzewo osłaniało mnie przed coraz jaśniejszym blaskiem księżyca.

Choć byłem w mroku, Elvis mnie znalazł. Zmaterializował się gdy siadałem na ławce.

Miał na sobie mundur wojskowy z końca lat pięćdziesiątych. Nie mogę powiedzieć z pełnym przekonaniem, czy był to rzeczywiście mundur z okresu służby w wojsku, czy może kostium, jaki nosił w filmie *G. I. Blues*, nakręconym, zmontowanym i wyświetlonym pięć miesięcy po jego wyjściu do cywila w roku tysiąc dziewięćset sześćdziesiątym.

Wszyscy inni znani mi błądzący zmarli pojawiają się w ubraniach, w jakich dokonali żywota. Tylko Elvis paraduje w garderobie, na jaką w danej chwili ma ochotę.

Może chciał w ten sposób wyrazić solidarność z tymi, którzy opowiadali się za zachowaniem pomnika żołnierzy. Albo może po prostu uznał, że w mundurze wygląda fajnie, i faktycznie wyglądał.

Niewielu ludzi wiodło życie do tego stopnia publiczne, że można je odtworzyć dzień po dniu. Elvis jest jednym z nich.

Ponieważ dokładnie udokumentowano nawet jego prozaiczne poczynania, wiedzieliśmy niemal na pewno, że za życia nigdy nie odwiedził Pico Mundo. Nigdy nie przejechał przez miasto pociągiem, nigdy nie umówił się z tutejszą dziewczyną, nic nigdy nie łączyło go z nikim z naszego miasta.

Nie miałem pojęcia, dlaczego postanowił nawiedzać ten spieczony zakątek Mojave zamiast błąkać się po Graceland, gdzie umarł. Pytałem go, ale nie chciał złamać obowiązującej zmarłych zasady milczenia.

Od czasu do czasu, zwykle wieczorem, gdy siedzimy u mnie w pokoju i słuchamy jego najlepszych piosenek, co ostatnio często nam się zdarza, próbuję zachęcić go do rozmowy. Zaproponowałem, żeby do odpowiedzi używał prostego języka migowego: kciuki w górę — „tak", kciuki w dół — „nie"...

Ale on tylko patrzy na mnie spod ciężkich powiek, które ocieniają podkrążone oczy jeszcze bardziej błękitne niż w jego filmach, i zachowuje sekrety dla siebie. Często uśmiechnie się i mrugnie. Albo żartobliwie trąci mnie w ramię. Albo poklepie po kolanie.

Jest przyjazną zjawą.

Tutaj na parkowej ławce uniósł brwi i pokręcił głową, jakby mówiąc, że nigdy nie przestanie go zdumiewać mój dryg do pakowania się w kłopoty.

Dawniej myślałem, że nie chce odejść z tego świata, bo ludzie byli dla niego dobrzy, bo uwielbiały go tłumy. Choć jako artysta paskudnie zbłądził i popadł w liczne uzależnienia, był u szczytu sławy, gdy zmarł w wieku zaledwie czterdziestu dwóch lat.

Później wysnułem inną teorię. Przedstawię mu ją, gdy zbiorę się na odwagę.

Jeśli mam rację, pewnie zapłacze, kiedy ją usłyszy. Czasami płacze.

Teraz Król rock and rolla pochylił się na ławce, patrząc ku zachodowi, i przekrzywił głowę, jakby nasłuchiwał.

Nic nie usłyszałem poza cichym szelestem skrzydeł nietoperzy, które łowiły ćmy w powietrzu.

Wciąż patrząc wzdłuż pustej ulicy, Elvis podniósł ręce i zrobił gest „chodź do mnie", jakby zapraszał kogoś, żeby się do nas przyłączył.

Usłyszałem silnik zbliżającego się pojazdu, większego niż wóz osobowy.

Elvis mrugnął do mnie, jak gdyby chciał powiedzieć, że korzystałem z daru magnetyzmu psychicznego, choć nie zdawałem sobie z tego sprawy. Zamiast krążyć po mieście i tropić, być może usiadłem właśnie tam, gdzie — jak skądś wiedziałem — zwierzyna sama do mnie przyjdzie.

Dwie przecznice dalej zza rogu wyłoniła się zakurzona biała furgonetka Ford. Jechała w naszą stronę powoli, jakby kierowca czegoś szukał.

Elvis położył rękę na moim ramieniu, żebym nie wyszedł ze spowijającego nas cienia palmy.

Światło latarni spłynęło na przednią szybę i opłukało wnętrze kabiny, gdy furgonetka nas mijała. Za kierownicą siedział wężowaty facet, który potraktował mnie taserem.

Zaskoczony, nieświadom tego co robię, skoczyłem na równe nogi.

Mój ruch nie przyciągnął uwagi kierowcy. Furgonetka pojechała dalej i na rogu skręciła w lewo.

Wybiegłem na ulicę, pozostawiając sierżanta Presleya na ławce, a nietoperze ich powietrznym ucztom.

9

Furgonetka znikła za rogiem, a ja biegłem w jej bezwietrznym kilwaterze nie dlatego, że jestem odważny, bo nie jestem, ani dlatego, że uwielbiam niebezpieczeństwa, bo nie uwielbiam, ale ponieważ bierność nie jest matką odkupienia.

Na skrzyżowaniu zobaczyłem, że ford znika w uliczce w połowie kwartału. Zwiększał dystans. Popędziłem sprintem.

Stanąłem w wylocie alejki. Drogę przede mną zasnuwała ciemność, a ulica z tyłu jaśniała, więc moja sylwetka rysowała się wyraźnie jak cel na strzelnicy. Na szczęście to nie była pułapka. Nikt do mnie nie strzelił.

Zanim dobiegłem do tej uliczki, furgonetka skręciła w lewo i znikła w następnej. Wiedziałem o tym tylko dzięki temu, że ściana narożnego budynku zarumieniła się w tylnych światłach.

Pędząc za płowiejącym czerwonym tropem, pewny, że teraz nadrabiam odległość, bo musieli zwolnić na ostrym zakręcie, szukałem w kieszeni komórki.

Kiedy dotarłem w miejsce, gdzie uliczka spotykała się z uliczką, furgonetka znikła wraz ze swoim migotaniem i blaskiem. Podniosłem głowę, zaskoczony i na wpół przekonany, że zobaczę, jak wzbija się w pustynne niebo.

Wcisnąłem numer komórki komendanta Portera — i stwierdziłem, że rozładowała się bateria. Nie podłączyłem telefonu na noc.

Oświetlone przez gwiazdy kontenery na śmieci, pokraczne i cuchnące, oskrzydlały tylne wejścia restauracji i sklepów. Większość lamp w drucianych osłonach, sterowana przez zegary, zgasła w tej ostatniej godzinie przed świtem.

Niektóre z jedno- i dwupiętrowych budynków miały podnoszone drzwi. Za większością z nich mieściły się niewielkie stanowiska rozładunkowe dla dostawców; parę z nich mogło być garażami, ale nie potrafiłem określić, które.

Schowałem do kieszeni bezużyteczny telefon i przebiegłem kilka kroków. Po chwili zatrzymałem się, zaniepokojony i niepewny.

Wstrzymując oddech, nadstawiłem ucha. Słyszałem tylko moje rozszalałe serce i grzmot krwi w żyłach; żaden silnik nie pracował na luzie ani nie cichł, żadne drzwi nie otwierały się ani nie zamykały, nie brzmiały żadne głosy.

Po biegu nie mogłem długo wstrzymywać oddechu. Głośno wypuściłem powietrze i echo popłynęło wąskim gardłem alejki.

Podszedłem do najbliższych drzwi i przyłożyłem ucho do karbowanej blachy. Przestrzeń po drugiej stronie wydawała się cicha jak próżnia.

Przechodząc z jednej strony uliczki na drugą, od jednych podnoszonych drzwi do drugich, nie usłyszałem ani nie zobaczyłem niczego przydatnego. Czułem tylko, jak gaśnie iskierka nadziei.

Pomyślałem o kierowcy, wężowatym facecie. Danny musiał jechać z tyłu, z Simonem.

Znów biegłem, z alejki na ulicę, w prawo do skrzyżowania, w lewo na Palomino Avenue. Dopiero tam w pełni sobie uświadomiłem, że znów poddałem się psychicznemu magnetyzmowi albo raczej zostałem przezeń porwany.

Z bezbłędnością, z jaką gołąb wraca do gołębnika, koń pociągowy do stajni, pszczoła do ula, zmierzałem nie do domowych pieleszy, lecz ku kłopotom. Z Palomino Avenue skręciłem w następną uliczkę, gdzie wystraszyłem trzy koty, które z sykiem rzuciły się do ucieczki.

Huk wystrzału przestraszył mnie bardziej, niż ja przestraszyłem koty. Mało brakowało, a skuliłbym się i przeturlał, ale zamiast tego wpadłem pomiędzy dwa kosze, przywierając plecami do ceglanej ściany.

Echa ech zmyliły moje ucho, zamaskowały źródło. Strzał był głośny, najpewniej ze strzelby, ale nie mogłem określić, skąd padł.

Nie miałem broni pod ręką. Zdechłej komórce daleko do maczugi.

W swoim dziwnym i niebezpiecznym życiu tylko raz uciekłem się do użycia broni palnej. Zastrzeliłem człowieka, który zabijał ludzi.

Zastrzelenie go uratowało życie innym. W kwestii posługiwania się bronią palną moje intelektualne czy moralne zastrzeżenia są nie większe od tych, jakie mam w związku z używaniem łyżek czy kluczy nasadowych.

Mój problem ma charakter emocjonalny. Pistolety fascynują moją matkę. Gdy byłem mały, wyczyniała z nimi dość ponure rzeczy, o czym wspomniałem w poprzednim rękopisie.

Nie umiem jednoznacznie rozgraniczyć słusznego użycia broni od złego, jak w jej przypadku. Trzymając pistolet w ręce, mam wrażenie, że jest on obdarzony własnym życiem, zimnym i łuskowatym, skłonnym podstępnie wymknąć się spod kontroli.

Pewnego dnia ta awersja do broni może stać się przyczyną mojej śmierci. Ale nigdy się nie łudziłem, że będę żyć wiecznie. Jeśli nie kula, załatwi mnie jakiś zarazek, trucizna albo kilof.

Kuliłem się pomiędzy koszami przez minutę, może dwie. W tym czasie doszedłem do wniosku, że pocisk nie był przeznaczony dla mnie. Gdyby strzelec mnie dostrzegł i przeznaczył do odstrzału, podszedłby bez zwłoki, wprowadzając następny nabój do komory, a potem we mnie.

Nad niektórymi restauracjami i sklepami znajdowały się mieszkania. W oknach paru z nich rozkwitły światła, strzelba zakasowała nastawione na późniejszą godzinę budziki.

Ruszyłem w drogę i stwierdziłem, że ciągnie mnie do następnego skrzyżowania uliczek, a tam w lewo. Niespełna pół kwartału przede mną stała biała furgonetka, obok kuchennego wejścia do Blue Moon Cafe.

Obok Blue Moon jest parking, który przylega do głównej ulicy. Furgonetka stała na końcu parkingu, przodem w stronę alejki. Wyglądała na porzuconą. Przednie drzwi były otwarte, z wnętrza wylewało się światło, za szybą nikogo nie dostrzegłem. Gdy ostrożnie podszedłem bliżej, usłyszałem pomruk silnika na jałowym biegu.

To sugerowało, że sprawcy uciekli w pośpiechu. Albo że zamierzali wrócić i w ten sposób zapewniali sobie szybki odwrót.

Blue Moon nie serwuje śniadań, tylko lunche i kolacje. Pracownicy kuchni mieli się zjawić nie wcześniej niż kilka godzin po wschodzie słońca. Restauracja musiała być zamknięta. Wątpiłem, żeby Simon strzelał, aby wedrzeć się do środka i przypuścić szturm na tamtejsze chłodziarki.

Są łatwiejsze sposoby zdobycia zimnego kurczęcego udka, choć może nie szybsze.

Nie miałem pojęcia, gdzie się podziali ani dlaczego porzucili furgonetkę, jeśli nie zamierzali wrócić.

Z oświetlonego okna na piętrze wyglądała starsza pani w niebieskim szlafroku. Sprawiała wrażenie nie tyle zatrwożonej, ile zaciekawionej.

Zbliżyłem się do furgonetki od strony fotela pasażera, powoli przeszedłem na tył.

Drzwi były otwarte. W oświetlonym wnętrzu nie zobaczyłem nikogo.

Wyły syreny, coraz głośniej.

Zastanawiałem się, kto strzelił, do kogo i dlaczego. Danny, kaleki i bezbronny, nie mógł wyrwać broni porywaczom. Nawet gdyby oddał strzał, odrzut złamałby mu rękę.

Okrążyłem furgonetkę zaintrygowany, zachodząc w głowę, co się stało z moim przyjacielem o kruchych kościach.

10

P. Oswald Boone, zbudzony przeze mnie prawie dwustu-
kilowy kulinarny czarny pas w białej jedwabnej piżamie,
poruszał się z gracją i szybkością mistrza *dojo*, gdy szykował
śniadanie w kuchni swojego bungalowu.

Czasami jestem przerażony jego wagą i martwię się o jego
udręczone serce. Ale kiedy gotuje, wydaje się nieważki jak
pływający w powietrzu, przeczący prawom grawitacji wojo-
wnicy w filmie *Kucający tygrys, ukryty smok* — choć nigdy
w życiu nie podskoczyłby nad kuchenną ladę.

Obserwując go w ten lutowy poranek, doszedłem do
przekonania, że jeśli marnował życie, zabijając się jedzeniem, prawdą mogło być również to, iż bez tej pociechy
mógłby umrzeć dawno tcmu. Każde życie jest skomplikowane, każdy umysł jest królestwem tajemnic, a umysł Ozziego bardziej niż większości innych ludzi.

Choć nigdy nie mówi jak, co ani dlaczego, wiem, że miał
trudne dzieciństwo, że rodzice złamali mu serce. Książki
i skrzętnie gromadzone kilogramy chronią go przed bólem.

Jest autorem dwóch poczytnych serii powieści kryminalnych i licznych pozycji niebeletrystycznych. I tak płodny, że pewnego dnia ustawione na wadze pojedyncze egzemplarze wszystkich opublikowanych przez niego książek przeważą ciężar jego ciała.

Ponieważ zdołał mnie przekonać, że pisanie może być skuteczną chemioterapią w walce z psychicznymi guzami, napisałem swoją prawdziwą historię straty i wytrwałości — i schowałem ją do szuflady, uspokojony i może nawet szczęśliwy. Był niepocieszony, gdy powiedziałem, że skończyłem z twórczością literacką.

Wierzyłem w swoje słowa. Teraz znów przelewam myśli na papier, służąc sam sobie jako psychiczny onkolog.

Może za jakiś czas, biorąc przykład z Ozziego, osiągnę wagę stu osiemdziesięciu kilogramów. Co prawda nie będę w stanie biegać z duchami i wślizgiwać się w mroczne alejki równie szybko i ukradkowo jak teraz, lecz może zdołam rozbawić dzieci moimi hipopotamiczno-heroicznymi wyczynami, a chyba nikt nie powie, że rozśmieszanie dzieci na tym ponurym świecie nie jest godne pochwały. Podczas gdy Ozzie pichcił śniadanie, opowiedziałem mu o doktorze Jessupie i wszystkim, co się zdarzyło od czasu, gdy martwy radiolog przyszedł do mnie w środku nocy. Kiedy mówiłem, bałem się o Danny'ego, ale takim samym lękiem napawała mnie myśl o Chesterze.

Straszny Chester, koci bohater koszmarów wszystkich psów, pozwala Ozziemu ze sobą mieszkać. Ozzie kocha go nie mniej niż jedzenie i książki.

Straszny Chester nigdy nie podrapał mnie z zajadłością, do jakiej niewątpliwie jest zdolny, chociaż niejeden raz nasikał na moje buty. Ozzie mówi, że to wyraz uczucia. Według jego teorii kot znaczy mnie swoim zapachem, zatwierdzając jako pełnoprawnego członka rodziny.

Zauważyłem, że ilekroć Straszny Chester pragnie okazać uczucia Ozziemu, robi to poprzez przytulanie się i mruczenie.

Odkąd Ozzie otworzył drzwi, ani w drodze przez dom, ani w kuchni nie widziałem Strasznego Chestera. Przyprawiało mnie to o ciarki. Miałem nowe tenisówki.

Straszny Chester jest wielkim kocurem, nieustraszonym i pewnym siebie do tego stopnia, że gardzi skradaniem się, jakie praktykują zwykłe koty. Nie wsuwa się do pokoju chyłkiem, ale zawsze robi wielkie wejście. Choć spodziewa się znaleźć w centrum uwagi, emanuje obojętnością — a nawet pogardą — jasno dając do zrozumienia, że na ogół życzy sobie być uwielbiany z daleka.

Choć się nie skrada, umie pojawić się przy butach nagle i niespodziewanie. Pierwszą wskazówką kłopotów bywa uczucie niepokojącej ciepłej wilgoci na palcach stóp.

Weranda wychodzi na trawnik i dwudziestoarowy zagajnik fikusów, podokarpów i wdzięcznych drzew pieprzu peruwiańskiego. W złotym porannym słońcu wyśpiewywały trele ptaki i śmierć wydawała się mitem.

Gdyby stół nie był porządnie wykonanym sprzętem z solidnej sekwoi, zajęczałby pod ciężarem omletów z homarem, zapiekanych ziemniaków, stosów tostów, bajgli, drożdżówek, bułeczek z cynamonem, dzbanków z sokiem pomarańczowym i mlekiem, kawą i kakao...

— „To, co dla jednych jest strawą, dla innych może być gorzką trucizną" — zacytował radośnie Ozzie, wznosząc toast kawałkiem nadzianego na widelec omleta.

— Szekspir?

— Lukrecjusz, który żył przed narodzinami Chrystusa. Chłopcze, daję ci słowo, nigdy nie będę jednym z tych tryskających zdrowiem mięczaków, którzy na pół kwarty śmietany patrzą z takim samym przerażeniem, jakie ludzie zdrowsi na umyśle rezerwują dla broni atomowej.

— Ci z nas, którym na panu zależy, chętnie zasugerują, że wbrew pańskim zapatrywaniom waniliowe mleko sojowe wcale nie jest aż takim obrzydlistwem.

— Nie zezwalam na bluźnierstwa, przekleństwa i plugastwa w rodzaju mleka sojowego pod moim dachem. Uważaj się za surowo skarconego.

— Kiedyś wstąpiłem do włoskiej lodziarni. Mają teraz niektóre smaki z połową tłuszczu.

— Konie w stajni przy naszym torze wyścigowym produkują tygodniowo tony nawozu, ale ja nie napycham nim lodówki. Gdzie więc według Wyatta Portera może być Danny?

— Najprawdopodobniej Simon wcześniej ukrył drugi pojazd na parkingu przy Blue Moon, na wypadek gdyby w domu Jessupa coś się nie powiodło i ktoś zobaczył go w furgonetce.

— Nikt nie widział furgonetki pod domem Jessupa, więc pojazd nie był spalony.

— Nie.

— A jednak przesiedli się przy Blue Moon.

— Tak.

— Czy to ma dla ciebie sens?

— Większy niż cokolwiek innego.

— Przez szesnaście lat Simon miał obsesję na punkcie Carol. Chciał śmierci doktora Jessupa za to, że ją poślubił.

— Na to wygląda.

— Czego chce od Danny'ego?

— Nie wiem.

— Nie sprawia wrażenia człowieka, któremu zależy na nawiązaniu emocjonalnie satysfakcjonujących relacji ojcowsko-synowskich.

— To nie pasuje do jego profilu — przyznałem.

— Jak omlet?

— Fantastyczny, proszę pana.

— Ze śmietanką i z masłem.

— Tak, proszę pana.

— I z natką pietruszki. Nie mam nic przeciwko spożywaniu od czasu do czasu porcji zieleniny. Blokady nie będą skuteczne, jeśli Simon ma wóz z napędem na cztery koła i pojedzie na przełaj.

— Wydział szeryfa zapewnił drogówce wsparcie patroli powietrznych.

— Czy coś ci mówi, że Danny wciąż jest w Pico Mundo?

— Mam dziwne uczucie.

— Dziwne... to znaczy?

— Uczucie błędności.

— Błędności?

— Tak.

— Aha, teraz wszystko jest jasne jak kryształ.

— Przepraszam. Nie wiem. Nie umiem tego sprecyzować.

— Czy on... nie żyje?

Pokręciłem głową.

— To chyba nie jest takie proste.

— Jeszcze soku pomarańczowego? Świeżo wyciśnięty.

Gdy nalewał, powiedziałem:

— Zastanawiałem się, gdzie jest Straszny Chester.

— Obserwuje cię — odparł i wyciągnął rękę.

Odwróciłem się na krześle i zobaczyłem kota trzy metry za sobą, przycupniętego na kratownicy podtrzymującej dach werandy.

Chester jest płomiennie rudy, nakrapiany czarnymi cętkami. Oczy ma zielone jak szmaragdy w promieniach słońca.

Zwykle zaszczyca mnie — albo kogokolwiek innego — pobieżnym spojrzeniem, jak gdyby istoty ludzkie nieznośnie go nudziły. Oczami i postawą umie wyrazić lekceważącą pogardę, na której opisanie nawet pisarz minimalista w rodzaju Cormaca McCarthy'ego musiałby poświęcić ze dwadzieścia stron.

Nigdy wcześniej nie byłem obiektem głębokiego zainteresowania Chestera. Wytrzymywał moje spojrzenie, nie odwracając głowy, nie mrugając; zdawało się, że jestem dla niego równie fascynujący jak trzygłowy kosmita.

Choć nie wyglądało na to, że kocur szykuje się do skoku, odwrócenie się do niego plecami nie było przyjemne. Z drugiej strony znacznie gorzej się czułem w czasie pojedynku na spojrzenia. Chester nie uciekłby oczami.

Ozzie skorzystał z okazji i pozwolił sobie nałożyć na mój talerz następną porcję ziemniaków.

— Nigdy dotąd tak na mnie nie patrzył — powiedziałem.

— Patrzył na ciebie w ten sam sposób, gdy byliśmy w kuchni.

— Nie widziałem go.

— Kiedy spoglądałeś w inną stronę, wsunął się do kuchni, otworzył łapą szafkę i zamelinował się pod zlewem.

— Musiał być szybki.

— Och, Odd, Chester był księciem kotów, szybkim jak błyskawica i cichym. Napawał mnie dumą. W szafce zaparł drzwiczki tułowiem, żeby się nie domknęły, i obserwował cię stamtąd.

— Dlaczego nic pan nie powiedział?

— Bo chciałem zobaczyć, co zrobi.

— Najpewniej knuł plany mające związek z butami i siusianiem.

— Nie sądzę — odparł Ozzie. — To coś zupełnie nowego.

— Wciąż siedzi na belce?

— Tak.

— I wciąż na mnie patrzy?

— W skupieniu. Ciastko?

— Straciłem apetyt.

— Nie bądź głupi, chłopcze. Z powodu Chestera?

— Poniekąd tak. Przypominam sobie, że raz kiedyś też był taki skupiony.

— Odśwież mi pamięć.

— Sierpień... i wszystko to... — Głos mi się załamał. Ozzie dźgnął powietrze widelcem.

— Aha. Chodzi ci o ducha.

Zeszłego sierpnia odkryłem, że podobnie jak ja Straszny Chester widzi znękane dusze, które się ociągają po tej stronie śmierci. Na tamtego ducha patrzył w nie mniejszym skupieniu niż teraz na mnie.

— Nie jesteś zjawą — zapewnił mnie Ozzie. — Jesteś solidny jak ten sekwojowy stół, choć nie tak solidny jak ja.

— Może Chester wie coś, czego ja nie wiem.

— Drogi Oddzie, ponieważ pod pewnymi względami

jesteś naiwnym młodzieńcem, nie mam wątpliwości, że Chester wie o wiele więcej niż ty. Ale co masz na myśli?

— Może moje dni są policzone.

— Jestem pewien, że chodzi o coś trochę mniej apokaliptycznego.

— Na przykład?

— Nie nosisz w kieszeniach zdechłych myszy?

— Tylko zdechłą komórkę.

Ozzie przypatrywał mi się uważnie. Był szczerze zatroskany. Z drugiej strony jest zbyt dobrym przyjacielem, żeby się ze mną cackać.

— Hmm... — mruknął — jeśli twój czas dobiega końca, tym lepszy powód, żeby zjeść ciastko. To z ananasem i serem będzie idealne na zakończenie ostatniego posiłku.

11

Kiedy zaproponowałem, że przed wyjściem pomogę sprzątnąć ze stołu i zmyć naczynia, Mały Ozzie — który w rzeczywistości waży o ponad dwadzieścia kilogramów więcej niż jego ojciec, Duży Ozzie — odrzucił moją sugestię wymownym machnięciem posmarowanego masłem tostu.

— Siedzieliśmy tutaj tylko czterdzieści minut. Nigdy nie spędzam przy śniadaniu mniej niż półtorej godziny. Najlepsze intrygi wymyślam przy porannej kawie i drożdżówce z rodzynkami.

— Powinien pan napisać serię osadzoną w świecie gastronomii.

— Półki w księgarniach już się uginają pod ciężarem kryminałów o szefach kuchni, którzy są detektywami, o krytykach kulinarnych, którzy są detektywami...

W jednej z serii Ozziego występuje bardzo gruby detektyw ze szczupłą seksowną żoną, która go uwielbia. Ozzie nigdy nie był żonaty.

Druga seria opowiada o sympatycznej pani detektyw

z mnóstwem nerwic — i bulimią. Prawdopodobieństwo, że Ozzie wpędzi się w bulimię, jest mniej więcej takie jak to, że zacznie nosić wyłącznie elastyczne ubrania ze spandeksu.

— Zastanawiałem się — powiedział — czy nie zacząć serii o detektywie, który gada ze zwierzakami.

— Jednym z tych, którzy twierdzą, że rozumieją mowę zwierząt?

— Tak, ale on byłby prawdziwy.

— Zwierzęta pomagałyby mu rozwiązywać zagadki kryminalne?

— Tak, chociaż również komplikowałyby dochodzenie. Psy prawie zawsze mówiłyby prawdę, ptaki często by kłamały, a świnki morskie byłyby szczere, lecz skłonne do przesady.

— Już wyobrażam sobie tego faceta.

Ozzie w milczeniu smarował drożdżówkę marmoladą cytrynową, podczas gdy ja skubałem widelcem ciastko z ananasem i serem.

Powinienem już iść. Powinienem coś zrobić. Dalsze siedzenie, choćby chwilę dłużej, wydawało się nie do zniesienia.

Zjadłem kawałeczek ciastka.

Rzadko siedzimy w milczeniu. Ozziemu nigdy nie brakuje słów; ja zwykle też znajduję kilka.

Po paru minutach zdałem sobie sprawę, że Ozzie wpatruje się we mnie nie mniej pilnie niż Straszny Chester.

Sądziłem, że zrobił przerwę w rozmowie, żeby przeżuć drożdżówkę. Teraz zrozumiałem, że nie o to chodzi.

Drożdżówka jest zrobiona z jaj, drożdży i masła. Rozpływa się w ustach.

Ozzie często milczy, gdy popada w zadumę. W tej chwili rozmyślał o mnie.

— O co chodzi? — spytałem.

— Nie przyszedłeś tu na śniadanie.

— Z pewnością nie na takie śniadanie.

— I nie przyszedłeś tutaj, żeby mi powiedzieć o Wilburze Jessupie czy o Dannym.

— Tak, po to przyszedłem, proszę pana.

— W takim razie już mi wszystko powiedziałeś, a ponieważ najwyraźniej nie masz ochoty na ciastko, pewnie zaraz pójdziesz.

— Tak, powinienem iść — odparłem, lecz nie podniosłem się z krzesła.

Nalewając aromatyczną kolumbijską mieszankę z termosu w kształcie dzbanka do kawy, Ozzie ani na chwilę nie spuścił ze mnie oka.

— Nigdy nie widziałem, żebyś kogoś oszukiwał, Odd.

— Zapewniam pana, potrafię nabrać najlepszych.

— Nie, nie potrafisz. Jesteś modelowym przykładem szczerości. Cechuje cię przebiegłość jagnięcia.

Odwróciłem głowę i stwierdziłem, że Straszny Chester zszedł z belki. Siedział na najwyższym stopniu schodów, wciąż patrząc na mnie w skupieniu.

— A co jeszcze bardziej zdumiewające — dodał Ozzie — nieczęsto również oszukujesz sam siebie.

— Kiedy zostanę kanonizowany?

— Pyskowanie starszym sprawi, że nigdy nie znajdziesz się w gronie świętych.

— Cholera. Zawsze chciałem mieć aureolę. Jest bardzo wygodną lampą do czytania.

— Dla większości ludzi oszukiwanie samego siebie jest równie niezbędne do życia jak powietrze. Ty rzadko sobie na to pozwalasz. A jednak upierasz się, że przyszedłeś tu tylko po to, żeby mi powiedzieć o Wilburze i Dannym.

— Czy ja się upierałem?

— Bez przekonania.

— A według pana dlaczego tu przyszedłem?

— Zawsze mylnie brałeś moją absolutną pewność siebie za objaw intelektualnej głębi — odparł bez wahania — dlatego, gdy zależy ci na przenikliwym osądzie, zabiegasz o audiencję u mnie.

— Chce pan powiedzieć, że wszystkie te głębokie spostrzeżenia, jakie słyszałem od pana przez lata, były w rzeczywistości płytkie?

— Oczywiście, drogi Oddzie. Jestem tylko człowiekiem, nawet jeśli mam jedenaście palców.

Naprawdę ma jedenaście, sześć u lewej ręki. Mówi, że jedno dziecko na dziewięćdziesiąt tysięcy rodzi się z tym odstępstwem od normy. Chirurdzy zwykle amputują nadliczbowy palec.

Z jakiegoś powodu — którego nigdy mi nie wyjawił — jego rodzice nie zgodzili się na zabieg. Inne dzieci były zafascynowane jedenastopalczastym chłopcem, potem jedenastopalczastym grubym chłopcem, a jeszcze później jedenastopalczastym grubym chłopcem z ciętym dowcipem.

— Moje spostrzeżenia mogły być płytkie — przyznał — ale zawsze szczere.

— To pewna pociecha, jak sądzę.

— W każdym razie przyszedłeś tu dzisiaj z palącym filozoficznym pytaniem, które cię dręczy, i to dręczy tak bardzo, że w gruncie rzeczy nie chcesz go zadać.

— Nie, wcale nie.

Popatrzyłem na tężejące resztki mojego omletu z homarem. Na Strasznego Chestera. Na trawnik. Na zagajnik zieleniejący w porannym słońcu.

Okrągła jak księżyc twarz Ozziego potrafiła jednocześnie wyrażać samozadowolenie i czułość. Oczy mu się skrzyły, gdy czekał na potwierdzenie, że ma rację.

Wreszcie powiedziałem:

— Zna pan Erniego i Pookę Yingów.

— Uroczy ludzie.

— Drzewo na podwórku za domem...

— Brugmansja. Wspaniały okaz.

— Wszystko w nim jest trujące, każdy korzeń i liść.

Uśmiechnął się. Podobny uśmiech miałby Budda, gdyby pisał kryminały i delektował się egzotycznymi metodami mordowania bliźnich. Z aprobatą pokiwał głową.

— Nadzwyczajnie trujące.

— Dlaczego tacy mili ludzie jak Ernie i Pooka hodują zabójcze drzewo?

— Przede wszystkim dlatego, że jest piękne, zwłaszcza gdy kwitnie.

— Jego kwiaty też są toksyczne.

Ozzie przez chwilę delektował się ostatnim kawałkiem drożdżówki z marmoladą. Oblizał usta i oświadczył:

— Każdy z tych ogromnych kwiatów zawiera dość trucizny, żeby po odpowiednim spreparowaniu uśmiercić jedną trzecią mieszkańców Pico Mundo.

— Poświęcanie tyle czasu i wysiłku na pielęgnowanie śmiercionośnej rośliny wydaje się lekkomyślne, a nawet perwersyjne.

— Czy Ernie zrobił na tobie wrażenie człowieka lekkomyślnego i perwersyjnego?

— Wręcz przeciwnie.

— Zatem to Pooka musi być potworem. Jej skromność maskuje serce, w którym lęgną się najbardziej przewrotne zamiary.

— Czasami mam wrażenie, że nabijanie się ze mnie nie powinno sprawiać przyjacielowi aż takiej przyjemności.

— Drogi Oddzie, jeśli twój przyjaciel nie śmieje się z ciebie otwarcie, to znaczy, że nie jesteście przyjaciółmi. W jaki inny sposób człowiek oduczyłby się mówić rzeczy, które narażałyby go na śmiech nieznajomych? Szyderstwo przyjaciół płynie z serca i jest szczepionką przeciwko głupocie.

— Ta uwaga zdecydowanie brzmi głęboko.

— Umiarkowanie płytko — zapewnił mnie. — Czy mogę cię podszkolić, chłopcze?

— Proszę spróbować.

— Nie ma nic lekkomyślnego w hodowaniu brugmansji. Równie trujące rośliny rosną w całym Pico Mundo.

Nie kryłem powątpiewania.

— Wszędzie?

— Jesteś tak bardzo zajęty światem nadnaturalnym, że za mało wiesz o naturalnym.

— Nie mam też czasu na grę w kręgle.

— Widziałeś w mieście kwitnące oleandrowe żywopłoty? Oleander w sanskrycie znaczy „zabójca koni". Każda część rośliny jest trująca.

— Podoba mi się ta odmiana z czerwonymi kwiatami.

— Jeśli spalisz gałęzie, otrzymasz trujący dym. Jeśli

pszczoły zbiorą zbyt dużo pyłku z oleandra, zabije cię ich miód. Równie mordercze są azalie.

— Wszyscy hodują azalie.

— Oleander zabije cię szybko. Azalii zajmie to kilka godzin. Wymioty, paraliż, drgawki, śpiączka, śmierć. Poza tym jest jałowiec, lulek czarny, bieluń, naparstnica... wszystko to znajdziesz w Pico Mundo.

— A my nazywamy przyrodę Matką Naturą.

— W tym, co z nami robi, nie ma nic matczynego — stwierdził Ozzie.

— Ale Ernie i Pooka Yingowie wiedzą, że brugmansja jest zabójcza. W gruncie rzeczy ludzie sadzą ją i pielęgnują z powodu jej zabójczości.

— Myśl o tym w kategoriach zen.

— Chętnie... gdybym wiedział, co to znaczy.

— Ernie i Pooka pragną zrozumieć śmierć, a także zapanować nad strachem przed nią poprzez udomowienie jej w postaci brugmansji.

— To stwierdzenie brzmi umiarkowanie płytko.

— Nie. Jest naprawdę głębokie.

Choć nie miałem ochoty na ciastko, ugryzłem duży kęs. Nalałem kawy do kubka.

Nie mogłem już wytrzymać siedzenia w bezczynności. Czułem, że jeśli nie zajmę czymś rąk, zacznę drzeć różne rzeczy.

— Dlaczego ludzie tolerują morderstwa? — zapytałem.

— Ostatnim razem, gdy to sprawdzałem, mordowanie było wbrew prawu.

— Simon Makepeace kiedyś zabił. A oni go wypuścili.

— Prawo nie jest doskonałe.

— Powinien pan zobaczyć ciało doktora Jessupa.

— Niekoniecznie. Mam wyobraźnię powieściopisarza.

Gdy moje ręce zajmowały się ciastkiem, na które nie miałem ochoty, i kawą, której nie piłem, ręce Ozziego znieruchomiały. Leżały złożone na stole.

— Proszę pana, często myślę o wszystkich tych ludziach, zastrzelonych...

Nie pytał, o kim mówię. Wiedział, że chodzi mi o czterdzieści jeden ofiar strzelaniny w centrum handlowym, w tym dziewiętnaście śmiertelnych.

— Przez długi czas nie oglądałem ani nie czytałem wiadomości — podjąłem. — Ale ludzie rozmawiają o tym, co się dzieje na świecie, więc słyszę różne rzeczy.

— Pamiętaj, wiadomości to nie życie. Reporterzy mówią: „Krew trafia na pierwsze strony". Przemoc się sprzedaje, dlatego doniesienia są pełne przemocy.

— A dlaczego złe wiadomości sprzedają się znacznie lepiej niż dobre?

Westchnął i rozparł się na krześle, które zaskrzypiało w odpowiedzi.

— Jesteśmy już blisko.

— Czego?

— Pytania, które cię tu sprowadziło.

— Tego palącego filozoficznego? Nie, nie ma żadnego. Ja tylko... tak sobie błądzę.

— Wobec tego błądź w moją stronę.

— Co jest nie w porządku z ludźmi?

— Z jakimi ludźmi?

— Ze wszystkimi. Co jest nie w porządku z ludzkością?

— Rzeczywiście krótko błądziłeś.

— Słucham?

— Nie czujesz, że masz sparzone usta? Właśnie spłynęło z nich palące pytanie. Jest zbyt skomplikowane, by zadawać je drugiemu śmiertelnikowi.

— Tak, ale będę szczęśliwy, gdy usłyszę odpowiedź, nawet jeśli będzie standardowo płytka.

— Właściwe pytanie składa się z trzech równorzędnych części. Co jest nie w porządku z ludzkością? Następnie: co jest nie w porządku z naturą, z jej trującymi roślinami, drapieżnymi zwierzętami, trzęsieniami ziemi i powodziami? I na koniec: co jest nie w porządku z czasem kosmicznym, który wszystko nam kradnie?

Ozzie może twierdzić, że jego pewność siebie mylnie biorę za głębię, ale wcale się nie mylę. On naprawdę jest mądry. Najwyraźniej jednak życie go nauczyło, że mądrzy ludzie wystawiają się na cel.

Umysł mniejszego formatu mógłby próbować ukryć swą błyskotliwość pod maską głupoty. Ozzie postanowił kamuflować prawdziwą mądrość fasadą ekspresyjnej erudycji i z radością pozwalał ludziom wierzyć, że właśnie w tym jest najlepszy.

— Te trzy pytania — powiedział — mają tę samą odpowiedź.

— Słucham.

— Jeśli podam ci ją na tacy, nie zyskasz nic dobrego. Odrzucisz ją i stracisz lata życia na szukanie bardziej zadowalającej odpowiedzi. Kiedy jednak sam do niej dojdziesz, trafi ci do przekonania.

— To wszystko, co ma pan do powiedzenia?

Uśmiechnął się i wzruszył ramionami.

— Przyszedłem tutaj z palącym filozoficznym pytaniem, a dostałem tylko śniadanie?

— Całkiem niezłe śniadanie. Powiem ci jedno, już znasz odpowiedź i zawsze ją znałeś. Musisz nie tyle ją odkryć, ile rozpoznać.

Pokręciłem głową.

— Czasami doprowadza mnie pan do szału.

— Tak, ale jestem cudownie gruby i pobudzam do śmiechu.

— Potrafi pan być tajemniczy jak cholerny... — Straszny Chester siedział na stopniu werandy, zajęty kontemplowaniem mojej osoby, tajemniczy jak cholerny kot.

— Uznaję to za komplement.

— Wbrew moim zamiarom. — Odsunąłem krzesło od stołu. — Lepiej już pójdę.

Jak zwykle, gdy wychodzę, postanowił się podnieść. Zawsze się boję, że wysiłek podniesie mu ciśnienie do strefy udaru i powali go na miejscu.

Objął mnie, a ja objąłem jego, co nieodmiennie robimy na pożegnanie, jakbyśmy nie spodziewali się ponownie zobaczyć.

Zastanawiam się, czy dystrybucja dusz czasami się nie chrzani i czy niewłaściwe dusze nie trafiają do niewłaściwych dzieci. Pewnie to bluźnierstwo, ale ze swoją niewyparzoną gębą i tak nie mam szans na obcowanie ze świętymi.

Ozzie z takim sercem powinien mieć szczupłe, zdrowe ciało i dziesięć palców. Moje życie też miałoby więcej sensu, gdybym był jego synem, a nie potomkiem emocjonalnie rozchwianych rodziców, którzy sprawili mi zawód.

Gdy przestaliśmy się ściskać, zapytał:

— Co teraz?

— Nie wiem. Nigdy nie wiem. Samo do mnie przychodzi.

Chester nie nasikał na moje buty.

Przemierzyłem długie podwórko, przebyłem lasek i wyszedłem przez furtkę w ogrodzeniu na tyłach posesji.

12

Nie było dla mnie niespodzianką, gdy trafiłem znowu za restaurację Blue Moon.

Opończa nocy użyczyła alejce nieco romantyzmu, ale światło dnia odarło ją z pozorów piękna. Nie było to królestwo nieczystości i robactwa; uliczka była po prostu szara, brudna, ponura i odstręczająca.

Z nielicznymi wyjątkami architektura wyżej ceni frontowe elewacje niż tylne wejścia, przestrzenie publiczne niż prywatne. W znacznej mierze jest to skutkiem ograniczonych funduszy.

Danny Jessup mówi, że ten aspekt architektury jest również odbiciem natury ludzkiej, że większość ludzi bardziej dba o powierzchowność niż o stan duszy.

Nie jestem tak cyniczny jak Danny i porównanie tylnych drzwi z duszami uważam za niezbyt fortunne, muszę jednak przyznać, że dostrzegam nieco prawdy w tych słowach.

W bladym, cytrynowym świetle poranka nie dostrzegłem

żadnego tropu, który zaprowadziłby mnie krok bliżej do Danny'ego lub jego psychopatycznego ojca.

Policjanci wykonali swoją robotę i odeszli. Furgonetka Ford została odholowana.

Nie spodziewałem się, że znajdę coś, co przeoczyły władze, i zmieniwszy się w Sherlocka, wytropię złych facetów w nagłym przypływie dedukcyjnego rozumowania. Wróciłem, ponieważ to tutaj przywiódł mnie szósty zmysł. Miałem nadzieję, że odnajdę Danny'ego, jakby był upuszczoną szpulką wstążki, która odtoczyła się z pola widzenia. Jeśli zdołam zlokalizować luźny koniec, trafię do szpulki.

Naprzeciwko kuchennego wejścia do restauracji znajdowało się okno na piętrze, z którego parę godzin temu, gdy odszedłem do furgonetki, wyglądała starsza pani w niebieskim szlafroku. Kotary były zaciągnięte.

Przez chwilę rozważałem pomysł zamienienia z nią paru słów, ale przecież już została przesłuchana. Policjanci są znacznie lepsi ode mnie w wydobywaniu cennych spostrzeżeń ze świadków.

Poszedłem powoli na północ do końca kwartału. Skręciłem i udałem się na południe, mijając Blue Moon.

Ciężarówki stały ukośnie pomiędzy kontenerami na śmieci; odbiorcy przyjmowali, sprawdzali, inwentaryzowali wczesne dostawy. Właściciele przyszli prawie godzinę przed pracownikami i uwijali się przy tylnych wejściach sklepów.

Śmierć przychodzi, śmierć odchodzi, ale handel trwa wiecznie.

Parę osób zwróciło na mnie uwagę. Nie znałem dobrze żadnej z nich, niektórych wcale.

W ich oczach dostrzegłem nieprzyjemnie znajomy wyraz. Rozpoznali mnie jako bohatera, jako faceta, który w sierpniu zeszłego roku powstrzymał szaleńca strzelającego do ludzi. Szaleniec postrzelił czterdzieści jeden osób. Niektórzy do końca życia będą kalecy, oszpeceni. Dziewiętnastu zginęło. Mogłem temu zapobiec. Wtedy rzeczywiście byłbym bohaterem.

Komendant Porter mówi, że gdybym nie zareagował, zginęłyby setki ludzi. Ale ci wszyscy oszczędzeni nie wydają mi się prawdziwi.

Tylko martwi wydają się prawdziwi.

Żaden z nich nie zwlekał. Wszyscy odeszli.

Zbyt często widuję ich w snach. Wyglądają jak za życia, są tacy, jacy mogliby być, gdyby przeżyli.

W te noce budzę się z poczuciem straty tak strasznym, że wolałbym już nigdy więcej się nie ocknąć. Ale budzę się i żyję dalej, bo tego chciałaby córka Kasjopei, jedna z tych dziewiętnastu, i tego by się po mnie spodziewała.

Mam przeznaczenie, na które muszę zasłużyć. Żyję, żeby tego dokonać, a potem umrzeć.

Jedyna korzyść z etykietki bohatera polega na tym, że większość ludzi traktuje człowieka z pewnym respektem. Można to wykorzystać, robić posępną minę i unikać kontaktu wzrokowego, w ten sposób prawie zawsze zapewniając sobie poszanowanie prywatności.

Błąkając się po uliczce, od czasu do czasu obserwowany, lecz nie niepokojony, dotarłem do wąskiej niezabudowanej parceli. Druciana siatka broniła wstępu.

Spróbowałem otworzyć furtkę. Zamknięta na klucz.

Na tablicy widniał napis: PROGRAM OCHRONY PRZE-

CIWPOWODZIOWEJ HRABSTWA MARAVILLA, a czerwone litery ostrzegały: TYLKO DLA PRACOWNIKÓW.

Tutaj znalazłem rozwiniętą wstążkę mojego szóstego zmysłu. Dotykając bramy, miałem pewność, że Danny tędy przechodził.

Zamek nie stanowiłby przeszkody dla zdeterminowanego uciekiniera w rodzaju Simona Makepeace'a, który rozwinął przestępcze talenty w czasie lat więziennej edukacji.

Za ogrodzeniem pośrodku parceli stał murowany budyneczek kryty betonową dachówką. Drewniane drzwi z przodu bez wątpienia również były zamknięte, ale zamki wyglądały na starożytne.

Jeśli Danny został wepchnięty przez bramę i drzwi, jak czułem, Simon nie wybrał tej trasy pod wpływem impulsu. Stanowiła część jego planu.

A może zamierzał skorzystać z niej tylko wtedy, gdy sprawy w domu doktora Jessupa przybiorą zły obrót? Ponieważ zjawiłem się u niego, a komendant Porter polecił zablokować obie drogi, porywacze przyjechali tutaj.

Na parkingu przy Blue Moon nie przesiedli się razem z Dannym do innego pojazdu. Zamiast tego weszli przez bramę i te drzwi do świata pod Pico Mundo, do świata, o którego istnieniu wiedziałem, ale nigdy nie miałem okazji go zobaczyć.

W pierwszym odruchu chciałem skontaktować się w komendantem i podzielić się z nim tym, co podpowiadała mi intuicja.

Gdy odwracałem się od ogrodzenia, powstrzymało mnie kolejne przeczucie: w tak bardzo niepewnej sytuacji wysyłanie do podziemi konwencjonalnej grupy poszukiwawczej prawdopodobnie spowoduje śmierć Danny'ego.

Ponadto wyczuwałem, że choć sytuacja jest poważna, Danny'emu nie grozi natychmiastowe niebezpieczeństwo. W tym polowaniu pośpiech może odegrać mniejszą rolę niż ostrożne podejście zwierzyny, a pościg zostanie uwieńczony powodzeniem tylko wtedy, gdy będę pilnie wypatrywał informacji dostarczanych przez trop.

Nie miałem pojęcia, ile warte są moje domniemania. Prekognicja jest wprawdzie o wiele lepsza od przeczucia, ale daleko jej do jednoznacznej wizji.

Dlaczego widzę zmarłych, lecz nie mogę ich słyszeć, dlaczego mogę szukać, używając magnetyzmu psychicznego, i czasami znajduję, dlaczego wyczuwam zbliżające się zagrożenie, lecz nie widzę szczegółów — nie wiem. Możliwe, że nic w tym popapranym, zepsutym świecie nie może być czyste ani jednoznaczne. A może po prostu nie nauczyłem się wykorzystywać całej posiadanej mocy.

Jedną z rzeczy z tamtego sierpnia, jakich żałuję najbardziej gorzko, jest to, że w pośpiechu i nawale wypadków czasami zdawałem się na rozum, podczas gdy znacznie lepiej przysłużyłby mi się instynkt.

Codziennie stąpam po bardzo cienkiej linie, zawsze zagrożony utratą równowagi. Istotą mojego życia są siły nadprzyrodzone, które muszę szanować, jeśli chcę jak najlepiej wykorzystać swój dar. Ale żyję w racjonalnym świecie i podlegam jego prawom. Kusi mnie, żeby całkowicie zdać się na impulsy z innego świata — jednak w tym świecie upadek z wysoka zawsze kończy się twardym lądowaniem.

Żyję dzięki temu, że umiem znaleźć złoty środek pomiędzy rozsądkiem a jego brakiem, pomiędzy tym co racjonalne a irracjonalne. W przeszłości miałem zwyczaj błądzić po stronie logiki, lecz robiłem to kosztem wiary — wiary w siebie i w źródło mojego daru.

Jeśli zawiodę Danny'ego, jak moim zdaniem zawiodłem wszystkich innych tamtego sierpniowego dnia, z pewnością zacznę sobą gardzić. W przypadku niepowodzenia będę miał za złe, że otrzymałem dar, który rzutuje na całe moje życie. Jeśli moje przeznaczenie ma szansę na spełnienie tylko wtedy, gdy będę korzystał z szóstego zmysłu, zbyt wielka utrata szacunku dla samego siebie i wiary we własne siły sprawi, że spotka mnie los inny od upragnionego, a to zada kłam wiszącej nad moim łóżkiem wróżbie z maszyny.

Tym razem postanowiłem błądzić po stronie braku logiki. Musiałem zaufać intuicji i jak nigdy dotąd rzucić się przed siebie na łeb, na szyję, ze ślepą wiarą w powodzenie.

Nie zadzwonię do komendanta Portera. Skoro serce mi mówi, że mam sam iść na poszukiwanie Danny'ego, posłucham głosu serca.

13

W mieszkaniu zapakowałem do niedużego plecaka rzeczy, jakich mogłem potrzebować, w tym dwie latarki i paczkę zapasowych baterii.

W sypialni stanąłem przy łóżku, w milczeniu czytając oprawioną kartkę na ścianie: LOS SPRAWI, ŻE NA ZAWSZE BĘDZIECIE RAZEM.

Chciałem podważyć tekturkę, wyjąć wróżbę z ramki i zabrać ją ze sobą. Z nią czułbym się bezpieczniej, pod ochroną.

Był to irracjonalny pomysł z rodzaju tych, które nigdy nie wychodzą mi na dobre. Kartka wypluta przez maszynę w wesołym miasteczku nie jest odpowiednikiem drzazgi z prawdziwego krzyża.

Dręczyła mnie inna, jeszcze mniej racjonalna myśl. Być może umrę w trakcie poszukiwań Danny'ego i jego ojca, a wówczas po przekroczeniu morza śmierci, po przybyciu na brzeg następnego świata chciałbym mieć kartkę, żeby wręczyć ją czekającej tam na mnie istocie, kimkolwiek by ona była.

To obietnica, jaką złożyłem. Stormy odeszła przede mną i muszę do niej dołączyć.

Szczerze mówiąc, choć okoliczności, w jakich dostaliśmy tę wróżbę z maszyny, wydawały się niezwykłe i znaczące, nie towarzyszyły im żadne cudowne zdarzenia. Obietnica nie wypłynęła z boskiego źródła; daliśmy ją sobie z wiarą, że Bóg w swoim miłosierdziu wyświadczy nam łaskę i połączy nas na wieki.

Ale jeżeli gdzieś na dalekim brzegu czeka na mnie jakaś istota, kartka z wróżbiarskiej maszyny nie dowiedzie boskiego charakteru umowy. Jeśli się okaże, że życie pozagrobowe odbiega od moich wyobrażeń i niebo zaplanowało dla mnie coś zupełnie innego, nie będę mógł zagrozić mu procesem sądowym i domagać się podania nazwiska dobrego prawnika.

Jeśli jednak doświadczę łaski i obietnica z kartki zostanie spełniona, istotą, która wyjdzie po mnie na tamtym dalekim brzegu, będzie Bronwen Llewellyn we własnej osobie, moja Stormy.

Właściwym miejscem dla kartki była ramka. Tam pozostanie bezpieczna i nadal będzie mnie inspirować, jeśli powrócę żywy z tej wyprawy.

Kiedy wszedłem do kuchni, żeby zadzwonić do Terri Stambaugh w Pico Mundo Grille, Elvis siedział przy stole i płakał.

Nie cierpię oglądać go w takim stanie. Król rock and rolla nigdy nie powinien płakać.

Nie powinien też dłubać w nosie, ale od czasu do czasu to robi. Jestem pewien, że dla żartu. Duch nie ma potrzeby dłubać w nosie. Czasami udaje, że wyciąga kuleczkę i pstryka we mnie, a potem uśmiecha się chłopięco.

Ostatnio bywa radosny, lecz cierpi na huśtawkę nastrojów.

Martwy od ponad dwudziestu siedmiu lat, pozbawiony celu w tym świecie, ale niezdolny odejść, tak samotny, jak samotny może być tylko zwlekający z odejściem zmarły, nie bez powodu popadał w melancholię. Tym razem jednak miałem wrażenie, że przyczyną jego rozpaczy jest stojąca na stole solniczka z pieprzniczką.

Terri, zagorzała wielbicielka Presleya i żywa skarbnica wiedzy o nim, podarowała mi dwóch dziesięciocentymetrowych Elvisów z ceramiki, pochodzących z roku tysiąc dziewięćset sześćdziesiątego drugiego. Ten ubrany na biało sypie sól z gitary; ten w czerni prószy pieprzem z czupryny.

Elvis popatrzył na mnie, wskazał na solniczkę i pieprzniczkę, a potem na siebie.

— Coś nie w porządku? — zapytałem, choć wiedziałem, że nie odpowie.

Wstrząsany bezgłośnym szlochem, z rozpaczą spojrzał w sufit, ku niebu.

Solniczka i pieprzniczka stały na stole od Bożego Narodzenia. Wcześniej go bawiły.

Wątpiłem, czy do rozpaczy doprowadziło go mocno spóźnione zrozumienie, że jego wizerunek wykorzystywano do sprzedaży chłamu. Z tysięcy rodzajów gadżetów, które przez wszystkie te lata trafiły na rynek, wiele było bardziej tandetnych niż te ceramiczne bibeloty, a on jak dotąd nie miał nic przeciwko ich rozpowszechnianiu.

Łzy spływały mu po policzkach, skapywały z podbródka i znikały przed rozpryśnięciem się na stole.

Nie umiejąc go pocieszyć ani nawet zrozumieć, chcąc jak

najszybciej wrócić na uliczkę za Blue Moon, zatelefonowałem do Grille, gdzie akurat mieli szczyt śniadaniowy.

Przeprosiłem, że dzwonię nie w porę, a Terri natychmiast spytała:

— Słyszałeś o Jessupach?

— Byłem tam.

— Więc w tym siedzisz?

— Po uszy. Posłuchaj, muszę się z tobą zobaczyć.

— Przyjdź teraz.

— Nie w barze. Cała stara banda będzie chciała pogadać. Miałbym ochotę się z nimi spotkać, ale się śpieszę.

— Będę na górze — powiedziała.

— Już idę.

Kiedy odłożyłem słuchawkę, Elvis machnął ręką, żeby przyciągnąć moją uwagę. Wskazał solniczkę, wskazał pieprzniczkę, ułożył palec wskazujący i środkowy prawej ręki w literę V i wyczekująco patrzył na mnie przez łzy.

Wyglądało to na bezprecedensową próbę porozumienia.

— Zwycięstwo? — zapytałem.

Pokręcił głową i dźgnął swoim V w moją stronę, jakby nakłaniając mnie do ponownego zastanowienia się nad interpretacją.

— Dwa?

Energicznie pokiwał głową. Wskazał na solniczkę, potem na pieprzniczkę. Podniósł dwa palce.

— Dwóch Elvisów?

Przemienił się w kłębek drżących emocji. Skulił się, spuścił głowę i schował twarz w dłoniach, nie przestając dygotać.

Położyłem rękę na jego ramieniu. Wydawał się materialny jak każdy inny znany mi duch.

— Przykro mi, proszę pana. Nie wiem, co pana zasmuciło ani co mógłbym zrobić.

Nie miał nic więcej do przekazania ani wyrazem twarzy, ani gestem. Pogrążony w otchłani rozpaczy, w tej chwili był dla mnie równie stracony, jak dla reszty świata żywych.

Z przykrością zostawiłem go w tym stanie przygnębienia, lecz moje obowiązki wobec żywych były większe niż wobec umarłych.

14

Terri Stambaugh prowadziła Pico Munde Grille z mężem Kelseyem do czasu jego śmierci na raka. Obecnie samodzielnie kieruje lokalem. Od prawie dziesięciu lat mieszka sama nad restauracją w mieszkaniu, do którego się wchodzi po schodach z alejki na tyłach.

Kelsey odszedł, gdy miała zaledwie trzydzieści dwa lata, i od tej pory jedynym mężczyzną w jej życiu jest Elvis. Nie duch Elvisa, lecz jego historia i mit.

Ma wszystkie piosenki nagrane przez Króla i encyklopedyczną wiedzę o jego życiu. Zaczęła się nim interesować, zanim jej powiedziałem, że jego duch z niewyjaśnionych powodów nawiedza nasze mało znane miasto.

Być może pokochała Elvisa, żeby nie związać się z innym mężczyzną po Kelseyu, któremu oddała serce znacznie pełniej, niż wymagała tego przysięga małżeńska. Kocha nie tylko muzykę Króla i jego sławę, nie tylko jego wizerunek; kocha Elvisa mężczyznę.

Choć Elvis miał wiele zalet, przeważały nad nimi wady,

słabości, braki. Terri wie, że stał się egocentryczny po przedwczesnej śmierci ukochanej matki, że nie miał zaufania do ludzi, że pod pewnymi względami do końca życia pozostał nastolatkiem. Wie, że w swoich ostatnich latach popadł w uzależnienia, z których wylęgła się podłość i paranoja sprzeczna z jego naturą.

Jest świadoma tych mankamentów i mimo wszystko go kocha. Za upór w dążeniu do celu, za pasję, jaką wniósł do swojej muzyki, za miłość do matki.

Kocha go za niezwykłą hojność, jeśli nawet czasami potrząsał nią jak przynętą albo jak maczugą. Kocha go za wiarę, choć często nie udawało mu się postępować według jej przykazań.

Kocha go, ponieważ w ostatnich latach życia miał dość pokory, żeby zrozumieć, w jak niewielkim stopniu spełnił pokładane w nim nadzieje; kocha go, ponieważ znał żal i wyrzuty sumienia. Nigdy nie znalazł w sobie dość odwagi, żeby okazać prawdziwą skruchę, choć bardzo tego pragnął — i nie doświadczył odrodzenia, które nastąpiłoby po tym akcie żalu za grzechy.

Dla Terri miłość jest równie niezbędna, jak bezustanny ruch dla rekina. To niezbyt zręczne porównanie, ale trafne. Jeśli rekin przestanie się ruszać, utonie; jego życie zależy od nieprzerwanego pływania. Terri musi kochać, bo inaczej umrze.

Jej przyjaciele wiedzą, że oddałaby za nich życie, tak głęboko się angażuje. Kocha nie tylko wyidealizowane wspomnienie męża, ale kocha Kelseya takim, jakim był naprawdę, z ostrymi i gładkimi skrajami. W podobny sposób kocha przyjaciół, ich potencjalne i rzeczywiste cechy.

Wszedłem po schodach, wcisnąłem dzwonek. Terri otworzyła drzwi i wciągnęła mnie za próg, pytając:

-- Co mogę zrobić, Oddie, czego potrzebujesz, w co się pakujesz tym razem?

Kiedy miałem szesnaście lat i rozpaczliwie pragnąłem uciec z psychotycznego królestwa, którym był dom mojej matki, Terri dała mi pracę, szansę, życie. Wciąż daje. Jest moją szefową, przyjaciółką, siostrą, której nigdy nie miałem.

Uściskaliśmy się, a potem usiedliśmy przy kuchennym stole, kładąc ręce na ceracie w czerwono-białą kratę. Jej dłonie są silne i zniszczone pracą, ale piękne.

Z głośników nigdy nieskalanych utworami innych wykonawców płynęła piosenka Elvisa *Good Luck Charm*.

Gdy jej powiedziałem, dokąd według mnie porywacze zabrali Danny'ego i że intuicja każe mi pójść za nim samemu, ścisnęła moją rękę.

— Dlaczego Simon miałby go tam zabrać?

— Może zobaczył blokadę na drodze i zawrócił. Może miał radio odbierające pasmo policyjne i dowiedział się o utrudnieniach. Tunele przeciwpowodziowe są dodatkową trasą wychodzącą z miasta, a przy tym pozwalają ominąć blokady.

— Ale na piechotę?

— Gdziekolwiek wyjdzie na powierzchnię, zawsze może ukraść wóz.

— W takim razie już to zrobił, prawda? Jeśli zszedł z Dannym na dół co najmniej cztery godziny temu, to już dawno opuścił tunele.

— Możliwe. Ale nie sądzę.

Terri zmarszczyła brwi.

— Jeżeli wciąż jest w tunelach, to znaczy, że zabrał tam Danny'ego z jakiegoś innego powodu, nie po to, żeby wyprowadzić go z miasta.

Jej instynkt nie ma nadprzyrodzonego pazura jak mój, ale jest dostatecznie ostry, żeby dobrze służyć.

— Mówiłem Ozziemu, że coś tu nie gra.

— To znaczy gdzie?

— W sprawie morderstwa doktora Jessupa i całej reszcie. Czuję to, lecz nie potrafię tego sprecyzować.

Terri jest jedną z niewielu osób, które wiedzą o moim darze. Rozumie, że muszę go używać; wiedziałem, że nie będzie próbowała odwieść mnie od zamiaru wkroczenia do akcji. Ale chciałaby, żeby to jarzmo zostało ze mnie zdjęte.

Ja również.

Gdy *Good Luck Charm* ustąpił *Puppet on a String*, położyłem komórkę na stole i wyjaśniłem Terri, że zapomniałem naładować ją zeszłej nocy. Poprosiłem, żeby zrobiła to za mnie i pożyczyła mi swój aparat.

Otworzyła torebkę, wyłowiła telefon.

— Nie jest komórkowy, tylko satelitarny. Będzie działać pod ziemią?

— Nie wiem. Może nie. Ale pewnie zadziała, gdy stamtąd wyjdę, gdziekolwiek to nastąpi. Dzięki, Terri.

Sprawdziłem głośność dzwonka, lekko ściszyłem.

— Kiedy mój się naładuje, gdybyś odebrała jakiś dziwny telefon... podaj swój numer, żeby mogli się ze mną skontaktować.

— Jak bardzo dziwny?

Miałem czas, żeby przemyśleć rozmowę telefoniczną,

którą odbyłem pod trującą brugmansją. Może tamta kobieta wybrała niewłaściwy numer. A może nie.

— Jeśli zadzwoni kobieta, która się nie przedstawi, tajemnicza kobieta o gardłowym głosie, chciałbym z nią pomówić.

Uniosła brwi.

— O co tu chodzi?

— Nie wiem — odparłem szczerze. — Pewnie o nic.

Gdy schowałem aparat do zasuwanej kieszeni na plecaku, zapytała:

— Wrócisz do pracy, Oddie?

— Może niedługo. Nie w tym tygodniu.

— Mamy dla ciebie nową łopatkę. Szeroka, z nacinanym przednim skrajem. Na rączce jest twoje imię.

— Super.

— Absolutnie super. Uchwyt jest czerwony, a twoje imię białe, litery takie same jak w oryginalnym logo Coca-Coli.

— Tęsknię za smażeniem — powiedziałem. — Kocham patelnię.

Pracownicy baru tworzyli moją rodzinę przez ponad cztery lata. Wciąż czułem, że są mi bliscy.

Ale ostatnimi czasy dwie rzeczy ograniczały koleżeńską swobodę, jaką cieszyłem się w przeszłości: głębia mojego żalu i upór, z jakim robili ze mnie bohatera.

— Muszę iść — oświadczyłem, podnosząc się i zarzucając plecak na ramię.

Być może chcąc mnie zatrzymać, Teri zapytała:

— Elvis pokazał się ostatnio?

— Zostawiłem go płaczącego w mojej kuchni.

— Znowu płakał? Z jakiego powodu?

Opowiedziałem o solniczce i pieprzniczce.

— To niesamowite, naprawdę starał się pomóc mi to zrozumieć, ale nie skapowałem.

— A ja chyba rozumiem — powiedziała, otwierając drzwi. — Wiesz, że miał brata bliźniaka?

— Wiedziałem, ale zapomniałem.

— Jesse Garon Presley urodził się martwy o czwartej nad ranem, a Elvis Aaron Presley przyszedł na świat trzydzieści pięć minut później.

— Pamiętam, że coś mi o tym mówiłaś. Jesse został pochowany w tekturowym pudełku.

— Tylko na tyle stać było rodzinę. Leży na cmentarzu Priceville, na północny wschód od Tupelo.

— Co za los. Identyczni bliźniacy, którzy mieli wyglądać dokładnie tak samo, mówić tak samo i prawdopodobnie mieć taki sam talent. Jeden został największą gwiazdą w historii muzyki, a drugi jako noworodek trafił do ziemi w tekturowym pudełku.

— To prześladowało Elvisa przez całe życie. Ludzie mówią, że późną nocą często rozmawiał z Jessem. Czuł się tak, jakby brakowało mu połowy siebie.

— W pewnym sensie tak właśnie żył. Jakby brakowało mu połowy siebie.

— W pewnym sensie — zgodziła się ze mną.

Znałem to uczucie, więc powiedziałem:

— Teraz trochę bardziej mu współczuję.

Uściskaliśmy się i Terri oznajmiła:

— Potrzebujemy cię tutaj, Oddie.

— Sam siebie tu potrzebuję — przyznałem. — Masz wszystko, co powinien mieć przyjaciel, Terri, i nic, czego przyjaciel mieć nie powinien.

— Jak myślisz, kiedy powinnam zacząć się martwić?

— Sądząc z twojej miny, już jesteś zmartwiona.

— Nie podoba mi się, że chcesz zejść do tuneli. To tak, jakbyś pogrzebał się żywcem.

— Nie cierpię na klaustrofobię — zapewniłem ją, wychodząc z kuchni na podest.

— Nie o to mi chodzi. Daję ci sześć godzin, a potem dzwonię do Wyatta Portera.

— Wolałbym, Terri, żebyś się powstrzymała. Muszę zrobić to sam, nigdy w życiu nie byłem niczego bardziej pewny.

— Naprawdę? A może to... coś innego?

— Niby co?

Najwyraźniej nękały ją jakieś obawy, ale nie chciała ubrać ich w słowa. Zamiast odpowiedzieć czy choćby spojrzeć mi w oczy, błądziła wzrokiem po niebie.

Z północno-północnego wschodu płynęły brudne chmury. Wyglądały jak szmaty po umyciu zapuszczonej podłogi.

— W grę wchodzi coś więcej niż zazdrość i obsesje Simona. Coś dziwnego, nie wiem co, ale brygada antyterrorystyczna nie wyciągnie stamtąd Danny'ego żywego. Z powodu swojego daru jestem jego największą nadzieją.

Pocałowałem ją w czoło, odwróciłem się i zacząłem schodzić na uliczkę.

— Czy Danny nie żyje? — zapytała.

— Żyje. Jak powiedziałem, ciągnie mnie do niego.

— Naprawdę?

Zatrzymałem się i odwróciłem do niej.

— Żyje, Terri.

— Gdybyśmy z Kelseyem zostali pobłogosławieni dzieckiem, byłoby w twoim wieku.

Uśmiechnąłem się.

— Jesteś kochana.

Westchnęła.

— Niech ci będzie. Osiem godzin. Ani minuty dłużej. Możesz sobie być jasnowidzem, medium albo czymkolwiek chcesz, lecz ja mam kobiecą intuicję, na Boga, a to też coś znaczy.

Nie potrzebowałem szóstego zmysłu, aby wiedzieć, że próba wynegocjowania dziesięciu godzin mija się z celem.

— Osiem godzin — zgodziłem się. — Odezwę się wcześniej.

Gdy znów ruszyłem na dół, zawołała za mną:

— Oddie, naprawdę przyszedłeś do mnie po telefon?

Kiedy się zatrzymałem i spojrzałem w górę, zobaczyłem, że zeszła z podestu na pierwszy stopień.

— Dla własnego spokoju muszę to wiedzieć... nie przyszedłeś się pożegnać, prawda?

— Nie.

— Naprawdę?

— Naprawdę.

— Przysięgnij na Boga.

Podniosłem prawą rękę jak skaut składający ślubowanie.

Wciąż nieprzekonana dodała:

— Byłoby cholernie wrednie z twojej strony, gdybyś z kłamstwem na ustach odszedł z mojego życia.

— Nie zrobię ci tego. Poza tym nie dostanę się tam, dokąd chcę trafić, jeśli świadomie czy nieświadomie popełnię samobójstwo. Mam swoje dziwne małe życie do przeżycia. Przeżyję je najlepiej, jak potrafię, i w ten sposób kupię sobie bilet do miejsca, w którym chcę się znaleźć. Rozumiesz, o co mi chodzi?

Terri usadowiła się na najwyższym stopniu.

— Będę tu siedziała i patrzyła, jak odchodzisz. Odwracanie się teraz do ciebie plecami ściągnęłoby pecha.

— Dobrze się czujesz?

— Idź. Jeśli on żyje, znajdź go.

Odwróciłem się i po raz kolejny zacząłem schodzić.

— Nie oglądaj się — przykazała mi. — To też przynosi pecha.

Dotarłem do stóp schodów i wyszedłem z alejki na ulicę. Nie obejrzałem się, lecz słyszałem jej cichy płacz.

15

Nie wypatrywałem obserwatorów, nie zwlekałem w nadziei, że nadarzy się idealna okazja, tylko ruszyłem prosto do wysokiej na prawie trzy metry siatkowej bariery i wdrapałem się na sam szczyt. Zeskoczyłem na teren należący do Programu Ochrony Przeciwpowodziowej Hrabstwa Maravilla w niespełna dziesięć sekund od podejścia do ogrodzenia.

Niewielu ludzi się spodziewa, że ktoś bezczelnie, w biały dzień wtargnie na cudzy teren. Jeśli ktoś widział, jak wchodzę na ogrodzenie, najpewniej wziął mnie za jednego z pracowników i założył, że zgubiłem klucz. Schludni młodzi ludzie, starannie ostrzyżeni i ogoleni, zwykle nie są podejrzewani o łotrowskie zamiary. Ja jestem nie tylko ostrzyżony i ogolony, ale w dodatku nie mam tatuaży, kolczyków, kółka w brwi, kółka w nosie, kółka w wardze i dżeta w języku.

W konsekwencji można co najwyżej podejrzewać, że jestem przybyszem z dalekiej przyszłości, w której rząd totalitarny narzucił społeczeństwu uciążliwe normy kulturowe z lat pięćdziesiątych dwudziestego wieku.

Niewielki murowany budynek miał otwory wentylacyjne pod okapem. Nawet schludny młody człowiek z krótkimi włosami nie zdołałby się przez nie przecisnąć.

Patrząc przez siatkę wcześniej, zauważyłem, że zamki drewnianych drzwi wyglądają na starożytne. Mogły zostać założone w czasach, gdy gubernator Kalifornii wierzył w uzdrawiającą moc kryształów, zapowiadał wyjście z użycia automobili do roku tysiąc dziewięćset dziewięćdziesiątego i spotykał się z gwiazdą rocka o nazwisku Linda Ronstadt.

Z bliska zobaczyłem, że zamek bębenkowy jest nie tylko stary, ale także lichy, bez pierścienia ochronnego. Gwarantował bezpieczeństwo niewiele większe niż zwyczajna kłódka.

W drodze z Grille zatrzymałem się w Memorial Park, żeby wyjąć z plecaka solidne szczypce. Teraz wyciągnąłem je zza paska i użyłem do wyrwania zamka z drzwi.

Robota była hałaśliwa, ale trwała nie dłużej niż pół minuty. Śmiało, jakbym miał prawo tu przebywać, wszedłem do środka, znalazłem kontakt i zamknąłem za sobą drzwi.

Wewnątrz znajdował się stojak z narzędziami, ale budynek służył przede wszystkim jako przedsionek sieci kanałów burzowych pod Pico Mundo. Na dół wiodły szerokie spiralne schody.

Wyłuskując światłem latarki kolejne metalowe stopnie, wspomniałem klatkę schodową na tyłach domu Jessupów. Przez chwilę miałem wrażenie, że zostałem wciągnięty w jakąś mroczną grę, w której już raz okrążyłem planszę i rzut kości doprowadził mnie do kolejnego niebezpiecznego miejsca.

Nie zapaliłem światła na schodach, ponieważ nie wiedziałem, czy ten sam wyłącznik nie zaświeci lamp w kanałach. Nie chciałem przedwcześnie zdradzać swojej obecności.

Liczyłem stopnie, oceniając wysokość każdego na dwadzieścia centymetrów. Zszedłem na głębokość około piętnastu metrów, znacznie niżej, niż się spodziewałem.

U stóp schodów zobaczyłem drzwi. Zasuwę, pręt o ponad centymetrowej średnicy, można było otwierać z obu stron.

Zgasiłem latarkę.

Spodziewałem się, że rygiel zazgrzyta i zaskrzypią zawiasy, ale drzwi otworzyły się bez protestu, choć były niezwykle ciężkie.

Nic nie widząc, ze wstrzymanym oddechem, nasłuchiwałem odgłosów, które mogłyby zdradzić obecność wroga. Cisza. Nasłuchałem się jej tyle, że w końcu uznałem, iż mogę bezpiecznie zapalić latarkę.

Za progiem zaczynał się korytarz biegnący w prawą stronę: nieco ponad trzy i pół metra długości, półtora metra szerokości, niski strop. Okazało się, że ma kształt litery L, z długim na dwa i pół metra krótszym ramieniem. Dalszą drogę przegradzały kolejne masywne drzwi z podobnym jak poprzednio zamknięciem.

Dostęp do kanałów burzowych był bardziej skomplikowany, niż przypuszczałem, i wydawał się niepotrzebnie utrudniony.

Znów zgasiłem latarkę.

Nadstawiłem ucha w kompletnych ciemnościach i usłyszałem cichy, jedwabisty odgłos, który skojarzył mi się z czymś krętym. Oczyma wyobraźni ujrzałem ogromnego węża sunącego w mroku.

Rozpoznałem szmer wody, płynącej bez przeszkód i zawirowań po gładkim dnie kanału.

Zapaliłem latarkę, przestąpiłem próg. Stanąłem na szerokiej na sześćdziesiąt centymetrów betonowej kładce, która biegła w nieskończoność na prawo i lewo ode mnie. Czterdzieści pięć centymetrów niżej płynął stateczny potok szarej wody, która być może zapożyczyła kolor od betonowych ścian kanału. Światło latarki dziergało srebrne filigranowe wzory na lekko pomarszczonej powierzchni.

Oceniłem, że głębokość wody pośrodku kanału, w najgłębszym miejscu, wynosi czterdzieści pięć centymetrów, a przy kładce niespełna trzydzieści.

Burzowiec miał w przybliżeniu trzy i pół metra średnicy, potężna arteria w ciele pustyni. Prowadził ku jakiemuś dalekiemu, mrocznemu sercu.

Obawiałem się, że zapalenie lamp uprzedzi Simona o moim przyjściu. Ale światło latarki pozwoliłoby mnie namierzyć, jeśli ktoś czekał w ciemności.

Nie chciałem jednak poruszać się po omacku, cofnąłem się więc do drzwi klatki schodowej, gdzie znalazłem dwa wyłączniki. Bliższy oświetlił kanał.

Po powrocie na kładkę zobaczyłem szklano-druciane sandwicze lamp osadzone w stropie tunelu co dziewięć metrów. Ich blask nie był odpowiednikiem światła dziennego w tym podziemnym królestwie; nietoperzowe skrzydła cieni obejmowały ściany pomiędzy lampami, ale nie ograniczały widoczności.

Choć był to kanał burzowy, nie ściek, spodziewałem się niemiłego zapachu, jeśli nie smrodu. Chłodne powietrze pachniało wilgocią, poza tym miało prawie przyjemną wapnistą woń typową dla betonowych pomieszczeń.

Przez większą część roku kanały nie odprowadzają wody. Wysychają i dlatego nie ma w nich pleśni.

Patrzyłem z namysłem na płynącą wodę. Od pięciu dni nie padało. To nie mogły być resztki spływu z wyżyn we wschodniej części hrabstwa. Pustynia osusza się znacznie szybciej.

Chmury pełznące ku północnemu wschodowi, które widziałem, gdy wyszedłem z mieszkania Terri, mogły być forpocztą burzowej czeredy wciąż oddalonej o kilka godzin.

Możecie się zastanawiać, po co pustynnemu hrabstwu wielki system kanałów chroniących przed powodzią. Odpowiedź składa się z dwóch części, jedna dotyczy klimatu i ukształtowania terenu, a druga geopolityki.

W hrabstwie Maravilla mamy niewiele opadów, ale burze, gdy już się zdarzą, często są gwałtownymi nawałnicami. Na wielkich połaciach pustyni nad piaskiem przeważają łupki, a skały nad łupkami. Cienka warstwa gleby i skąpa roślinność nie mogą wchłonąć wody z ulewy ani spowolnić spływu z miejsc wyżej położonych.

Wskutek gwałtownych powodzi nisko położone pustynne tereny mogą przemienić się w rozległe jeziora. Gdyby nie wymuszona zmiana kierunku spływającej wody, znaczna część Pico Mundo byłaby zagrożona zalaniem.

Może minąć rok bez potwornej burzy, która sprawia, że nerwowo myślimy o arce Noego — a w następnym roku mamy pięć nawałnic z rzędu.

System przeciwpowodziowy w pustynnych miastach zwykle składa się z sieci betonowych rowów o przekroju litery

V, przepustów i wąwozów, które uchodzą albo do naturalnego suchego łożyska rzeki, albo do sztucznego koryta,
odprowadzając wodę z dala od ludzkich siedzib. Gdyby nie
fakt, że w pobliżu Pico Mundo leży Fort Kraken, ważna
baza lotnictwa wojskowego, bylibyśmy obsługiwani przez
równie tradycyjny i niedoskonały system.

Przez sześćdziesiąt lat Fort Kraken był jednym z najważ-
niejszych kompleksów militarnych w kraju. Sieć kanałów
przeciwpowodziowych, z której korzysta Pico Mundo, została zbudowana głównie po to, żeby chronić pasy startowe
i rozległe obiekty bazy przed skutkami gniewu Matki Natury.

Niektórzy wierzą, że w skałach głęboko pod Kraken
znajduje się centrum dowodzenia i kontroli zaprojektowane
w taki sposób, aby mogło przetrwać atak jądrowy Związku
Radzieckiego, a po wojnie atomowej służyć jako ośrodek
rządowy kierujący odbudową południowo-zachodniej części
Stanów Zjednoczonych.

Po zakończeniu zimnej wojny Fort Kraken został zredu-
kowany, ale nie zlikwidowany, podobnie jak wiele innych
baz wojskowych. Niektórzy mówią, że ten ukryty obiekt
wciąż utrzymywany jest w stanie gotowości z uwagi na
zagrożenie, jakie mogą stanowić agresywne Chiny uzbrojone
w tysiące pocisków jądrowych.

Krążą plotki, że poza zapobieganiem powodziom sieć
tuneli spełnia także tajne cele. Może maskuje system wen-
tylacyjny tamtego leżącego głęboko kompleksu dowodzenia.
Może niektóre kanały są sekretnymi wejściami.

Może wszystko to jest prawdą, a może tylko odpowiednikiem miejskiej legendy, która mówi, że w kanalizacji
Nowego Jorku żyją dorosłe aligatory, za młodu spłukane

w toalecie, żywiące się szczurami i nieostrożnymi pracownikami służb oczyszczania miasta.

Jednym z ludzi, którzy wierzą w całość lub część historii o Kraken, jest Harmon Barks, wydawca „Maravilla Country Times". Pan Barks twierdzi również, że dwadzieścia lat temu podczas wędrówki po lasach Oregonu zjadł w towarzystwie Wielkiej Stopy przyjemny obiad, złożony z musli i kiełbasek z puszki.

Ponieważ mam takie a nie inne doświadczenia, jestem skłonny wierzyć w opowiastkę o Sasquatchu.

Szukając Danny'ego Jessupa i ufając swojej wyjątkowej intuicji, skręciłem w prawo i ruszyłem kładką przez uporządkowane wzory cienia i światła pod prąd, w kierunku burzy takiego czy innego rodzaju.

16

Podskakująca piłka tenisowa, plastikowy worek pulsujący jak meduza, karta do gry — dziesiątka karo — rękawiczka ogrodowa, kilkanaście czerwonych płatków, być może cyklamenów: wszystkie te rzeczy na szarej wodzie nabierały tajemnego znaczenia. Przynajmniej mnie się tak wydawało, bo wpadłem w nastrój doszukiwania się znaczenia.

Ponieważ woda spływała do burzowców nie z Pico Mundo, lecz z terenów leżących daleko na wschodzie, niosła mniej śmieci, niż miała nieść później, gdy burza rozpęta się na całego, zmywając ulice miasta.

Do tunelu, którym szedłem, uchodziły kanały boczne. Niektóre były suche, inne zasilały niemrawy strumień. Wiele miało około sześćdziesięciu centymetrów średnicy, kilka rozdziawiało się równie szeroko jak ten mój.

Kładka urywała się przy każdym skrzyżowaniu, ale po drugiej stronie zaczynała się na nowo. Przed pierwszą przeprawą w bród zastanawiałem się, czy nie zdjąć tenisówek i nie podwinąć nogawek. Odrzuciłem ten pomysł, bo uznałem, że mógłbym nastąpić bosą stopą na coś ostrego.

Moje nowe białe tenisówki natychmiast przemieniły się w obraz nędzy i rozpaczy. Równie dobrze mógłby je obsikać Straszny Chester.

Gdy kilometr za kilometrem szedłem na wschód w górę ledwo dostrzegalnej pochyłości, podziemna konstrukcja robiła na mnie coraz większe wrażenie. Umiarkowana ciekawość, jaka zrodziła się we mnie w trakcie eksploracji, stopniowo zamieniła się w podziw dla twórców projektu — architektów, inżynierów — i jego wykonawców.

Po chwili podziw zaczął przeradzać się w coś, co graniczyło z zachwytem.

Ogrom sieci tuneli przytłaczał. Niektóre kanały z tych dostatecznie dużych, żeby mogli poruszać się w nich ludzie, były oświetlone, inne zaś spowijał mrok. Te oświetlone albo biegły, coraz węższe, na pozór ku nieskończoności, albo zakrzywiały się z wdziękiem i ginęły z oczu.

Nigdzie nie widziałem ich końca, tylko otwory nowych odgałęzień.

Przyszło mi na myśl fantastyczne przypuszczenie, że zapuszczam się w głąb labiryntu, który dzieli bądź łączy różne światy. Płynna geometria niezliczonych korytarzy, spiralnie skręconych jak muszla łodzika i krzyżujących się ze sobą, zapraszała do nowych rzeczywistości.

Pod Nowym Jorkiem znajduje się podobno siedem poziomów infrastruktury. Niektóre sieci są ściśnięte i kręte, inne rozległe.

Ale to przecież było tylko Pico Mundo. Naszym największym wydarzeniem kulturalnym jest doroczny festiwal kaktusa.

W punktach krytycznego nacisku konstrukcję wzmacniały łuki i przypory, a w niektórych miejscach zakrzywione ściany były żebrowane. Wszystkie elementy miały zaokrąglone krawędzie, więc nie kłóciły się organicznym charakterem całości.

Sieć tuneli wydawała się zbyt wielka, żeby służyć tylko odprowadzaniu wody. Trudno mi było uwierzyć, że przy takiej ilości kanałów nawet opad z burzy stulecia wypełniłby choćby do połowy jedną z większych arterii.

Nie miałem jednak trudności z uwierzeniem, że tunele te są burzowcami tylko w drugiej kolejności, przede wszystkim zaś spełniają rolę jednopasmowych autostrad. Mogłyby jeździć nimi ciężarówki, nawet wielkie osiemnastokołowce, wykonując skomplikowane manewry na zakrętach.

Zwyczajne ciężarówki albo ruchome wyrzutnie pocisków rakietowych.

Podejrzewałem, że labirynt kanałów znajduje się nie tylko pod Fort Kraken i Pico Mundo. Prawdopodobnie rozciągał się wiele kilometrów na północ i południe w dolinie Maravilla.

Gdybyście w czasie pierwszych godzin ostatniej wojny chcieli przemieścić arsenał nuklearny ze strefy zniszczeń pierwszego uderzenia do miejsc, z których pociski mogłyby zostać wywiezione na powierzchnię i wystrzelone, te podziemne autostrady spełniłyby wasze wymagania. Zostały zbudowane na wystarczającej głębokości, żeby były odporne na wybuch bomby penetrującej.

Co więcej, zebrana tak głęboko woda z burz musiała być odprowadzana nie do powierzchniowego zbiornika, ale do podziemnego jeziora lub innej formacji geologicznej, która decyduje o głębokości zwierciadła wód gruntowych.

Jakże dziwnie było myśleć o sobie z czasów przed poniesioną stratą, gdy stałem przy płycie w Pico Mundo Grille, piekłem cheeseburgery, rozbijałem jaja, odwracałem plastry bekonu i marzyłem o małżeństwie — nieświadom, że gdzieś głęboko pode mną leżą autostrady Armagedonu, w milczeniu czekając na konwoje śmierci.

Choć widzę zmarłych, których inni nie mogą zobaczyć, świat jest przysłonięty wieloma woalami i obłożony warstwami tajemnic, których nie można przeniknąć za pomocą szóstego zmysłu.

Pokonywałem kolejne kilometry znacznie wolniej, niż chciałem. Magnetyzm psychiczny służył mi gorzej niż zwykle i często zatrzymywałem się w rozterce, mając do wyboru dwa różne tunele.

Mimo wszystko uparcie posuwałem się w kierunku wschodnim, przynajmniej tak przypuszczałem. Zachowanie orientacji pod ziemią wcale nie jest łatwe.

Po jakimś czasie natknąłem się na wodowskaz — biały słupek z czarnymi cyframi rozmieszczonymi co trzydzieści centymetrów, usytuowany pośrodku koryta. Miał w przekroju jakieś czterdzieści centymetrów kwadratowych i sięgał na wysokość trzech i pół metra, prawie do łukowatego stropu.

Zwierciadło szarej wody znajdowało się osiem, może dziesięć centymetrów poniżej sześćdziesięciu, co oznaczało, że niewiele się pomyliłem w szacunkowej ocenie głębokości, ale nie to przykuło moją uwagę. Znacznie bardziej interesujący był martwy człowiek. Utknął na słupku.

Zwłoki podskakiwały twarzą w dół w strumieniu. Mętna woda i wydymające się ubranie uniemożliwiały określenie chociażby płci z miejsca, w którym stałem.

Serce łomotało mi w piersi; ten dźwięk rozbrzmiewał we mnie echem, jakbym był pustym domem.

Jeśli w kanale leżał Danny, to koniec. Koniec nie tylko z poszukiwaniami; ja też będę skończony.

Głęboka na niemal sześćdziesiąt centymetrów wartko płynąca woda może w jednej chwili zbić z nóg dorosłego człowieka. Ale ten kanał miał minimalny spadek, a leniwy wygląd nurtu sugerował, że jego prędkość jest niezbyt imponująca.

Rzuciłem plecak na kładkę, zsunąłem się do kanału i ruszyłem do słupka. Woda wyglądała leniwie, lecz nie brakowało jej siły.

Nie chcąc tkwić pośrodku nurtu i wodzić bogów ścieku na pokuszenie, nie próbowałem odwracać ciała, tylko chwyciłem za ubranie i podholowałem je do kładki.

Choć dobrze się czuję w towarzystwie duchów zmarłych, zwłoki budzą we mnie przerażenie. Wydają się pustymi naczyniami, w których mogła zamieszkać jakaś nowa, złowroga istota.

Nigdy nie spotkałem się z czymś takim, choć w 7-Eleven pracuje pewien ekspedient, nad którym czasem się zastanawiam.

Na kładce przekręciłem ciało na plecy i rozpoznałem wężowatego mężczyznę, który potraktował mnie taserem.

Nie Danny. Z mojego gardła wyrwał się cienki skowyt ulgi.

Ale moje nerwy zwinęły się ciasno i zadygotałem. Twarz tego martwego człowieka była niepodobna do twarzy innych nieboszczyków, których widziałem.

Oczy miał wywrócone tak mocno, że nie dostrzegłem

nawet najcieńszego półksiężyca źrenic. Choć nie żył najwyżej od kilku godzin, oczy wydawały się wybałuszone, jakby ciśnienie w czaszce wysadzało je z orbit.

Gdyby twarz była bezkrwiście biała, uznałbym to za normalne. Zielonkawy odcień, jak dzień po śmierci, skłoniłby mnie do zastanowienia, co przyśpieszyło proces rozkładu, lecz nie byłbym zaskoczony.

Skóra nie była ani bezkrwista, ani zielonkawa, ani nawet sina. Pokryta plamami od popielatych po grafitowe, miała kilka odcieni szarości. Mężczyzna wyglądał mizernie, jakby życie było sokiem, który został z niego wyssany.

Miał rozdziawione usta. Język zniknął. Nie sądziłem, aby ktoś go wyciął. Wyglądało na to, że sam go połknął.

Na głowie nie dostrzegłem obrażeń. Choć byłem ciekaw przyczyny śmierci, nie miałem zamiaru rozbierać go w poszukiwaniu ran.

Przekręciłem go twarzą w dół, żeby sprawdzić portfel. Nie nosił portfela.

Jeśli ten człowiek nie zginął przez przypadek, jeśli został zamordowany, z pewnością nie zabił go Danny Jessup. Pozostawała tylko jedna możliwość: załatwił go jeden ze wspólników.

Podniosłem plecak, zarzuciłem na ramiona i ruszyłem w dalszą drogę. Kilka razy się obejrzałem, na wpół przekonany, że facet zmartwychwstanie, ale nawet nie drgnął.

17

Wreszcie skręciłem na wschód-południowy wschód. W tym tunelu panował mrok.

W świetle padającym ze skrzyżowania zobaczyłem wyłącznik ochronny zamontowany na płytce ze stali nierdzewnej. Płytka tkwiła na wysokości metra osiemdziesięciu, co sugerowało, że projektanci systemu przeciwpowodziowego nie spodziewali się, by poziom wody kiedykolwiek sięgnął choćby na odległość trzydziestu centymetrów od niej. To z kolei potwierdzało mój domysł, że pojemność burzowców jest większa, niż wymagałaby tego najgorsza burza.

Pstryknąłem wyłącznik. Tunel przede mną rozjaśnił się, być może rozjaśniły się również połączone z nim odgałęzienia.

Ponieważ szedłem teraz na wschód-południowy wschód, a burza najwyraźniej nadciągała z północy, ten nowy korytarz nie powinien odprowadzać wody.

Beton prawie wysechł po ostatniej ulewie. Na dnie kanału zalegała warstwa jasnego osadu pełnego drobnych śmieci z poprzedniej burzy.

Spojrzałem, czy w szlamie nie ma odcisków stóp. Nie było. Jeśli Danny i jego porywacze szli tędy, to trzymali się kładki, z której sam korzystałem.

Szósty zmysł naglił mnie do dalszego marszu. Idąc nieco szybciej niż dotychczas, zastanawiałem się...

Na ulicach Pico Mundo są ciężkie, żeliwne pokrywy studzienek włazowych. Po zwolnieniu zatrzasków można je podnieść specjalnym narzędziem.

Zgodnie z logiką kanały należące do wydziału energii i wody powinny być niezależne — i znacznie skromniejsze — od tuneli przeciwpowodziowych. W przeciwnym wypadku do tej pory napotkałbym liczne studzienki ze schodkami albo drabinami.

Choć w pierwszym tunelu przeszedłem kilka kilometrów, nie widziałem ani jednego włazu poza tym, przez który wszedłem. W nowym korytarzu już po niespełna dwustu metrach zobaczyłem nieoznakowane stalowe drzwi.

Magnetyzm psychiczny, który prowadził mnie do Danny'ego Jessupa, nie ciągnął mnie do tego wejścia. Kierowała mną zwyczajna ciekawość.

Za drzwiami — ciężkimi jak pancerne wrota — znalazłem wyłącznik światła i korytarz w kształcie litery T. Na końcach jego ramion znajdowały się drzwi.

Za jednymi zaczynały się spiralne metalowe schody wiodące z pewnością do budyneczku takiego jak ten, do którego się włamałem, należącego do Programu Ochrony Przeciwpowodziowej Hrabstwa Maravilla.

Drzwi na drugim końcu daszka T prowadziły do wysokiego pomieszczenia ze stromymi betonowymi schodami. Schody kończyły się na wysokości sześciu metrów przed drzwiami z napisem WEiWPM.

Skrót oznaczał: Wydział Energii i Wody Pico Mundo. Ale symbol 16S-SW-V2453 nic mi nie mówił.

Dalej się nie zapuściłem. Poprzestałem na odkryciu, że podziemne systemy wydziału energii i wody łączą się z tunelami przeciwpowodziowymi przynajmniej w kilku miejscach.

Nie wiedziałem, dlaczego ta informacja może okazać się pożyteczna, ale takie miałem wrażenie.

Po powrocie do kanału i sprawdzeniu, czy nie czeka tam na mnie wężowaty facet o białych oczach, ruszyłem dalej tunelem prowadzącym na wschód-południowy wschód.

Kiedy ten tunel spotkał się z następnym, kładka się urwała. W miałkim osadzie widniały odciski stóp, przecinające skrzyżowanie i prowadzące do następnej kładki.

Zeskoczyłem z wysokości sześćdziesięciu centymetrów na dno kanału i przyjrzałem się odciskom.

Ślady Danny'ego różniły się od innych. Wskutek licznych złamań, jakich doznał przez lata — i zniekształceń, które często towarzyszą zrastaniu się kości ofiary *osteogenesis imperfecta* — prawą nogę miał o dwa, trzy centymetry krótszą od lewej i wykręconą. Kuśtykał, zarzucając biodrem, i zwykle powłóczył prawą stopą.

„Gdybym był również garbaty — powiedział mi kiedyś — miałbym zagwarantowaną dożywotnią posadę w dzwonnicy Notre Dame, z niezłymi korzyściami ubocznymi, ale Matka Natura jak zwykle nie zagrała ze mną uczciwie".

Proporcjonalnie do swojego wzrostu, miał stopy dziesięcio- czy dwunastolatka. Poza tym prawa była o numer większa od lewej.

Nikt inny nie mógłby zostawić takich śladów.

Kiedy pomyślałem, jak daleko ciągnęli go na piechotę, zrobiło mi się niedobrze ze złości i strachu o niego.

Danny odbywał krótkie spacery — kilka ulic, wyprawa do centrum handlowego — bez bólu, czasami nawet bez przykrości, ale ta wędrówka musiała być dla niego męczarnią. Myślałem, że został uprowadzony przez dwóch ludzi — swojego biologicznego ojca, Simona Makepeace'a, i bezimiennego wężowatego faceta, który już nie żył. Ale w miękkim nanosie oprócz śladów Danny'ego doliczyłem się trzech par odcisków.

Dwa komplety należały do dorosłych mężczyzn, przy czym jeden miał większe stopy niż drugi. Trzeci trop pozostawił chłopiec albo kobieta.

Prześledziłem tropy do następnego odcinka kładki za skrzyżowaniem. A potem nie miałem wyboru, musiałem podporządkować się wyjątkowo silnej intuicji.

W tej suchej części labiryntu brakowało nawet jedwabistego szmeru płynącej bez przeszkód wody. Panowała tu cisza o ton głębsza od absolutnej.

Lekko stąpam; szedłem miarowym krokiem, oddychając cicho. Nie zagłuszałem hałasów, jakie mogła robić tropiona przeze mnie zwierzyna, i nasłuchiwałem w marszu. Nie słyszałem ani kroków, ani głosów.

Parę razy zatrzymałem się i zamknąłem oczy, koncentrując się na słuchaniu, ale nie słyszałem nic oprócz pulsowania czy burczenia, które pochodziło z wnętrza mojego ciała.

Absolutna cisza sugerowała, że gdzieś przede mną cztery osoby opuściły burzowce.

Dlaczego Simon miałby porywać syna, którego nie chciał i którego, jak sądził, nie spłodził?

Odpowiedź: jeśli myślał, że Danny jest dzieckiem człowieka, z którym Carol przyprawiła mu rogi, zabicie go mogło sprawić mu satysfakcję. Był socjopatą. Nie rządziła nim ani logika, ani zwyczajne emocje. Władza — i przyjemność z jej sprawowania — oraz chęć przetrwania były jedynymi motywami jego działania.

Dotychczas ta odpowiedź mnie satysfakcjonowała. Teraz zmieniłem zdanie.

Simon mógł zamordować Danny'ego w sypialni. Albo jeżeli przeszkodziło mu moje przybycie do domu Jessupów, zająć się nim w furgonetce, podczas gdy wężowaty facet siedziałby za kierownicą. Miałby czas nawet na tortury, gdyby mu na tym zależało.

Zabieranie Danny'ego do tego labiryntu i wleczenie go przez kilometry tuneli zakrawało na tortury, lecz nie było ani dość dramatyczne, ani na tyle fizycznie inwazyjne, aby podniecać morderczego socjopatę, lubującego się w mokrej robocie.

Simon wraz z dwójką swoich towarzyszy potrzebował nieszczęsnego Danny'ego w jakimś celu, który wciąż pozostawał dla mnie niepojęty.

Wybrali tę drogę nie po to, żeby obejść zapory drogowe albo uniknąć policyjnych patroli powietrznych. Mogli przecież znaleźć jakąś kryjówkę w mieście i zamelinować się do czasu usunięcia blokad.

Pełen ponurych przeczuć, szedłem jeszcze szybciej, nie dlatego że zwiększyło się oddziaływanie mojego magnetyzmu psychicznego, bo się nie zwiększyło, ale ponieważ na każdym skrzyżowaniu widziałem potwierdzenie w postaci odciśniętych w osadzie stóp.

Niekończące się szare ściany, monotonia wzorów światła i cienia tworzonych przez lampy na stropie, cisza: kanały mogłyby być piekłem dla każdego grzesznika, który najbardziej lęka się samotności i nudy.

Po odkryciu tych śladów szedłem przez ponad trzydzieści minut szybkim krokiem — i w końcu dotarłem do miejsca, w którym wyszli z labiryntu.

18

Kiedy dotknąłem drzwi z nierdzewnej stali w ścianie tunelu, mój psychiczny haczyk wbił się głębiej i szarpnął, aż się zatoczyłem, jakby moja zwierzyna była wędkarzem, a ja rybą.

Za drzwiami zobaczyłem korytarz w kształcie litery L. Na jego końcu znajdowały się drzwi. Za nimi przedsionek i spiralne schody, a na górze kamienna półka z wieszakami na narzędzia.

Choć lutowy dzień był przyjemnie ciepły, nie skwarny, tutaj panowała duchota. Z krokwi pod spieczonym przez słońce metalowym dachem płynął zapach próchna.

Najwyraźniej Simon posłużył się wytrychem, jak na działce przy restauracji Blue Moon. Po wyjściu zatrzasnęli drzwi i zamek zaskoczył.

Laminowanym prawem jazdy mogłem otworzyć prosty zamek, ale ten model, choć tani i lichy, chyba był odporny na sztuczkę z cienkim kawałkiem plastiku. Wyjąłem z plecaka szczypce.

Nie bałem się, że hałas zaalarmuje Simona i jego załogę. Odeszli stąd kilka godzin temu i raczej nie zamierzali wrócić.

Kiedy sięgałem kleszczami do bębenka zamka, zadzwonił telefon satelitarny Terri.

Wyciągnąłem go z kieszeni i zgłosiłem się po trzecim sygnale.

— Słucham?

— Cześć.

Po tym jednym słowie rozpoznałem kobietę o gardłowym głosie, która dzwoniła zeszłej nocy, gdy siedziałem pod koroną trującej brugmansji za domem Yingów.

— To znowu pani.

— Ja.

Mogła dostać ten numer tylko od Terri, po zadzwonieniu na moją komórkę.

— Kim pani jest?

— Wciąż myślisz, że to pomyłka?

— Nie. Kim pani jest?

— Musisz pytać?

— Nie powinienem?

— Nie powinieneś musieć.

— Nie znam pani głosu.

— Zna go dobrze wielu mężczyzn.

Jeśli nie mówiła zagadkami, wyrażała się co najmniej niejasno.

— Czy kiedyś się spotkaliśmy? — zapytałem.

— Nie. Ale czy nie możesz mnie wyśnić?

— Wyśnić panią?

— Jestem tobą rozczarowana.

— Znowu?

— Wciąż.

Pomyślałem o odciskach stóp w osadzie. Jedna para należała do chłopca albo do kobiety.

Niepewny, na czym polega gra, milczałem.

Ona też czekała.

Pomiędzy krokwiami rozsnuły sieci pająki. Wisiały tam, lśniące i czarne, wśród jasnych szczątków much i ciem, którymi się zajadały.

W końcu zapytałem:

— Czego pani chce?

— Cudów.

— Co pani przez to rozumie?

— Baśniowe, nieprawdopodobne zjawiska.

— Dlaczego dzwoni pani do mnie?

— A do kogo innego miałabym dzwonić?

— Jestem kucharzem.

— Zdumiewasz mnie.

— Robię zapickanki.

— Lodowate palce — powiedziała.

— Słucham?

— Tego chcę.

— Chce pani mieć lodowate palce?

— Wędrujące wzdłuż mojego kręgosłupa.

— Niech pani zamówi eskimoską masażystkę.

— Dlaczego eskimoską?

— Bo ma lodowate palce.

Najwyraźniej nie miała poczucia humoru, ponieważ zapytała:

— To żart?

— Dość kiepski — przyznałem.

— Myślisz, że wszystko jest zabawne? Taki jesteś?

— Nie wszystko.

— W ogóle absolutnie nic, dupku. Śmiejesz się teraz?

— Nie, teraz nie.

— Wiesz, co według mnie byłoby zabawne?

Nie odpowiedziałem.

— Walnięcie małego ofermy młotkiem w ramię.

Ośmionogi harfista poruszył się pod dachem i napięte nici pajęczego jedwabiu zadrżały w milczącym arpeggio.

— Czy jego kości pękają jak szkło? — zapytała.

Po dłuższym namyśle powiedziałem:

— Przepraszam.

— Za co?

— Przepraszam, że obraziłem panią żartem o Eskimosce.

— Nie jestem obrażona, misiaczku.

— Miło mi to słyszeć.

— Ja się tylko wkurzyłam.

— Przepraszam. Naprawdę.

— Nie bądź nudny — burknęła.

— Proszę nie robić mu krzywdy.

— Dlaczego nie?

— Czemu miałaby pani to zrobić?

— Aby dostać to, czego chcę — odparła.

— A czego pani chce?

— Cudów.

— Może wina leży po mojej stronie, ale nie rozumiem.

— Cudów — powtórzyła.

— Proszę mi powiedzieć, co mogę zrobić?

— Zdumiewające rzeczy.

— Co mogę zrobić, żeby nie spotkała go krzywda?

— Rozczarowujesz mnie.

— Staram się zrozumieć.

— Jest dumny ze swojej twarzy, prawda?

— Dumny? Nie wiem.

— To jedyna nieschrzaniona część jego ciała.

Zaschło mi w ustach — wcale nie dlatego, że w szopie było gorąco i pełno kurzu.

— Ma śliczną buźkę — powiedziała. — Na razie.

Rozłączyła się.

Pomyślałem, że mógłbym wcisnąć *69, żeby zobaczyć, czy dałoby się oddzwonić, nawet jeśli jej numer się nie wyświetlał. Nie zrobiłem tego jednak, ponieważ podejrzewałem, że popełniłbym błąd.

Choć zagadkowe słowa kobiety nie rzuciły światła na jej tajemnicze plany, jedno wydawało się jasne. Była przyzwyczajona do rządzenia i na drobną próbę zmiany tego stanu rzeczy zareagowałaby wrogością.

Zachowując się agresywnie, przypuszczała, że nie odpowiem. Gdybym wcisnął gwiazdkę-sześć-dziewięć, bez wątpienia mocno bym ją wkurzył.

Była zdolna do okrucieństwa. Gniew, jaki w niej rozpaliłem, mogła wyładować na Dannym.

Zapach próchna. Kurzu. Czegoś martwego i wyschniętego w cienistym kącie.

Po jedwabnej nici zsuwał się pająk z drżącymi odnóżami, leniwie obracając się w nieruchomym powietrzu.

19

Wyrwałem cylinder zamka, pchnąłem drzwi i zostawiłem pająki w spokoju.

System przeciwpowodziowy był taki niesamowity i niepokojący, a rozmowa telefoniczna tak dziwna, że gdybym po przestąpieniu progu trafił do Narnii, byłbym nie bardziej zdumiony.

Znalazłem się poza granicami Pico Mundo, ale nie w krainie rządzonej przez magię. Ze wszystkich stron rozciągała się pustynia, skalista i bezlitosna.

Budyneczek stał na betonowej płycie dwa razy większej niż jego podstawa. Otaczało go ogrodzenie z siatki.

Obszedłem je, przyglądając się surowemu pejzażowi, wypatrując obserwatorów. Ukształtowanie terenu nie zapewniało dobrych kryjówek.

Kiedy uznałem, że ucieczka do szopy przed ostrzałem nie będzie konieczna, wspiąłem się na ogrodzenie.

Grunt przede mną był kamienisty, nie widziałem na nim

żadnych śladów. Zawierzając swojej intuicji, skierowałem się na południe.

Słońce stało w zenicie. Do wczesnego zimowego zmierzchu zostało może pięć godzin dziennego światła.

Na południu i zachodzie blade niebo wydawało się o trzy tony jaśniejsze od idealnego błękitu, jakby spłowiało po tysiącleciach prażenia się w promieniach słonecznych odbitych od Mojave.

Za moimi plecami północną cześć nieba pożerały wygłodniałe watahy groźnych chmur. Były brudne jak wcześniej i teraz na dodatek posiniaczone.

Sto metrów dalej wspiąłem się na niski pagórek i zszedłem do płytkiego obniżenia, gdzie w miękkiej glebie zachowały się odciski stóp. Znów miałem przed sobą tropy trojga uciekinierów i ich jeńca.

Danny powłóczył prawą nogą znacznie gorzej niż w kanałach. Ślady sugerowały, że cierpi i jest zrozpaczony.

U większości ofiar *osteogeneza imperfecta* — OI — następuje wyraźny spadek liczby złamań po okresie dojrzewania.

Po osiągnięciu dojrzałości najwięksi szczęśliwcy odkrywają, że są tylko minimalnie — o ile w ogóle — bardziej skłonni do łamania kości niż inni ludzie. Zostaje im spuścizna w postaci ciała zniekształconego przez nieprawidłowe zrosty i nienormalny rozwój kości, a niektórzy głuchną z powodu otosklerozy, ale najgorsze spustoszenia będące skutkiem tej genetycznej choroby mają już za sobą.

Nie będąc nawet w dziesięciu procentach tak kruchy jak w dzieciństwie, Danny należał jednak do niefortunnej mniejszości dorosłych z OI, którzy muszą zachowywać ostrożność.

Od dawna nie połamał się „od niechcenia", jak wtedy, gdy w wieku sześciu lat uszkodził nadgarstek w czasie gry w Piotrusia. Ale rok temu przewrócił się i złamał kość promieniową.

Przez chwilę przyglądałem się odciskom stóp kobiety, zastanawiając się, kim jest i dlaczego w tym uczestniczy.

Szedłem obniżeniem jakieś dwieście metrów, a potem trop się urwał na skalistym zboczu.

Gdy zacząłem się wspinać, zadzwonił telefon.

— Odd Thomas? — zapytała.

— A któż by inny?

— Widziałam twoje zdjęcie.

— Moje uszy na fotografii zawsze są większe niż w rzeczywistości.

— Naprawdę tak wyglądasz.

— Jak?

— Jak *mundunugu*.

— Nie rozumiem.

— Wiesz, co to słowo znaczy.

— Przykro mi, ale nie wiem.

— Kłamca — burknęła, choć nie ze złością.

Był to odpowiednik rozmowy na podwieczorku u Szalonego Kapelusznika.

— Chcesz zobaczyć tego małego ofermę? — zapytała.

— Chcę odnaleźć Danny'ego. Żywego.

— Myślisz, że ci się uda?

— Próbuję.

— Byłeś szybki, ale teraz okropnie się guzdrzesz.

— Co pani może o mnie wiedzieć?

— A co można, misiaczku? — zapytała.

— Niewiele.

— Dla dobra Danny'ego mam nadzieję, że to nieprawda.

Opadło mnie mdlące, choć niewytłumaczalne uczucie, że doktor Jessup został zamordowany z mojego powodu.

— Chyba pani nie chce wpakować się w paskudne kłopoty — powiedziałem.

— Nikt nie może mnie skrzywdzić — oświadczyła.

— Naprawdę?

— Jestem niepokonana.

— To dobrze.

— Wiesz dlaczego?

— Dlaczego?

— Mam trzydzieści w amulecie.

— Trzydzieści czego? — zapytałem.

— *Ti bon ange.*

Nigdy dotąd nie słyszałem tego określenia.

— Co to znaczy?

— Wiesz.

— Naprawdę nie wiem.

— Kłamca.

Nie rozłączyła się, ale też nie od razu dodała coś więcej, toteż usiadłem na ziemi, patrząc ku zachodowi.

Z wyjątkiem rozsianych gdzieniegdzie kęp jadłoszynu i grubej trawy ziemia była szara jak popiół i żółta niczym kwas.

— Jesteś tam? — zapytała.

— A dokąd miałbym pójść?

— Więc gdzie jesteś?

— Mogę porozmawiać z Simonem? — odpowiedziałem pytaniem.

133

— Tym od Garfunkela?

— Słucham?

— A może z Simonem Temple?

— Z Simonem Makepeace — powiedziałem cierpliwie.

— Myślisz, że tu jest?

— Tak.

— Pudło.

— Zabił Wilbura Jessupa.

— Jesteś w tym do dupy.

— W czym?

— Nie rozczarowuj mnie.

— Chyba już to zrobiłem, tak pani mówiła.

— Nie rozczarowuj mnie bardziej.

— Bo co? — zapytałem i natychmiast tego pożałowałem.

— Lepiej...

Czekałem.

Wreszcie powiedziała:

— Lepiej znajdź nas przed zachodem słońca, bo jak nie, to złamiemy mu obie nogi.

— Jeśli pani chce, żebym was znalazł, wystarczy powiedzieć, gdzie jesteście.

— Jaki byłby w tym sens? Jeśli nie znajdziesz nas do dziewiątej, połamiemy mu również ręce.

— Nie róbcie tego. Przecież nie wyrządził wam krzywdy. Nigdy nikogo nie skrzywdził.

— Jak brzmi pierwsza zasada? — zapytała.

Przypominając sobie najkrótszą i najbardziej tajemniczą rozmowę z ubiegłej nocy, odparłem:

— Muszę przyjść sam.

— Jeśli sprowadzisz gliny albo kogokolwiek innego,

złamiemy mu nos i szczękę, a potem resztę życia. Będzie kurduplem szpetnym od góry do dołu.

Gdy się rozłączyła, wcisnąłem KONIEC.

Kimkolwiek mogła być, była obłąkana. W porządku. Miałem już do czynienia z szaleńcami.

Była obłąkana i zła. To też nic nowego.

20

Ściągnąłem plecak i znalazłem butelkę wody Evian. Nie była zimna, ale smakowała wybornie. Tak naprawdę plastikowa butelka nie zawierała wody Evian. Napełniłem ją z kranu w kuchni.

Jeśli jesteś gotów słono płacić za butelkowaną wodę, dlaczego miałbyś nie wybulić jeszcze więcej za worek świeżego powietrza z Gór Skalistych, jeśli pewnego dnia zobaczysz ten towar na rynku?

Choć nie jestem kutwą, przez lata żyłem oszczędnie. Jako kucharz z małżeńskimi planami, otrzymujący uczciwą, ale nie oszałamiającą pensję, musiałem oszczędzać na wspólną przyszłość.

Ona odeszła i zostałem sam. Ostatnią rzeczą, na jaką potrzebowałbym pieniędzy, jest tort weselny. A jednak siłą długotrwałego nawyku, gdy mam wydawać pieniądze na siebie, duszę każdego dolara tak mocno, że wyciskam z niego parę centów.

Biorąc pod uwagę szczególny i niebezpieczny charakter

mojego życia, nie oczekuję, że zdążę się dorobić powiększonej prostaty, ale gdybym jakimś cudem dociągnął do dziewięćdziesiątki, pewnie będę jednym z tych dziwaków, którzy uważani za biednych, zostawiają milion dolarów w puszkach po kawie z przykazaniem, by przeznaczyć je na opiekę nad bezdomnymi pudlami.

Po wypiciu erzacu wody Evian wsunąłem pustą butelkę do plecaka, a potem podlałem skrawek pustyni „specjalnością Odda".

Wiedziałem, że zbliżyłem się do celu, i miałem już wyznaczony ostateczny termin. Zachód słońca.

Przed zakończeniem ostatniego etapu podróży musiałem popytać o parę rzeczy, które się działy w prawdziwym świecie.

Terri nie miała w telefonie żadnego numeru komendanta Portera, ale ja dawno temu zapamiętałem je wszystkie.

Odebrał komórkę po drugim sygnale.

— Porter.

— Przepraszam, że przeszkadzam, proszę pana.

— W czym? Myślisz, że jestem w wirze policyjnej pracy?

— A nie jest pan?

— W tej chwili, synu, czuję się jak krowa.

— Krowa?

— Krowa, która leży na pastwisku i przeżuwa.

— Nie sprawia pan wrażenia zrelaksowanego jak krowa.

— Nie czuję się jak zrelaksowana krowa. Czuję się tępy jak krowa.

— Żadnych tropów w sprawie Simona?

— Cóż, mamy go. Siedzi w areszcie w Santa Barbara.

— Szybka robota.

— Szybsza, niż myślisz. Został zatrzymany dwa dni temu za sprowokowanie bijatyki w barze. Uderzył funkcjonariusza dokonującego aresztowania. Posadzili go za napaść.

— Dwa dni temu. W takim razie...

— W takim razie — powtórzył — było inaczej, niż myśleliśmy. Simon nie zabił doktora Jessupa. Ale, jak mówi, cieszy się, że ktoś to zrobił.

— Może płatny zabójca?

Komendant Porter zaśmiał się kwaśno.

— Po wyjściu z więzienia Simon zdołał się załapać tylko do wypompowywania szamb. Mieszka w wynajętym pokoju.

— Parę osób odwaliłoby tę robotę za tysiąc dolców.

— Jasne, ale od Simona mogliby dostać najwyżej zniżkę na czyszczenie szamba.

Pustynia, udając zmartwychwstającego Łazarza, westchnęła. Zadrżały kępy trawy. Zaszeptał bieluń, lecz umilkł, gdy powietrze znieruchomiało.

Patrząc na północ, ku dalekiemu czołu burzy, zapytałem:

— A biała furgonetka?

— Skradziona. Nie mamy odcisków wartych splunięcia.

— Żadnych innych tropów?

— Nie, chyba że chłopcy z kryminalistyki znajdą jakieś dziwne DNA albo inne śladowe dowody w mieszkaniu Jessupa. A co u ciebie, synu?

Rozejrzałem się po pustkowiu.

— Podziwiam widoki.

— Czujesz jakiś magnetyzm?

Okłamanie go byłoby trudniejsze niż okłamanie siebie.

— Zaczyna mnie ciągnąć, proszę pana.

— Dokąd?

— Jeszcze nie wiem. Wciąż jestem w ruchu.

— Gdzie?

— Wolałbym nie mówić.

— Nie zgrywaj Samotnego Strażnika — przestrzegł mnie z troską w głosie.

— A jeśli to właśnie wydaje się najlepsze?

— Odpuść sobie, to niemądre. Rusz głową, synu.

— Czasami trzeba zaufać sercu.

— Przemawianie ci do rozumu mija się z celem, prawda?

— Tak, proszę pana. Ale mógłby pan przeszukać pokój Danny'ego i sprawdzić, czy nic nie wskazuje, że ostatnio w jego życiu pojawiła się jakaś kobieta.

— Wiesz, że nie jestem okrutny, Odd, lecz jako glina muszę stać twardo na ziemi. Gdyby ten biedny dzieciak poszedł na randkę, nazajutrz rano huczałoby o tym w całym Pico Mundo.

— To mógł być dyskretny związek, proszę pana. I wcale nie twierdzę, że Danny dostał to, czego pragnął. Być może dostał całe morze bólu.

Po chwili milczenia szef powiedział:

— Chodzi ci o to, że byłby łatwym celem. Dla drapieżnika.

— Samotność czyni bezbronnym.

— Ale niczego nie ukradli. Nie przetrząsnęli domu. Nawet nie zadali sobie fatygi, żeby wyjąć picniądze z portfela doktora Jessupa.

— Chcą więc od Danny'ego czegoś innego niż pieniądze.

— Kto miałby... i co?

— To wciąż jest dla mnie zasnute mgłą. Jakby wyczuwam kształt, ale jeszcze nie widzę przedmiotu.

Daleko na północy, pomiędzy osmalonym niebem i spopieloną ziemią, deszcz przypominał migoczące zasłony dymu.

— Muszę ruszać — oznajmiłem.

— Jeśli wyniknie coś w sprawie tej kobiety, zadzwonię.

— Nie, wolałbym, żeby pan tego nie robił. Muszę mieć wolną linię i oszczędzać akumulator. Zadzwoniłem, bo chciałem panu powiedzieć, że w tej sprawie uczestniczy kobieta. Jeśli coś mi się stanie, będzie pan miał punkt zaczepienia. Kobieta i trzech mężczyzn.

— Trzech? Ten, który poraził cię taserem, i kto jeszcze?

— Myślałem, że jednym z nich jest Simon, ale to wykluczone. Jeden ma wielkie stopy, tylko tyle mi wiadomo.

— Wielkie stopy?

— Niech pan się za mnie pomodli.

— Robię to co wieczór.

Zakończyłem rozmowę.

Zarzuciłem plecak na ramiona i podjąłem wspinaczkę przerwaną przez telefon od kobiety. Zbocze było długie, łagodnie nachylone. Zwietrzały łupek chrzęścił i osuwał się pod nogami, wciąż wystawiając na próbę moją zwinność i zmysł równowagi.

Parę małych jaszczurek pierzchło z drogi. Wypatrywałem grzechotników.

Twarde skórzane pionierki byłyby lepsze od miękkich tenisówek. Ale prawdopodobnie czekały mnie podchody, a moje niegdyś białe obuwie idealnie nadawało się do tego celu.

Może niepotrzebnie przejmowałem się butami, wężami i równowagą, jeśli była mi pisana śmierć z ręki kogoś, kto się zaczai na mnie za białymi drzwiami. Nie chciałem jednak przywiązywać zbyt wielkiej wagi do teorii, która mówi, że powtarzające się sny muszą być prorocze. Może są po prostu skutkiem obfitej, tłustej i pikantnej kolacji.

Dalekie wrota niebios otworzyły się, z dudnieniem sunąc po prowadnicach, i podmuch znów ożywił pustynię. Kiedy ścichł daleki grzmot, powietrze nie znieruchomiało jak wcześniej, ale pomykało wśród rzadkiej roślinności niczym stado widmowych kojotów.

Na szczycie wzgórza zrozumiałem, że mam przed sobą cel podróży. Tam miałem znaleźć uprowadzonego Danny'ego Jessupa.

W dali biegła międzystanowa. Od autostrady odbijała czteropasmowa droga dojazdowa. Na jej końcu stało zrujnowane kasyno i poczerniały wieżowiec, gdzie śmierć zasiadła do gry i jak zawsze wygrała.

21

Należeli do plemienia Panamintów z rodziny Szoszonów-
-Komanczy. W dzisiejszych czasach uważa się, że przez
całe swoje dzieje — jak wszyscy rodzimi mieszkańcy tej
ziemi przed Kolumbem i sprowadzeniem na kontynent włoskiej kuchni — byli ludźmi pokojowo nastawionymi, głęboko
uduchowionymi, bezinteresownymi i darzącymi przyrodę
nabożnym szacunkiem.

Indiańscy przywódcy uznali, że przemysł gier hazardo-
wych — żerujący na słabości i stracie, obojętny na cierpienie,
materialistyczny, nienasycenie chciwy, szpecący naturę naj-
brzydszą, najbardziej jarmarczną architekturą w historii
ludzkiego budownictwa — idealnie do nich pasuje. Stan
Kalifornia wyraził zgodę, przyznając rdzennym Amerykanom
monopol na prowadzenie kasyn w obrębie swoich granic.

Obawiając się, że nawet sam Wielki Duch może nie
zapewnić wyciśnięcia każdej możliwej kropli zysku z nowego przedsięwzięcia, większość plemion dogadała się z do-
świadczonymi przedsiębiorstwami hazardowymi i przeka-

zała im kierownictwo nad swoimi kasynami. Zainstalowano skarbce, zatrudniono personel, drzwi zostały otwarte i pod czujnym okiem pospolitych zbirów popłynęła rzeka pieniędzy.

Złoty wiek indiańskiego bogactwa zbliżał się wielkimi krokami, każdy rdzenny Amerykanin wkrótce miał zostać bogaty. Ale potok nie był ani taki głęboki, ani taki szybki, jak spodziewali się Indianie.

Zabawne, jak to się czasem dzieje.

W społeczności indiańskiej wzrosło uzależnienie od hazardu, a wraz z nim ubóstwo i wynikająca z tego przestępczość.

To wcale nie było zabawne.

W odległości ponad półtora kilometra od wzgórza, na którym stałem, na ziemi plemiennej wznosił się Ośrodek Rekreacyjny Panamint. Kiedyś był równie lśniący, migoczący neonami i tandetny jak każdy inny przybytek tego rodzaju, lecz dni jego chwały przeminęły.

Piętnastopiętrowy hotel miał wdzięk wysokiego bloku więziennego. Pięć lat temu przetrwał trzęsienie ziemi, które spowodowało niewielkie zniszczenia, ale nie oparł się późniejszemu pożarowi. Większość okien została wybita wskutek drgań albo eksplodowała z gorąca, gdy ogień szalał w pokojach. Wielkie języory dymu wylizały czarne ślady na ścianach.

Piętrowe kasyno, które z trzech stron otaczało wieżowiec, zapadło się w jednym narożniku. Większa część wykonanej z kolorowego betonu fasady — pokrytej tajemniczymi indiańskimi symbolami, z których wiele nie miało nic wspólnego z Indianami, wyrastało z indiańskiego spiritualizmu wymyślonego przez twórców hollywoodzkich filmów i zinterpretowanego w konwencji New Age — runęła na parking. Pod gruzami rdzewiało kilka zmiażdżonych pojazdów.

Bojąc się, że wartownik z lornetką może obserwować okolicę, ukryłem się za grzbietem wzgórza. Miałem nadzieję, że nikt mnie nie zauważył.

Po pożarze wielu przewidywało, że z uwagi na pieniądze, jakie można tu zarobić, ośrodek zostanie odbudowany w ciągu roku. Cztery lata później nikt nie próbował choćby wyburzyć wypalonych budynków.

Przedsiębiorcy budowlani zostali oskarżeni o robienie oszczędności, które spowodowały osłabienie konstrukcji. Inspektorom budownictwa zarzucono przyjmowanie łapówek, a oni z kolei oskarżyli skorumpowane władze hrabstwa.

Skutki miszmaszu uzasadnionych oraz z gruntu niepoważnych sporów sądowych wraz z bataliami firm zajmujących się *public relations* obejmowały kilka bankructw, dwa samobójstwa, bliżej nieokreśloną liczbę rozwodów i jedną operację zmiany płci.

Panamintowie, którzy zbili duże pieniądze, w większości przypadków stracili je na rozliczenia albo wciąż nabijali kieszenie prawnikom. Ci, którzy zamiast fortuny dorobili się uzależnienia od hazardu, zostali narażeni na niewygodę odbywania dalszych podróży, żeby się spłukać do zera.

Obecnie połowa spraw sądowych czekała na ostateczne rozstrzygnięcie i nikt nie wiedział, czy ośrodek powstanie jak feniks. Nawet prawo — niektórzy powiedzieliby, że obowiązek — wyburzenia ruin zostało zamrożone do czasu podjęcia decyzji przez sąd apelacyjny.

Trzymając się poniżej szczytu, szedłem na południe, aż skaliste zbocze przemieniło się w łagodną pochyłość.

Równinę, na której stał zrujnowany ośrodek, obejmował od zachodu, południa i wschodu półksiężyc wzgórz. Na północy rozciągała się płaska przestrzeń przecięta ruchliwą międzystanową. Wędrowałem wśród wzgórz szeregiem wąskich jarów, które rozszerzały się w suchą dolinę. Była to kręta trasa, wymuszona przez ukształtowanie terenu.

Jeśli porywacze Danny'ego rozbili obóz gdzieś na wyższym piętrze, żeby mieć lepszy widok, musiałem podejść do hotelu od strony, z której się mnie nie spodziewali. Przed wyjściem na otwarty teren chciałem jak najbardziej zbliżyć się do ośrodka.

Nie umiałem wyjaśnić, skąd bezimienna kobieta wiedziała, że zdołam ich wytropić, jak się domyśliła, że będę musiał to zrobić, i dlaczego tego chciała. Zacząłem podejrzewać, że Danny podzielił się z nią sekretem o moim darze.

Wyglądało na to, iż tajemnicza ironiczna rozmowa przez telefon miała na celu sprowokowanie mnie do przyznania, że mam dziwne talenty. Kobieta próbowała uzyskać potwierdzenie znanych już sobie faktów.

Rok temu matka Danny'ego zmarła na raka. Jako najbliższy przyjaciel podzielałem jego żal — dopóki w sierpniu sam nie poniosłem straty.

Nie miał wielu przyjaciół. Ułomności fizyczne, wygląd i cierpki dowcip ograniczały jego życie towarzyskie.

Kiedy zamknąłem się w sobie, pogrążony w rozpaczy i pisaniu o sierpniowych wydarzeniach, przestałem go pocieszać, a przynajmniej nie wkładałem w to tyle serca, ile powinienem.

Danny miał wprawdzie przybranego ojca, lecz doktor Jessup też rozpaczał. Będąc człowiekiem z ambicjami, z pewnością szukał pociechy w pracy.

Samotność dzieli się na dwa podstawowe rodzaje. Kiedy wynika z pragnienia życia w odosobnieniu, jest drzwiami, które zamykamy przed światem. Kiedy świat nas odrzuca, samotność jest otwartymi drzwiami, z których nikt nie korzysta.

Ktoś wszedł przez te drzwi, gdy Danny był najbardziej bezbronny. Ten ktoś miał gardłowy, aksamitny głos.

22

Wyczołgałem się z suchej doliny na równinę, zostawiając wzgórza za sobą, i szybko wpełzłem w wysokie na metr kępy bylicy, które zapewniły mi osłonę. Moim celem był mur odgradzający pustynię od terenów ośrodka.

Zające i inne gryzonie chroniły się przed słońcem i skubały liście w takich właśnie chaszczach. A gdzie są zające i gryzonie, tam ściągają polujące na nie węże.

Na szczęście węże są płochliwe; nie tak bardzo jak myszy, lecz wystarczająco na moje potrzeby. Aby je przepłoszyć, przed wśliźnięciem się w bylicę zrobiłem mnóstwo hałasu, a w trakcie czołgania stękałem, plułem ziemią i kichałem tak głośno, że z pewnością skłoniłem całą zirytowaną faunę do zmiany miejsca pobytu.

Zakładając, że moi przeciwnicy ulokowali się wysoko w hotelu, i biorąc pod uwagę fakt, że wciąż dzieliło mnie od budynku kilkaset metrów, hałasy nie mogły ich zaalarmować.

Jeśli przypadkiem spoglądali w tym kierunku, wypatrywali ruchu. Rozkołysana bylica nie powinna przyciągnąć szczególnej uwagi; wiatr z północy przybrał na sile, wstrząsając wszystkimi krzakami i zielskiem. Rośliny oderwane od podłoża toczyły się po pustyni, a tu i ówdzie tańczyły pyłowe wiry.

Byłem pokryty jasnym kurzem i białym pyłem, który osypał się ze spodniej strony liści bylicy.

Nieprzyjemnym skutkiem magnetyzmu psychicznego jest to, że zbyt często prowadzi mnie w miejsca nie tylko niebezpieczne, ale również brudne. Z praniem jestem wiecznie do tyłu.

Otrzepałem się i ruszyłem wzdłuż muru, który stopniowo skręcał ku północnemu wschodowi. Z tej strony beton był biały; z drugiej strony, widocznej dla dzianych klientów, wysoka na dwa i pół metra bariera została otynkowana i pomalowana na różowo.

Po trzęsieniu ziemi i pożarze urzędnicy plemienni co sto metrów ustawili metalowe tablice, surowo zakazujące wstępu na teren ośrodka z uwagi na nadwątloną konstrukcję i toksyczne pozostałości. Słońce Mojave wypaliło litery, ale napisy wciąż dawały się odczytać.

Wzdłuż muru na terenie ośrodka posadzono nieregularnie rozmieszczone kępy palm. Ponieważ nie były rodzimym gatunkiem Mojave, a trzęsienie ziemi zniszczyło system nawadniający, obumarły.

Niektóre liście opadły, inne zwisały bezwładnie, a reszta stroszyła się, kudłata i brązowa. Udało mi się znaleźć kępę, która osłaniała część muru od strony hotelu.

Podskoczyłem, chwyciłem szczyt muru, wdrapałem się i zeskoczyłem na opadłe liście palm — nie tak płynnie, jak sugerują powyższe słowa, ale z wymachiwaniem rękami i stłuczeniem łokci, co bez cienia wątpliwości dowodzi, że nie pochodzę od małpy. Przykucnąłem pod osłoną grubych pni.

Za kudłatymi drzewami leżał ogromny basen przypominający naturalną formację skalną. Sztuczne wodospady pełniły również rolę zjeżdżalni.

Nic nie spadało z wodospadów. Nawiane śmieci zapełniały suchy basem do połowy.

Jeśli porywacze Danny'ego czuwali, najpewniej skupiali uwagę na zachodzie, czyli tam, skąd sami przybyli. Mogli również obserwować drogę, która łączyła ośrodek z międzystanową na północy.

W trójkę nie mogli strzec czterech stron hotelu. Co więcej, wątpiłem, żeby się rozdzielili i udali na odrębne stanowiska. W najgorszym wypadku koncentrowali się na obserwacji z dwóch stron.

Istniała możliwość, że zdołam niezauważenie prześliznąć się spod palm do budynku.

Z pewnością mieli więcej niż jedną strzelbę, ale nie bałem się kuli. Gdyby chcieli mnie zabić, nie zostałbym obezwładniony taserem w domu Jessupa; napastnik strzeliłby mi w twarz.

Później być może sprzątną mnie z przyjemnością. Teraz chcieli czegoś innego. Cudów. Zdumiewających rzeczy. Lodowatych palców. Baśniowych, nieprawdopodobnych zjawisk.

W takim razie musiałem dostać się do środka, przeszukać teren i dowiedzieć się, gdzie przetrzymują Danny'ego. Kiedy zorientuję się w sytuacji i uznam, że nie zdołam uwolnić go bez pomocy, będę musiał zadzwonić do Wyatta Portera niezależnie od przeczucia, iż w tym przypadku angażowanie policji oznacza pewną śmierć mojego przyjaciela.

Wyskoczyłem spod osłony drzew i popędziłem przez wyłożony sztucznym kamieniem taras przy basenie, gdzie kiedyś dobrze naoliwieni amatorzy kąpieli słonecznych drzemali na wyściełanych leżakach, przygotowując grunt pod czerniaka.

Zamiast tropikalnych drinków bar w pseudopolinezyjskim stylu oferował ogromne sterty odchodów. Produkowały je niewidzialne, ale głośne upierzone zjawy. Stado rozsiadło się na kratownicy ze sztucznego bambusa, która podtrzymywała gęstą strzechę z plastikowych liści. Ptaki biły skrzydłami i wrzeszczały, żeby mnie odpędzić, gdy przebiegałem.

Zanim okrążyłem basen i zbliżyłem się do tylnego wejścia hotelu, dowiedziałem się czegoś od niewidocznych ptaków. Zrujnowany, wypalony, porzucony, omiatany wiatrem i szorowany piaskiem, choć być może wciąż konstrukcyjnie nienaruszony, Ośrodek Rekreacyjny Panamint nie zasługiwał bodaj na jedną gwiazdkę w przewodniku Michelina, ale mógł stać się domem różnorakiej pustynnej fauny, która uznała to miejsce za bardziej gościnne niż zwykłe dziury w ziemi.

Do zagrożenia ze strony tajemniczej kobiety i jej dwóch morderczych towarzyszy doszły również drapieżniki, które nie nosiły telefonów komórkowych.

Rozsuwane szklane drzwi na tyłach hotelu, strzaskane w czasie trzęsienia ziemi, zastąpiono płytami ze sklejki, żeby utrudnić dostęp ludziom, których mogła tu ściągnąć chorobliwa ciekawość. Do płyt przymocowano zszywkami plastikowe obwoluty z ostrzeżeniem, że przeciwko osobie przyłapanej na terenie ośrodka zostanie wszczęte energiczne postępowanie sądowe.

Ktoś usunął śruby mocujące jedną płytę i odrzucił ją na bok. Sądząc z ilości nawianego piasku i zielska, płyta została zerwana nie dwadzieścia cztery godziny temu, ale przed wieloma tygodniami czy nawet miesiącami.

Przez jakieś dwa lata po zniszczeniu ośrodka plemię płaciło za całodobowe, całotygodniowe patrolowanie terenu. Gdy namnożyły się kolejne procesy i wzrosło prawdopodobieństwo, że nieruchomość może zostać przekazana wierzycielom — ku ich przerażeniu — wynajmowanie patroli straciło sens.

Przed sobą miałem otwarty hotel, za moimi plecami kotłował się wiatr, nadciągała burza, Danny był w niebezpieczeństwie, a ja mimo wszystko wahałem się przed przestąpieniem progu. Nie jestem tak słaby jak Danny Jessup, ani fizycznie, ani emocjonalnie, każdy ma jednak jakąś granicę wytrzymałości.

Zwlekałem nie z powodu ludzi czy innego żywego zła, jakie mogło czyhać w zrujnowanym ośrodku. Zatrzymała mnie myśl o zmarłych, którzy wciąż mogli się błąkać po tych osmalonych wnętrzach.

23

Za tylnymi drzwiami hotelu znajdowało się coś, co mogło być dodatkowym holem, w tej chwili oświetlonym tylko przez popielate światło, które sączyło się przez wyłom w sklejkowej barierze.

Mój cień, szary duch, leżał przede mną widoczny od nóg po szyję. Głowa stapiała się z mrokiem, więc wyglądał jak cień ściętego człowieka.

Zapaliłem latarkę i omiotłem ściany. Tutaj ogień nie szalał, ale wszystko okopcił dym.

Z początku zaskoczyła mnie obecność mebli, kanap i foteli, gdyż uznałem, że powinny zostać wyniesione z pożaru. Potem zrozumiałem, że są w opłakanym stanie nie tylko wskutek pięcioletniego zaniedbania, ale również przemoczenia w trakcie akcji ratowniczej: tapicerka oklapła, drewno się spaczyło.

Nawet pięć lat po pożarze w powietrzu unosił się swąd spalenizny, gorącego metalu, stopionego plastiku i przysmażonej izolacji. Pod tymi wyziewami zalegały inne, mniej wyraźne, ale jeszcze mniej przyjemne zapachy, których wolałem nie poddawać analizie.

Jednolity dywan sadzy, popiołu, kurzu i piasku urozmaicały odciski butów. Nie znalazłem wśród nich charakterystycznych śladów Danny'ego.

Po bliższym zbadaniu stwierdziłem, że żaden trop nie wygląda na świeży. Wygładziły je przeciągi, a osypujący się pył i popiół zmiękczyły ich kontury.

Pochodziły sprzed tygodni, jeśli nie miesięcy. Moja zwierzyna nie podążała tą trasą.

Tylko odciski łap, jeden lub dwa komplety, wyglądały świeżo. Panamintowie sprzed stu lat — bliscy naturze i nieznający koła ruletki — mogliby je rozpoznać na pierwszy rzut oka.

Ponieważ nie odziedziczyłem po nikim talentów tropiciela, a szkolenie kucharza nie obejmowało kursu przydatnego w obecnej sytuacji, musiałem zdać się nie na wiedzę, lecz na wyobraźnię. Kiedy spróbowałem dopasować zwierzę do tropów, mój umysł natychmiast wyczarował wizerunek tygrysa szablozębnego, choć gatunek ten wymarł ponad dziesięć tysięcy lat temu.

Gdyby jakimś cudem jeden nieśmiertelny szablozębny o długie tysiąclecia przeżył wszystkich przedstawicieli swojego gatunku, być może mógłbym wyjść bez szwanku z tej konfrontacji. Ostatecznie przeżyłem wiele spotkań ze Strasznym Chesterem.

Po lewej stronie holu mieściła się kawiarnia z widokiem na hotelowy basen. Częściowo zarwany sufit tuż za wejściem tworzył geometryczną dżunglę płyt gipsowych i kantówek.

Po prawej stronie szeroki korytarz wiódł w ciemność,

153

której nie mógł do końca spenetrować strumień światła latarki, oraz w ciszę. Brązowe litery przymocowane do ściany nad wejściem informowały: TOALETY, POKOJE KONFERENCYJNE, SALA BALOWA FORTUNA. W sali balowej zginęli ludzie. Ogromny żyrandol wisiał nie na stalowym dźwigarze, jak nakazywały plany konstrukcyjne, lecz na drewnianym. Kiedy wskutek pierwszego wstrząsu kilka grubych belek pękło jak zapałki, żyrandol spadł na tłum, miażdżąc i kalecząc pechowców, którzy pod nim stali.

Przemierzyłem zagracony hol, klucząc pomiędzy zapadniętymi kanapami i wywróconymi fotelami, i wyszedłem na kolejny szeroki korytarz, który prowadził na front hotelu. Tropy szablozębnego wiodły w tym samym kierunku.

Z opóźnieniem przypomniałem sobie o telefonie satelitarnym. Wyjąłem go z kieszeni, wyłączyłem dzwonek i nastawiłem na wibrowanie. Nie chciałem, żeby zdradził moją obecność, jeśli poszukiwaczka cudów znów do mnie zadzwoni, a ja przypadkiem będę blisko jej pozycji w hotelu.

Nigdy nie odwiedziłem tego miejsca w czasie, kiedy tętniło życiem i świetnie prosperowało. Ilekroć to możliwe, gdy zmarli niczego ode mnie nie żądają, szukam spokoju, a nie podniecających przygód. Odwracanie kart i rzucanie kości nie zapewni mi szansy na wygraną w postaci uwolnienia od losu, jaki narzucił mi mój dar. Nieznajomość ośrodka oraz zniszczenia spowodowane przez trzęsienie ziemi i pożar sprawiły, że czułem się tu jak w stworzonej przez człowieka dżungli. Miałem przed sobą korytarze i pokoje nie zawsze wyraźnie rozgraniczone z powodu zawalenia się ścianek działowych, istny labirynt przejść i przestrzeni, posępnie pustych lub zagraconych i pełnych zagrożeń, widocznych tylko w stożku światła latarki.

Trasą, której nie mógłbym odtworzyć, dotarłem do wypalonego kasyna.

Kasyna nie mają okien ani zegarów. Mistrzowie gry chcą, żeby klienci zapomnieli o upływie czasu, obstawili jeszcze ten jeden raz, a potem jeszcze jeden. Światło latarki nie miało szans, żeby dotrzeć do końca sali, długiej i przepastnej, większej niż boisko futbolowe.

W jednym kącie kasyna strop zarwał się częściowo. Poza tym konstrukcja ogromnej sali pozostała nienaruszona.

Na podłodze leżały setki pogiętych automatów. Inne stały w długich rzędach, jak przed trzęsieniem ziemi, nadtopione, ale karne niczym szeregi machin wojennych, żołnierzy robotów zatrzymanych w marszu, gdy żar usmażył ich obwody.

Większość stołów przemieniła się w zwęglone stosy. Zachowało się kilka do gry w kości, osmalonych, zasypanych sczerniałym stiukiem z sufitu.

Wśród zwęglonych, połamanych szczątków ocalały też dwa stoły do blackjacka. Przy jednym stały dwa stołki, jakby w chwili wybuchu pożaru diabeł grał ze swoją towarzyszką i nie chcąc odrywać się od kart, powstrzymał płomienie.

Zamiast diabła na stołku siedział sympatyczny łysiejący mężczyzna. Tkwił w ciemności, dopóki nie znalazło go światło latarki. Opierał łokcie na wyściełanym brzegu stołu w kształcie półksiężyca, jak gdyby czekając na rozdanie.

Nie wyglądał na człowieka, który chciałby pomagać w morderstwie i porwaniu. Po pięćdziesiątce, blady, z pełnymi ustami i dołeczkiem w brodzie, mógł być bibliotekarzem albo aptekarzem z małego miasteczka.

Gdy podszedłem, podniósł głowę. Zdumiał się, kiedy zrozumiał, że go widzę, i dopiero wtedy poznałem, iż mam do czynienia z duchem.

Być może został zabity przez spadającą belkę. A może spłonął żywcem.

Nie pokazał, jak wyglądał w chwili śmierci; byłem mu wdzięczny za tę uprzejmość.

Moją uwagę przykuł ruch w cieniach na skraju pola widzenia. Z ciemności wychodzili zmarli.

24

W świetle przede mną stanęła śliczna młoda blondynka w niebiesko-żółtej sukni koktajlowej z nieskromnym dekoltem. Uśmiechnęła się, lecz po chwili jej uśmiech zgasł.

Z prawej strony podeszła starsza pani o pociągłej twarzy, z oczami pozbawionymi nadziei. Wyciągnęła do mnie rękę, spojrzała na nią ze ściągniętymi brwiami i spuściła głowę, jakby z jakiegoś powodu uznała, że uważam ją za odpychającą.

Z lewej strony zbliżył się niski, rudy, pogodny mężczyzna. Jego oczy przepełnione bólem przeczyły radosnemu uśmiechowi.

Odwróciłem się, oświetlając latarką innych. Kelnerka koktajlowa w stroju indiańskiej księżniczki. Ochroniarz kasyna z kaburą na biodrze.

Młody czarnoskóry elegant bezustannie muskający palcami jedwabną koszulę, marynarkę, nefrytowy wisiorek na szyi, jakby po śmierci się wstydził, że za życia był niewolnikiem mody. Razem z mężczyzną siedzącym przy stole blackjacka było ich siedmioro. Nie wiedziałem, czy wszyscy zginęli w kasynie, czy gdzieś indziej w hotelu. Może byli jedynymi duchami błąkającymi się po Panamint, może nie. Zginęły tutaj sto osiemdziesiąt dwie osoby. Większość udała się dalej w chwili, gdy wyzionęła ducha. Przynajmniej taką miałem nadzieję.

Zazwyczaj duchy, które tak długo trwają w obranym przez siebie czyśćcu, nie są w zbyt radosnym nastroju. Ta siódemka potwierdzała tę regułę.

Ciągnie ich do mnie pragnienie. Nie zawsze jestem pewien, czego pragną, choć myślę, że najbardziej zależy im na zdecydowaniu, na odwadze, żeby odejść z tego świata i przekonać się, co czeka ich dalej.

Strach nie pozwala im zrobić tego, co powinni. Strach i żal, i miłość do tych, których zostawili.

Ponieważ ich widzę, przerzucam most pomiędzy życiem i śmiercią, a oni mają nadzieję, że otworzę przed nimi drzwi, których sami boją się dotknąć.

Ponieważ jestem tym, kim jestem — kalifornijskim chłopakiem, który wygląda jak amator surfingu z *Beach Blanket Bingo* sprzed pół wieku, mniej ufryzowany i jeszcze mniej groźny niż Frankie Avalon — wzbudzam ich zaufanie.

Obawiam się, że mam mniej do zaoferowania, niż im się wydaje. Rady, jakich udzielam, są tak płytkie, jak według Ozziego płytka jest jego mądrość.

Dotykanie i obejmowanie zawsze niesie im pociechę, za którą są wdzięczni. Odwzajemniają uściski. Gładzą mnie po twarzy. Całują po rękach.

Ich melancholia wyzuwa mnie z sił. Ich potrzeby mnie męczą. Współczucie mnie wypompowuje. Czasami mam wrażenie, że aby odejść z tego świata, muszą przejść przez moje serce, zostawiając blizny i ból.

Przesuwając się od jednego do drugiego, mówiłem to, co podpowiadała mi intuicja:

— Ten świat jest dla ciebie stracony na zawsze. Tutaj nie ma niczego poza tęsknotą, poczuciem niemocy i smutkiem.

— Wiesz, że twój duch jest nieśmiertelny, że twoje życie miało sens. Chcąc go zrozumieć, pogódź się z tym, co ma być dalej.

— Myślisz, że nie zasługujesz na łaskę, ale wiedz, iż jest inaczej, i wyzbądź się lęku.

Gdy przemawiałem do stojącej w kręgu siódemki, pojawił się ósmy duch. Wysoki, barczysty — chłop na schwał — miał głęboko osadzone oczy, kanciaste rysy i włosy ostrzyżone na jeża. Patrzył na mnie ponad głowami innych, jego oczy miały kolor żółci i były tak samo gorzkie.

Do młodego czarnego mężczyzny, który wciąż z wyraźnym zakłopotaniem gładził swoje szykowne ubranie, powiedziałem:

— Naprawdę źli ludzie nie mogą zwlekać. Ponieważ jesteś tutaj tak długo po śmierci, nie masz powodów bać się tego, co nastąpi.

Gdy przechodziłem od jednego zmarłego do kolejnego, nowo przybyły duch przesuwał się za ich plecami, patrząc mi w twarz. Słuchając mnie, spochmurniał.

— Myślisz, że gadam bzdury? Możliwe. Nie byłem po drugiej stronie. Skąd mogę wiedzieć, co nas tam czeka?

Ich oczy były lśniącymi kałużami tęsknoty. Miałem nadzieję, że w moich dostrzegają nie litość, lecz współczucie.

— Jestem zauroczony wdziękiem i pięknem tego świata.

Ale wszystko zostało zepsute. Chcę zobaczyć wersję, której nie schrzaniliśmy. Wy nie?

Na koniec powiedziałem:

— Dziewczyna, którą kocham... uważała, że być może dane nam są trzy żywoty, nie dwa. To pierwsze życie nazywała obozem dla rekrutów.

Umilkłem. W tym momencie bardziej należałem do ich czyśćca niż do tego świata — ponieważ odjęło mi mowę.

Po chwili podjąłem:

— Mówiła, że jesteśmy w obozie dla rekrutów, aby się uczyć ponosić porażki lub odnosić sukcesy. Potem przechodzimy do drugiego życia, które nazwała służbą.

Rudowłosy mężczyzna o pełnych rozpaczy oczach, które zadawały kłam radosnemu uśmiechowi, podszedł do mnie i położył rękę na moim ramieniu.

— Nazywa się Bronwen, ale woli, żeby mówić jej Stormy — dodałem. — Na służbie, powiedziała, czekają nas cudowne przedsięwzięcia i fantastyczne przygody w kosmicznych kampaniach. Nagrodę zdobywamy w trzecim życiu, i to życie trwa wiecznie.

Znów umilkłem. Nie mogłem patrzeć w ich oczy z przekonaniem, jakie byłem im winny. Dlatego opuściłem wzrok i wtedy w pamięci zobaczyłem Stormy, która jak zawsze dała mi siłę.

Z zamkniętymi oczami mówiłem dalej:

— Jest przebojową dziewczyną, która nie tylko wie, czego chce, ale wie też, czego powinna chcieć, a to ogromna różnica. Kiedy spotkacie się z nią na służbie, bez wątpienia ją rozpoznacie. Poznacie i pokochacie.

Po jeszcze dłuższej chwili milczenia, kiedy otworzyłem

oczy i obróciłem się dokoła, sondując mrok latarką, czworo z pierwotnej siódemki odeszło: czarny młodzieniec, kelnerka koktajlowa, śliczna blondynka i rudzielec.

Nie wiem, czy odeszli w zaświaty, czy tylko w inne miejsce w ośrodku.

Wielki, ostrzyżony na jeża mężczyzna sprawiał wrażenie jeszcze bardziej rozzłoszczonego. Ramiona miał przygarbione, jak gdyby pod ciężarem gniewu, i zaciskał pięści.

Przemaszerował przez wypaloną salę i choć nie miał fizycznego ciężaru, którym mógłby wpływać na ten świat, szary popiół wznosił się za nim w migoczących tumanach, a potem osiadał na podłodze. Nadpalone karty i drzazgi drżały, gdy przechodził. Pięciodolarowy żeton stanął na krawędzi, zawirował, zachwiał się i z powrotem upadł na płask, a zżółkła od gorąca kość zagrzechotała na podłodze.

Zachowywał się jak poltergeist, więc cieszyłem się, że odszedł.

25

Zniszczone drzwi ewakuacyjne wisiały krzywo na dwóch z trzech zawiasów. Próg z nierdzewnej stali odbijał światło latarki w nielicznych miejscach, których nie pokrywała jakaś ciemna substancja.

Jeśli nie zawodziła mnie pamięć, stratowano w tych drzwiach kilka osób, gdy tłum graczy rzucił się do wyjść. Na tę myśl ogarnął mnie jeszcze większy smutek.

Za drzwiami trzydzieści szerokich betonowych schodków ewakuacyjnego wyjścia, spatynowanych przez dym i wodę, kruszejących wskutek wietrzenia wapna i wyglądających tak, jakby zostały przeniesione ze starożytnej świątyni dawno zapomnianego wyznania, prowadziło na północną stronę piętnastego piętra. Być może dwa dodatkowe ciągi schodów wiodły na dach hotelu.

Zatrzymałem się na stopniu w połowie drogi do pierwszego podestu, przekrzywiłem głowę i nasłuchiwałem, choć nie zaalarmował mnie żaden dźwięk. Z wyższych pięter nie spłynął żaden odgłos — ani tyknięcie, ani trzaśnięcie, ani szept.

Może uczulił mnie zapach. W porównaniu z innymi miejscami w tej zdewastowanej budowli, na klatce schodowej smród chemikaliów był bardzo słaby, a swąd spalenizny prawie niewyczuwalny. Chłodniejsze i dość czyste powietrze pozwalało rozpoznać zapach równie niecodzienny jak smród pogorzeliska, lecz zupełnie odmienny.

Woń, której nie umiałem zidentyfikować, była piżmowo- -grzybowa, z nutą zapachu świeżego surowego mięsa — nie odoru krwi, lecz zapachu, jaki płynie z lady chłodniczej ze świeżym mięsem.

Z niewyjaśnionych powodów ujrzałem w wyobraźni martwą twarz człowieka, którego wyłowiłem z burzowca. Nakrapiana szara skóra. Wywrócone ślepe, białe oczy.

Czułem drżenie włosków na karku, jakby zbliżająca się burza naładowała powietrze.

Zgasiłem latarkę i znalazłem się w absolutnej ciemności, z jakiej wyskakują mające cię pożreć potwory.

Ponieważ schody biegły między betonowymi ścianami, ostry zakręt na każdym podeście skutecznie tłumił światło. Wartownik stojący piętro albo dwa nade mną zauważyłby poblask, ale światło nie mogło przeniknąć na wyższe kondygnacje.

Po minucie, gdy nie usłyszałem szelestu ubrania ani zgrzytu buta na betonie, gdy łuskowaty jęzor nie liznął mnie po twarzy, ostrożnie wycofałem się z klatki schodowej za próg. Wróciłem do kasyna i dopiero tam zapaliłem latarkę.

Parę minut później zlokalizowałem południowe schody. Tutaj drzwi wisiały na wszystkich zawiasach, ale były otwarte jak pierwsze.

Przysłaniając latarkę palcami, żeby zwęzić snop światła,

wyszedłem za próg. Panującą tu ciszę, jak na północnej klatce, cechowało wyczekiwanie, jakbym nie był jedyną nasłuchującą istotą. Tutaj także wykryłem ten sam lekki, ale niepokojący zapach, który zniechęcił mnie do wchodzenia na schody po tamtej stronie.

Jak wcześniej ujrzałem w wyobraźni martwą twarz człowieka, który zaatakował mnie taserem: wytrzeszczone białe oczy, szeroko rozdziawione usta, połknięty język.

Opierając się na swoich złych przeczuciach i dziwnym zapachu, prawdziwym czy wyobrażonym, uznałem, że schody ewakuacyjne są pod obserwacją. Nie mogłem z nich skorzystać.

Ale szósty zmysł mówił mi, że Danny leży uwięziony gdzieś na górze. On (magnes) czekał, a mnie (namagnesowanego) jakaś dziwna moc ciągnęła do niego z siłą, której nie mogłem zbagatelizować.

26

Za głównym holem znalazłem wnękę z dziesięcioma windami, po pięć z każdej strony. Osiem par drzwi było zamkniętych, ale z pewnością mógłbym je otworzyć. Ostatnie dwie pary po prawej stronie były w pełni rozsunięte. Za pierwszymi drzwiami czekała kabina, z podłogą o dobre trzydzieści centymetrów poniżej poziomu wnęki. Za drugimi ziała pustka.

Wsunąłem głowę do szybu i machnąłem latarką w górę i w dół, omiatając światłem prowadnice i kable. Kabina znajdowała się dwa poziomy niżej, w piwnicy.

Na ścianie po prawej stronie wisiała drabina, która malała w oczach, prowadząc na sam szczyt budynku.

Przetrząsnąłem plecak, znalazłem uchwyt, jakich używają grotołazi, wsunąłem latarkę w ciasną obejmę i zaciągnąłem zaopatrzony w rzepy pasek na prawym przedramieniu. Latarka tkwiła na moim ręku jak lunetka na lufie strzelby, światło spływało po grzbiecie dłoni w ciemność za czubkami palców.

Mając wolne ręce, mogłem chwycić szczebel i odbić się od podłogi we wnęce. Zacząłem wspinaczkę po drabinie. Po pokonaniu kilku szczebli zatrzymałem się, żeby powęszyć. Nie wykryłem zapachu, który odstraszył mnie od północnych i południowych schodów.

Akustyczny szyb wzmacniał każdy dźwięk. Jeśli na górze są otwarte niewłaściwe drzwi, jeśli ktoś przebywa w pobliżu wnęki, z pewnością mnie usłyszy.

Musiałem wspinać się jak najciszej, co oznaczało, że nie na tyle szybko, abym zasapał się z wysiłku.

Uznałem, że światło może mnie zdradzić. Przytrzymując się drabiny prawą ręką, lewą wyłączyłem latarkę.

Wspinaczka w absolutnej ciemności budziła niepokój. Na najbardziej pierwotnym poziomie umysłu, na poziomie pamięci rasowej albo jeszcze głębszym, tkwi przeświadczenie, że każda wspinaczka prowadzi do światła. Wspinanie się coraz wyżej w nieprzenikniony mrok okazało się bardzo dezorientujące.

Przyjąłem, że parter ma około sześciu metrów wysokości, a kolejne piętra po trzy sześćdziesiąt. Uznałem, że na trzysta sześćdziesiąt centymetrów przypadają dwadzieścia cztery szczeble.

Według tej miary pokonałem zaledwie dwa piętra, gdy w szybie zadudnił przeciągły rumor. Trzęsienie ziemi, pomyślałem i wczepiłem się mocno w drabinę, spodziewając się lawiny kawałków betonu i dalszych zniszczeń.

Kiedy szyb się nie zatrząsł, kiedy nie zaśpiewały wibrujące kable, zrozumiałem, że usłyszałem huk gromu. Burza, choć wciąż daleka, przybliżała się coraz bardziej.

Ręka za ręką, stopa za stopą kontynuowałem wspinaczkę, zastanawiając się, jak sprowadzę Danny'ego z jego wysokiego więzienia — oczywiście o ile zdołam go uwolnić. Jeśli na schodach tkwią uzbrojeni wartownicy, nie uciekniemy z hotelu. Z powodu kalectwa i fizycznej słabości Danny nie da rady zejść po tej drabinie. Wszystko po kolei. Najpierw trzeba go znaleźć. Po drugie — uwolnić.

Zbyt dalekie wybieganie myślą do przodu mogło mnie sparaliżować, zwłaszcza jeśli każda rozpatrywana strategia nieuchronnie wiodła do zabicia jednego lub wszystkich przeciwników. Podjęcie decyzji o odebraniu komuś życia nie przychodzi mi łatwo, nawet gdy od tego zależy moje własne przetrwanie, nawet gdy ten ktoś jest wcieleniem zła.

Nie porównujcie mnie z Jamesem Bondem. Jestem jeszcze mniej żądny krwi niż panna Moneypenny.

Na piętrze, które musiało być czwartym, po raz pierwszy od wejścia do szybu zobaczyłem otwarte drzwi windy. Wyglądały jak ciemnoszary prostokąt na tle czarnego niczym smoła otoczenia.

Wnęka za rozsuniętymi drzwiami łączyła się z korytarzem czwartego piętra. Drzwi do niektórych pokoi z pewnością też były otwarte, inne zostały wyważone przez strażaków albo spalone. Przez okna, których nie zabito deskami, żeby powstrzymać nieproszonych gości, do pokoi wlewało się światło, a stamtąd płynęło na korytarz i nikły blask przesączał się do wnęki windy.

Intuicja podpowiadała mi, że powinienem wspinać się dalej. Pomiędzy szóstym i siódmym piętrem znów usłyszałem niski głos dalekiego gromu. Za ósmym zacząłem się zastanawiać, ile bodachów czaiło się w hotelu przed katastrofą.

Bodach to baśniowy stwór z Wysp Brytyjskich, smukła istota, która w nocy wsuwa się przez komin i porywa niegrzeczne dzieci.

Poza błąkającymi się zmarłymi od czasu do czasu widuję nieprzyjazne duchy, które nazywam bodachami. Nie są to prawdziwe bodachy, lecz jakoś muszę je nazywać, a ta nazwa wydaje się odpowiednia.

Mały angielski chłopiec, jedyna znana mi osoba z darem podobnym do mojego, nazwał kiedyś te zjawy bodachami w mojej obecności. Parę minut później zabiła go ciężarówka, nad którą kierowca stracił panowanie.

Nigdy nie mówię o bodachach, gdy są w pobliżu. Udaję, że ich nie widzę, nie okazuję ciekawości ani strachu. Gdyby wiedziały, że mogę je zobaczyć, pewnie i dla mnie znalazłaby się odpowiednia ciężarówka.

Istoty te nie mają twarzy, są zupełnie czarne i takie chude, że bez trudu mogą się wśliznąć przez szczelinę pod drzwiami albo wniknąć przez dziurkę od klucza. Są nie bardziej materialne niż cienie.

Poruszają się bezszelestnie, często skradają się jak koty, choć koty wielkości ludzi. Czasami biegają pochylone i wtedy przypominają ni to człowieka, ni psa.

Pisałem o nich wcześniej, w pierwszym rękopisie. Tutaj nie poświęcę im wiele słów.

Nie są duchami ludzi i nie należą do tego świata. Ich naturalnym siedliskiem, jak przypuszczam, jest miejsce wiecznej ciemności i bezustannego wrzasku.

Ich obecność zawsze zapowiada wydarzenie, w którym poleje się mnóstwo krwi — jak strzelanina w centrum handlowym zeszłego sierpnia. Jedno morderstwo, na przykład śmierć doktora Jessupa, nie wyciąga ich z gniazda. Ekscytują je tylko katastrofy naturalne i ludzka przemoc na dużą skalę.

Na wiele godzin przed trzęsieniem ziemi i pożarem z pewnością całe ich setki roiły się w kasynie i hotelu, gorączkowo czekając na nadciągające nieszczęście, ból i śmierć — ich ulubiony trzydaniowy posiłek.

Śmierć dwóch osób — doktora Jessupa i wężowatego faceta — nie wzbudziła zainteresowania bodachów. Ich nieobecność sugerowała, że czekająca mnie ostateczna rozgrywka nie zakończy się krwawą łaźnią.

Mimo wszystko w trakcie wspinaczki moja pobudzona wyobraźnia zasiedliła czarny szyb bodachami, które pełzały po ścianach niczym karaluchy, ruchliwe i rozedrgane.

27

Przy następnych rozsuniętych drzwiach, na jedenastym piętrze, miałem stuprocentową pewność, że minąłem strażników wystawionych na schodach. Co więcej, czułem, że właśnie na tej kondygnacji porywacze przetrzymują Danny'ego.

Mięśnie rąk i nóg paliły mnie nie dlatego, że wspinaczka była fizycznie męcząca, ale ponieważ wspinałem się w stanie krańcowego napięcia. Nawet szczęka mnie bolała, tak mocno zaciskałem zęby.

Wolałem nie przechodzić z szybu do wnęki w ciemności. Wiedziałem, że mogę włączyć latarkę tylko na chwilę, żeby zlokalizować zagłębione w ścianie uchwyty dla rąk i oparcia dla nóg, umożliwiające przedostanie się z drabiny do drzwi.

Zapaliłem światło, szybko oceniłem swoje położenie i zgasiłem latarkę.

Choć co jakiś czas osuszałem ręce o dżinsy, wciąż były śliskie od potu.

Niezależnie od tego, jak bardzo pragnę dołączyć do Stormy na służbie, nie mam nerwów ze stali. Trząsłem się jak galareta.

Sięgnąłem w gęsty mrok i namacałem pierwszy uchwyt, który przypominał wpuszczony w ścianę wieszak na papier toaletowy, ale był trzy razy szerszy. Zacisnąłem na nim prawą rękę, zawahałem się, gdy opadła mnie nostalgia za grillem, płytą i patelnią, potem chwyciłem go lewą i zszedłem z drabiny.

Przez chwilę wisiałem na spoconych rękach, drapiąc ścianę palcami stóp w poszukiwaniu oparcia. Kiedy doszedłem do wniosku, że nigdy go nie znajdę, znalazłem.

Opuszczenie drabiny uznałem za wielką głupotę. Dach kabiny windy znajdował się w piwnicy, trzynaście pięter niżej. Spadanie z wysokości trzynastego piętra jest długie niezależnie od warunków oświetleniowych, ale perspektywa szybowania w atramentowej ciemności wydała mi się wyjątkowo przerażająca.

Nie mając uprzęży asekuracyjnej, nie miałem też mocnej linki z karabinkiem, który mógłbym przypiąć do uchwytu. Nie miałem również spadochronu. Byłem skazany na wspinaczkę w stylu wolnym.

W plecaku miałem między innymi chusteczki higieniczne, parę kokosowo-rodzynkowych batonów energetycznych i foliowe pakieciki z wilgotnymi chusteczkami odświeżającymi o cytrynowym zapachu. W trakcie pakowania taki wybór wydawał mi się jak najbardziej sensowny.

Gdybym spadł, mógłbym w locie z trzynastego piętra na dach windy wydmuchać nos, skonsumować ostatnią przekąskę i oczyścić ręce, tym samym unikając wstydu, jakim jest umieranie z zasmarkanym nosem i lepkimi palcami.

Gdy niezdarnie przesunąłem się bokiem z drabiny do otwartych drzwi i wciągnąłem nad progiem do wnęki, znowu odczułem przemożne oddziaływanie magnetyzmu psychicznego.

Oparłem się o ścianę i odetchnąłem z ulgą na myśl, że za moimi plecami już nie rozdziawia się pustka. Czekałem, aż dłonie przestaną się pocić, a serce walić jak młot. Co chwilę zginałem i prostowałem lewą rękę, żeby przepędzić lekki skurcz z bicepsa.

Za spowitą przez cienie wnęką zaczynał się korytarz, a wzdłuż niego po północnej i południowej stronie powinny się znajdować źródła szarego jak woda światła.

Cisza. Jeśli wcześniejszy telefoniczny występ mógł stanowić jakąś wskazówkę, to moja tajemnicza rozmówczyni była gadułą. Uwielbiała słuchać brzmienia własnego głosu.

Przesunąłem się wzdłuż ściany i wyjrzałem ostrożnie zza rogu wnęki. Zobaczyłem długi pusty korytarz. Zgodnie z moimi przewidywaniami niektóre drzwi po obu stronach były otwarte i wpadało przez nie światło dzienne.

Hotel został zbudowany na planie litery I i główny korytarz prowadził do dwóch krótszych, poprzecznych, przy których leżały kolejne pokoje. W tych bocznych skrzydłach znajdowały się strzeżone schody, które postanowiłem ominąć.

Decyzja, w którą stronę się skierować — w prawo czy w lewo — byłaby trudna dla każdego poszukiwacza, ale nie dla mnie. Szósty zmysł, teraz bardziej zdecydowany niż w burzowcach, ciągnął mnie w prawo, na południe.

Od fundamentów do najwyższego piętra wszystkie stropy w hotelu wykonano ze zbrojonego betonu. Ogień nie był dość silny, żeby je zniszczyć.

W konsekwencji płomienie wspinały się pionami instalacji elektrycznej i wodociągowej. Tylko niewielka część tych wewnętrznych dróg była ognioodporna i wyposażona w instalację tryskaczową zgodną z dokumentacją budowlaną.

Ten stan rzeczy zadecydował o przypadkowym rozkładzie zniszczeń. Niektóre piętra ogień wypalił do cna, inne zachowały się w lepszym stanie.

Jedenaste piętro ucierpiało głównie z powodu dymu i wody, ale nie zauważyłem, żeby cokolwiek zostało spalone czy osmalone. Wykładzina dywanowa była sztywna od sadzy i brudu. Poplamiona tapeta odklejała się od ścian. Kilka szklanych kloszy spadło z lamp, musiałem więc uważać na ostre odłamki.

Przez jedno z wytłuczonych okien wpadł sęp z Mojave i nie mógł znaleźć wyjścia. W trakcie szaleńczych poszukiwań drogi ucieczki złamał skrzydło o ścianę albo futrynę drzwi. Makabryczne truchło, które na wpół zgniło, zanim wyschło w pustynnym powietrzu, leżało z połamanymi lotkami pośrodku korytarza.

Chociaż jedenaste piętro mogło być w niezłym stanie w porównaniu z innymi kondygnacjami hotelu, nie chcielibyście zarezerwować tu apartamentu na następne wakacje.

Przesuwałem się ostrożnie od jednych otwartych drzwi do drugich, z progu lustrując pokoje. Wszystkie były puste.

Piętrzyły się w nich poprzesuwane, powywracane meble, rzucone przez siłę wstrząsu w tę samą stronę. Wszystkie były brudne, zapadnięte, niewarte ratowania. Przez okna z wybitymi albo niezabrudzonymi przez sadzę szybami widziałem burzowe chmury kłębiące się na niskim niebie i zarażające coraz węższy pas zdrowego błękitu na południu.

Nie przejmowałem się zamkniętymi drzwiami. Wiedziałem, że ostrzeże mnie zgrzyt zardzewiałej klamki i zawiasów, jeśli któreś z nich zaczną się otwierać. Poza tym, w przeciwieństwie do tych złowieszczych z mojego snu, nie były białe ani nie miały płycin.

W połowie drogi pomiędzy wnęką wind a bocznym korytarzem natknąłem się na zamknięte drzwi, których nie mogłem minąć. Zaśniedziałe metalowe cyfry oznajmiały, że jest to pokój 1242. Moja prawa ręka, jakby pociągana niewidzialnymi sznurkami przez lalkarza, podniosła się do klamki.

Powstrzymałem się jednak i przez chwilę słuchałem z głową opartą o ościeżnicę. Nic.

Nasłuchiwanie pod drzwiami zawsze jest stratą czasu. Słuchasz i słuchasz, póki nie nabierzesz pewności, że po drugiej stronie jest bezpiecznie. Otwierasz, a wówczas facet z wytatuowanym na czole napisem URODZONY, BY UMRZEĆ, wpycha ci w twarz lufę gigantycznego rewolweru. Na tego rodzaju scenariuszu można polegać niemal tak, jak na trzech prawach termodynamiki.

Kiedy otworzyłem drzwi, nie zobaczyłem żadnego wytatuowanego bandziora, co oznaczało, że grawitacja niedługo przestanie działać, a niedźwiedzie wyjdą z lasów, żeby załatwiać się w publicznych toaletach.

Jak wszędzie tutaj też trzęsienie ziemi poprzestawiało meble, spychając wszystkie w jeden koniec pokoju, piętrząc łóżko na krzesłach i na komodzie. Korzystano też z pomocy psów ratowniczych, żeby sprawdzić, czy pod rumowiskiem nie ma ludzi, żywych lub martwych.

Z bezładnej sterty ktoś wyciągnął krzesło z poręczami i postawił pośrodku oczyszczonej przez żywioł połowy pokoju. Na krześle, unieruchomiony taśmą izolacyjną, siedział Danny Jessup.

28

Z zamkniętymi oczami, blady i nieruchomy, wyglądał jak trup. Tylko pulsowanie żyły na skroni i napięte mięśnie szczęki zdradzały, że żyje — i jest przerażony.

Danny przypomina aktora Roberta Downeya Jr., choć nie ma tego typowego dla heroinisty iluzorycznego uroku, który zapewniłyby mu wygląd rasowej gwiazdy dzisiejszego Hollywoodu.

Poza twarzą podobieństwo do jakiegokolwiek aktora spada do zera. Danny ma o niebo sprawniejszy mózg niż jakakolwiek gwiazda filmowa z paru minionych dziesięcioleci.

Nadmierny rozrost tkanki w czasie gojenia się złamania zniekształcił mu lewe ramię. Ręka, wykręcona nienaturalnie od barku po nadgarstek, nie zwisa prosto wzdłuż boku i dłoń odchyla się na zewnątrz od tułowia.

Lewe biodro jest zdeformowane, a prawa noga krótsza. Jego piszczel pogrubiała i wygięła się w trakcie zrastania. Prawa kostka zawiera tyle niepotrzebnej tkanki kostnej, że staw skokowy jest sprawny tylko w czterdziestu procentach.

Przywiązany do krzesła, ubrany w dżinsy i czarną koszulkę z żółtą błyskawicą na piersi, mógłby być postacią z bajki. Przystojnym księciem cierpiącym z powodu zaklęcia złej czarownicy. Owocem potajemnego romansu księżniczki z dobrotliwym trollem.

Zamknąłem drzwi za sobą i zapytałem cicho:

— Chcesz się stąd wynieść?

Otworzył niebieskie oczy, okrągłe jak u sowy z zaskoczenia. Strach ustąpił zażenowaniu, nie uldze.

— Odd — szepnął. — Nie powinieneś tu przychodzić.

Zdjąłem i otworzyłem plecak.

— Co miałem robić? W telewizji nie ma nic ciekawego.

— Wiedziałem, że przyjdziesz, ale nie powinieneś, to beznadziejna sprawa.

Wyjąłem z plecaka nóż rybacki, wysunąłem ostrze.

— Wieczny optymista.

— Zwijaj się stąd, póki możesz. Ona jest bardziej obłąkana niż syfilityczny zamachowiec-samobójca z chorobą szalonych krów.

— Nie znam nikogo innego, kto mówi takie teksty. Nie mogę cię tu zostawić, masz za dobrą gadkę.

Na wysokości piersi i kostek mocowało go do oparcia i nóg krzesła wiele warstw taśmy. Ręce, okręcone wokół nadgarstków i przy łokciach, spoczywały nieruchomo na poręczach.

Zacząłem energicznie piłować pętle taśmy na lewym nadgarstku.

— Odd, przestań, posłuchaj, nawet jeśli mnie uwolnisz, nie wstanę...

— Jeśli masz złamaną nogę czy coś innego — przerwałem mu — mogę cię przynajmniej zanieść do jakiejś kryjówki.

— Nie jestem połamany, nie o to chodzi — zaprzeczył gorączkowo. — Jeśli się podniosę, eksploduję.

Uwolniłem lewy nadgarstek i mruknąłem:

— Eksplozja. To słowo podoba mi się jeszcze mniej niż dekapitacja.

— Zajrzyj za krzesło.

Obszedłem go, żeby rzucić tam okiem. Będąc facetem, który widział parę filmów, a także pewną niesamowitą akcję na żywo, natychmiast rozpoznałem bryłę plastiku przymocowaną do oparcia krzesła tą samą taśmą, która krępowała Danny'ego.

Bateria, mnóstwo kolorowych przewodów, coś w rodzaju małej poziomnicy (bąbelek powietrza wskazywał idealne wypoziomowanie) i inne tajemnicze elementy sugerowały, że konstruktor bomby, kimkolwiek był, miał smykałkę do tej roboty.

— W chwili gdy podniosę dupę z krzesła, będzie bum — wyjaśnił Danny. — Jeśli spróbuję iść z krzesłem i poziomnica zbyt mocno się przechyli, też bum.

— Mamy problem — przyznałem.

29

Rozmawialiśmy po cichu, szepcząc i pomrukując, ze wstrzymanym oddechem, *sotto voce, voce velata*, nie tylko ze strachu, że usłyszy nas trio złożone z syfilitycznej szalonej krowy i jej kumpli, ale chyba również z powodu przesądnego przeczucia, iż wyrzeczone zbyt głośno niewłaściwe słowo zdetonuje bombę.

Zdejmując i odkładając na bok pasek grotołaza z latarką, zapytałem:

— Gdzie oni są?

— Nie wiem. Odd, musisz stąd spływać.

— Na długo zostawiają cię samego?

— Zaglądają mniej więcej co godzinę. Ona była tu piętnaście minut temu. Wezwij Wyatta Portera.

— To nie jego teren.

— W takim razie szeryfa Amory'ego.

— Jeśli wkroczy policja, umrzesz.

— Kogo więc chcesz wezwać, służby komunalne?

— Po prostu wiem, że zginiesz. Na tej samej zasadzie, na jakiej wiem różne inne rzeczy. Czy mogą w dowolnym czasie zdetonować ładunek?

— Tak. Pokazała mi pilota. Powiedziała, że to równie łatwe jak przełączanie kanałów w telewizorze.

— Kim ona jest?

— Przedstawiła się jako Datura. Są z nią dwaj faceci. Nie znam ich nazwisk. Był jeszcze trzeci sukinsyn.

— Znalazłem zwłoki. Co mu się stało?

— Nie widziałem. Był... dziwny. Zresztą podobnie jak pozostali dwaj.

Zacząłem przecinać taśmę na jego lewym przedramieniu.

— Jak ona ma na imię?

— Datura, nazwiska nie znam. Odd, co ty robisz? Nie mogę wstać z tego krzesła.

— Ale równie dobrze możesz być gotów zrobić to w wypadku, gdy sytuacja ulegnie zmianie. Kim ona jest?

— Odd, ona cię zabije. Zabije, rozumiesz? Musisz stąd zwiewać.

— Nie bez ciebie — odparłem, piłując taśmę unieruchamiającą prawy nadgarstek.

Danny pokręcił głową.

— Nie chcę, żebyś za mnie umierał.

— A niby za kogo miałbym to zrobić? Za kogoś obcego? Jaki w tym sens? Kim ona jest?

Z jego ust popłynął przeciągły jęk beznadziejnej rozpaczy.

— Uznasz, że jestem ofiarą losu.

— Nie jesteś ofiarą losu. Jesteś świrem, ja też, ale nie jesteśmy ofiarami losu.

— Nie jesteś świrem.

Przecinając drugi komplet więzów na prawej ręce, powiedziałem:

— Jestem kucharzem, kiedy pracuję, a gdy pewnego razu dodałem kamizelkę do swojej garderoby, nie potrafiłem poradzić sobie z tą zmianą. Widzę zmarłych i gadam do Elvisa, więc mi nie mów, że nie jestem świrem. Kim ona jest?

— Obiecaj, że nie powiesz tacie.

Nie mówił o Simonie Makepeace, swoim biologicznym ojcu. Miał na myśli ojczyma. Nie wiedział, że doktor Jessup nie żyje.

To nie była najlepsza pora na wyjawianie prawdy. Kompletnie by się załamał, a przecież musiał być skupiony i dzielny.

Ściągnął brwi, widząc coś w moich oczach, w wyrazie twarzy.

— Co?

— Nie powiem mu — obiecałem i skierowałem uwagę na taśmę mocującą prawą kostkę Danny'ego do nogi krzesła.

— Słowo?

— Jeśli kiedyś się wygadam, oddam ci obrazek z wenusjańskim śluzowcem metanowym.

— Wciąż go masz?

— Przecież mówiłem, że jestem świrem. Kim jest Datura?

Danny zrobił głęboki wdech i przytrzymał powietrze w płucach. Już myślałem, że zamierza pobić rekord Guinnessa, gdy wypuścił je razem z trzema słowami:

— Seks przez telefon.

Zamrugałem, przez chwilę zbity z pantałyku.

— Seks przez telefon?

— Wiem, że będzie to dla ciebie ogromną niespodzianką, ale nigdy nie robiłem tego z dziewczyną — wyjaśnił, czerwony ze wstydu.

— Nawet z Demi Moore?

— Drań — syknął.

— Mógłbyś przepuścić taką okazję?

— Nie — przyznał. — Ale dziewictwo w wieku dwudziestu jeden lat czyni ze mnie króla ofiar losu.

— Na pewno nie zacznę zwracać się do ciebie per Wasza Wysokość. Swoją drogą, sto lat temu facetów takich jak my zwano dżentelmenami. Zabawne, jak wielką różnicę robi sto lat.

— Jak my? Tylko nie próbuj mi wmawiać, że również należysz do tego klubu. Jestem niedoświadczony, lecz nie naiwny.

— Wierz, w co chcesz — odparłem, przecinając więzy na jego lewej kostce — ale mam ugruntowaną pozycję.

Danny wiedział, że chodziłem ze Stormy od szesnastego roku życia, od szkoły średniej. Nie miał pojęcia, że ani razu się nie kochaliśmy.

W dzieciństwie była molestowana przez przybranego ojca. Przez długi czas czuła się zbrukana.

Chciała zaczekać do ślubu, bo uważała, że odkładając te sprawy oczyścimy jej przeszłość. Nie chciała, żeby złe wspomnienia prześladowały ją w naszym łóżku.

Powiedziała, że nasz seks powinien być czysty, dobry i cudowny. Chciała, żeby był święty, taki miał być.

Potem umarła i nigdy nie doświadczyliśmy razem tej jednej rozkoszy, ale nic nie szkodzi, bo zaznaliśmy bardzo wielu innych. Całe życie spakowaliśmy w cztery lata.

Danny Jessup nie musiał znać szczegółów. To były moje najbardziej osobiste wspomnienia, bezcenne.

Nie odrywając wzroku od jego lewej kostki, zapytałem:

— Seks przez telefon?

181

Po chwili wahania odparł:

— Chciałem wiedzieć, jak to jest, gdy się o tym rozmawia z dziewczyną, rozumiesz. Z dziewczyną, która nie wie, jak wyglądam.

Przecinałem taśmę dłużej, niż było to konieczne, nie podnosząc głowy, dając mu czas.

— Mam trochę swoich pieniędzy — dodał. Danny projektuje strony internetowe. — Płacę rachunki za telefon. Tata nie widział opłat za dziewięć-zero-zero.

Po uwolnieniu kostki zająłem się czyszczeniem oklejonego ostrza noża o dżinsy. Nie mogłem przeciąć taśmy na piersi, bo te same pętle podtrzymywały bombę.

— Przez parę minut — mówił — to było podniecające. Potem stało się ordynarne. Wstrętne. — Jego głos zadrżał. — Pewnie myślisz, że jestem zboczony.

— Myślę, że jesteś ludzki. Lubię to u przyjaciół.

Odetchnął głęboko i podjął:

— Okazało się ordynarne... a potem głupie. Zapytałem tę dziewczynę, czy moglibyśmy po prostu pogadać, nie o seksie, o innych rzeczach, o czymkolwiek. Zgodziła się i szło nam świetnie.

W przypadku tego typu usług obowiązuje naliczanie minutowe. Danny mógłby godzinami rozprawiać o zaletach różnych mydeł do prania, a ona by udawała, że jest wniebowzięta.

— Gawędziliśmy pół godziny tylko o tym, co lubimy i czego nie lubimy... wiesz, książki, filmy, potrawy. To było cudowne, Odd. Nie potrafię powiedzieć, jakie cudowne, jak bardzo mnie podładowała. To było... po prostu bardzo miłe.

Nie przypuszczałem, że słowo „miłe" może złamać mi serce, ale prawie złamało.

— Ta usługa pozwala umówić się z dziewczyną, z którą się chce. To znaczy, na następną rozmowę.

— To była Datura.

— Tak. Za drugim razem stwierdziłem, że jest zafascynowana siłami nadprzyrodzonymi, duchami i tak dalej. Złożyłem nóż i schowałem do plecaka.

— Przeczytała tysiące książek na ten temat, odwiedziła mnóstwo nawiedzonych domów. Jest oblatana we wszystkich zjawiskach paranormalnych.

Przeniosłem się za krzesło i ukląkłem na podłodze.

— Co robisz? — zapytał nerwowo.

— Nic. Wyluzuj się. Oceniam sytuację. Opowiedz mi o Daturze.

— To najtrudniejsza część, Odd.

— Wiem. Wszystko w porządku.

Jego głos stał się jeszcze cichszy:

— Cóż... za trzecim razem rozmawialiśmy wyłącznie o niewyjaśnionych zjawiskach... od Trójkąta Bermudzkiego po samozapłon i duchy, które podobno straszą w Białym Domu. Nie wiem... Nie mam pojęcia, dlaczego tak bardzo chciałem zrobić na niej wrażenie.

Nie jestem ekspertem od budowy bomb. W całym swoim życiu natknąłem się tylko na jedną — zeszłego sierpnia, w tym samym zdarzeniu, które obejmowało strzelaninę w centrum handlowym.

— Była przecież tylko dziewczyną — mówił Danny — która wygaduje świństwa za pieniądze. Ale dla mnie liczyło się to, że mnie polubiła, może nawet uważała, że jestem fajny. Dlatego jej powiedziałem, że mam przyjaciela, który widzi duchy.

Zamknąłem oczy.

— Z początku nie zdradziłem twojego nazwiska, a ona mi nie wierzyła. Ale historie, które jej opowiedziałem, były takie szczegółowe i takie niezwykłe, że w końcu zrozumiała, iż są prawdziwe.

Bomba w centrum handlowym, czyli ciężarówka załadowana setkami kilogramów materiałów wybuchowych, miała prymitywny detonator.

— Nasze rozmowy były fantastyczne. Potem cudowne. Wydawały się cudowne. Zaczęła dzwonić do mnie sama. Już nie musiałem płacić.

Otworzyłem oczy i wbiłem je w pakunek za oparciem krzesła. Bomba była znacznie bardziej skomplikowana niż ta na ciężarówce w centrum handlowym. Chyba została pomyślana jako wyzwanie dla mnie.

— Nie zawsze rozmawialiśmy o tobie — mówił Danny. — Teraz rozumiem, że była sprytna. Nie chciała się zdradzić.

Ostrożnie, żeby nie poruszyć poziomnicy, prześledziłem palcem skręcony czerwony przewód, a potem bardziej prosty żółty. Następnie zielony.

— Ale po jakimś czasie — kontynuował Danny — nie miałem nic więcej do powiedzenia... z wyjątkiem tego, co się zdarzyło w centrum handlowym. Ta historia była znana w całym kraju, omawiano ją we wszystkich gazetach i w telewizji, więc Datura poznała twoje nazwisko.

Czarny przewód, niebieski przewód, znowu czerwony... Ani ich widok, ani dotykanie czubkiem palca nie włączyło szóstego zmysłu.

— Tak mi przykro, Odd. Cholernie przykro. Sprzedałem cię.

— Nie za pieniądze. Za miłość. To różnica.

— Nie kocham jej.

— W porządku. Nie za miłość. Za nadzieję na miłość.

Pokonany przez niedającą się zrozumieć plątaninę kabli, wyszedłem zza krzesła.

Danny potarł prawy nadgarstek, na którym mocno okręcona taśma zostawiła czerwone ślady.

— Za nadzieję na miłość — powtórzyłem. — Jaki przyjaciel nie chciałby, żebyś w takiej sprawie dał sobie trochę luzu?

Łzy zakręciły mu się w oczach.

— Posłuchaj — mówiłem — nie damy się załatwić w tym tandetnym kasynie. Jeśli jest nam pisane odwalenie kity w hotelu, to wynajmiemy apartament w takim z pięcioma gwiazdkami. Dobrze się czujesz?

Pokiwał głową.

Wepchnąłem plecak w stertę przewróconych przez trzęsienie ziemi mebli, żeby nikt go nie znalazł, i powiedziałem:

— Wiem, dlaczego sprowadzili cię akurat tutaj. Jeśli ona wierzy, że umiem wywoływać duchy, to pewnie sobie wyobraża, że po tej spelunie pałęta się cała banda. Ale dlaczego przez tunele przeciwpowodziowe?

— Ona jest psychiczna, Odd, a nawet bardziej niż psychiczna. Nie miałem o tym pojęcia, gdy rozmawiałem z nią przez telefon, może zresztą nie chciałem wiedzieć... Idealizowałem ją. Cholera. To żałosne. W każdym razie cierpi na jakiś dziwny rodzaj obłędu, ma urojenia, ale nie jest głupia, to naprawdę trzeźwa stuknięta dziwka. Chciała zabrać mnie do Panamint niezwykłą trasą, która wystawiłaby na próbę twój magnetyzm psychiczny i dowiodła, że jest prawdziwy. Jednak chodzi jej jeszcze o coś więcej...

Jego wahanie powiedziało mi, iż to „coś więcej" nie będzie

radosną rewelacją w rodzaju tych, że Datura śpiewa gospel albo piecze moje ulubione ciasto.

— Chce, żebyś pokazał jej duchy. Sądzi, że możesz je wzywać, zmuszać do rozmowy. Nigdy nie mówiłem jej nic takiego, ale ona w to wierzy. I chce czegoś więcej. Nie wiem dlaczego... — zastanawiał się przez chwilę, kręcąc głową — ale mam wrażenie, że chce cię zabić.

— Zdaje się, że wielu ludziom nadepnąłem na odcisk. Danny, zeszłej nocy w alejce za Blue Moon ktoś użył strzelby.

— Jeden z jej facetów. Ten, którego znalazłeś w charakterze nieboszczyka.

— Do kogo strzelał?

— Do mnie. Gdy wysiadaliśmy z furgonetki, na chwilę spuścili mnie z oka. Próbowałem zwiać na ulicę. Oddali strzał ostrzegawczy.

Przetarł oczy ręką. Trzy palce, kiedyś złamane, były większe niż powinny i zniekształcone przez zrosty.

— Niepotrzebnie się zatrzymałem — mówił. — Powinienem biec dalej. Co mogliby zrobić? Strzelić mi w plecy, to wszystko. Wtedy nie byłoby nas tutaj.

Podszedłem do niego i dźgnąłem palcem błyskawicę na czarnej koszulce.

— Wystarczy. Zmierzaj dalej w tym kierunku, a ugrzęźniesz w bagnie rozczulania się nad sobą. To do ciebie niepodobne, Danny.

Kręcąc głową, mruknął:

— Ale kanał.

— Litowanie się nad sobą nie jest w twoim stylu, nigdy nie było. Jesteśmy parą twardych świrujących dziewic, nie zapominaj.

186

Uśmiechnął się, choć niepewnie i przez łzy.

— Wciąż mam obrazek z marsjańskim wijem mózgożercą.

— Jesteśmy sentymentalnymi idiotami, prawda?

— Ten tekst o Demi Moore był niezły.

— Wiem. Słuchaj, pójdę się rozejrzeć. Po moim wyjściu możesz uznać, że wywrócenie krzesła i zdetonowanie bomby rozwiąże problem.

Uciekł wzrokiem, co znaczyło, że taki pomysł faktycznie chodził mu po głowie.

— Jeśli sądzisz, że przerobienie się na pasztet wyciągnie mnie z tarapatów, to grubo się mylisz — zapewniłem go. — Bardziej niż dotychczas czułbym się zobligowany do załatwienia całej trójki. Nie odejdę stąd, dopóki tego nie zrobię. Rozumiesz, Danny?

— Co za kanał.

— Poza tym musisz żyć dla swojego taty, nie sądzisz?

Westchnął, pokiwał głową.

— Tak.

— Musisz żyć dla taty. To twoje zadanie.

— Jest porządnym człowiekiem.

Podnosząc latarkę, powiedziałem:

— Jeśli Datura zajrzy do ciebie przed moim powrotem, od razu zobaczy, że masz rozwiązane ręce i nogi. Nic nie szkodzi. Powiedz jej, że tu jestem.

— Co chcesz zrobić?

Wzruszyłem ramionami.

— Znasz mnie. Wymyślę coś po drodze.

30

Wyszedłem z pokoju 1242 i zamknąłem drzwi, rozglądając się po korytarzu. Wciąż pusto. Cicho.

Datura.

Brzmiało to jak przybrane imię, nie nadane. Urodziła się jako Mary albo Heather, albo z jakimś innym pospolitym imieniem, i później przemianowała się na egzotyczną Daturę. Imię musiało oznaczać coś, z czym z przyjemnością się identyfikowała.

Wyobraziłem sobie mój umysł jako staw ciemnej wody zalany księżycową poświatą, a jej imię w postaci liścia. Wyobraziłem sobie, że liść spada, przez chwilę unosi się na powierzchni, wchłania wodę i powoli opada na dno. Prądy niosły go dokoła stawu, coraz głębiej i głębiej.

Datura.

Po paru sekundach poczułem, że ciągnie mnie na północ ku wnęce z windami, skąd niedawno wyszedłem po drabinie. Jeśli kobieta przebywała na tym piętrze, to w pokoju oddalonym od 1242.

Może wolała trzymać się z daleka od Danny'ego, ponieważ też wyczuła jego gotowość do autodestrukcji. Zapewne skłoniło ją to do zastanowienia się nad sensownością pomysłu, żeby przywiązać go do bomby, którą mógł zdetonować.

Mógłbym od razu zlokalizować Daturę, lecz aż tak bardzo mi się nie spieszyło. Była Meduzą obdarzoną głosem — zamiast oczu — który mógł przemieniać mężczyzn w kamień, a mnie w tej chwili wystarczało zwyczajne ciało, choć zmęczone, obolałe i zawodne.

Byłoby idealnie, gdybym znalazł jakiś sposób na unieszkodliwienie tej kobiety i jej dwóch akolitów — i przejął kontrolę nad pilotem do detonowania materiałów wybuchowych. Po wyeliminowaniu zagrożenia mógłbym wezwać komendanta Portera.

Moje szanse na pokonanie trzech niebezpiecznych, najpewniej uzbrojonych osób były nie większe niż to, że martwi hazardziści w wypalonym kasynie wrócą do życia po rzucie pożółkłymi od ognia kośćmi.

Nie mogłem wezwać policji, gdyż nie opuszczało mnie przeczucie, że spowoduje to śmierć Danny'ego. W tej sytuacji miałem niewielki wybór: albo unieszkodliwić porywaczy, albo unieszkodliwić bombę. Dłubanie w skomplikowanym detonatorze pociągało mnie nie bardziej niż francuski pocałunek z grzechotnikiem. A jednak musiałem liczyć się z możliwością, że rozwój wypadków nieuchronnie doprowadzi właśnie do tego dłubania. Jeśli uwolnię Danny'ego, może zdołamy wydostać się z Panamint.

Niezbyt zwinny, w dodatku wyczerpany po podróży z Pico Mundo, mój przyjaciel o kruchych kościach nie będzie mógł iść szybko. Nawet w szczytowej formie nie ośmielał się zbiec z półpiętra.

W drodze na parter hotelu będziemy musieli pokonać dwadzieścia dwa ciągi schodów, a następnie przebyć zdradliwy, zasłany gruzem hol — ścigani przez troje niebezpiecznych psychopatów.

Po dobraniu kilku niezbyt rozgarniętych, intryganckich, skąpo odzianych kobiet oraz jeszcze głupszych, ale krzepkich facetów, po dołączeniu wymogu zjedzenia miski żywych robaków, mielibyśmy dobry punkt wyjścia do stworzenia nowego reality show.

Zajrzałem do kilku pokoi w południowym końcu głównego korytarza, szukając miejsca, gdzie mógłbym ukryć Danny'ego, gdyby jakimś cudem udało mi się go odłączyć od materiałów wybuchowych.

Gdybym znalazł odpowiednią kryjówkę, nie musiałbym się martwić, czy Danny da sobie radę w czasie ucieczki przed uzbrojonym pościgiem, i byłoby mi łatwiej rozprawić się z naszymi wrogami. Mógłbym nawet uznać, że okoliczności zmieniły się na naszą korzyść na tyle, iż ściągnięcie komendanta Portera nie zagrozi życiu Danny'ego.

Niestety, wszystkie pokoje hotelowe są bardzo podobne do siebie, i brak w nich kryjówek, które stanowiłyby wyzwanie dla zdeterminowanego poszukiwacza. Datura i jej zbiry przemkną przez nie równie szybko jak ja, dostrzegając te same potencjalne kryjówki, które przyciągnęły moją uwagę.

Przez chwilę się zastanawiałem, czy nie przełożyć sterty mebli i dekoracyjnych przedmiotów w taki sposób, żeby zrobić grotę, w której mógłby zniknąć Danny. Zrezygnowałem z tego pomysłu. Niestabilny stos krzeseł, łóżek i szafek nocnych prawdopodobnie narobiłby sporo hałasu, gdy spróbowałbym go ruszyć. Przyciągnąłbym niechcianą uwagę na długo przed zakończeniem roboty.

W czwartym pokoju wyjrzałem przez okno i zobaczyłem, że świat pociemniał, najechany przez flotę wojenną stalowych chmur, które opanowały już trzy czwarte nieba. W chmurach migotały jakby błyski z luf armatnich i zimowym dniem wstrząsała kanonada, wciąż daleka, lecz bliższa niż wcześniej.

Wspominając niesamowity odgłos gromu, który wcześniej słyszałem w szybie windy, odwróciłem się od okna.

Korytarz wciąż był pusty. Pośpieszyłem na północ, mijając pokój 1242, i wróciłem do wnęki.

Dziewięć z dziesięciu par drzwi z nierdzewnej stali było zamkniętych. Ze względów bezpieczeństwa zostały zaprojektowane tak, żeby w przypadku braku zasilania z sieci publicznej i generatorów można było otworzyć je ręcznie.

Nikt nie otwierał ich od pięciu lat. Dym zapewne skorodował i unieruchomił mechanizmy.

Zacząłem od rzędu po prawej stronie. Pierwsza para drzwi była uchylona. Wsunąłem palce w szeroką na dwa centymetry szczelinę i spróbowałem rozsunąć je szerzej. Prawe skrzydło przesunęło się kawałek; drugie z początku stawiało opór, ale wreszcie ustąpiło z cichym zgrzytem.

Nawet w nikłym szarym świetle musiałem rozsunąć drzwi tylko na dziesięć centymetrów, żeby zobaczyć, iż nie czeka za nimi kabina. Zatrzymała się na innym piętrze.

Piętnaście kondygnacji, dziesięć wind: zgodnie z rachunkiem prawdopodobieństwa żadna z nich mogła się nie zatrzymać na jedenastym piętrze.

Może zaprogramowano je w taki sposób, żeby w przypadku braku prądu zjechały do holu na akumulatorach. Jeśli tak, moją jedyną nadzieją było to, że ten mechanizm zawiódł — jak wiele innych w tym hotelu.

Kiedy puściłem drzwi, powróciły do pozycji, w jakiej je zastałem.

Drugie były szczelniej zamknięte niż pierwsze. Na szczęście wszystkie miały wybrzuszone krawędzie, umożliwiające rozchylenie ich w nagłym wypadku. Podrygując na prowadnicach, otworzyły się z irytującym zgrzytem.

Brak kabiny.

Te drzwi się nie zamknęły, gdy je puściłem. Aby nie zostawiać dowodów prowadzonych poszukiwań, domknąłem je, nie unikając hałasu i dygotania.

W brudzie na nierdzewnej stali odznaczały się wyraźne odciski moich rąk. Wyjąłem chusteczkę z kieszeni i zatarłem ślady w taki sposób, żeby nie powstała zbyt czysta łata, która mogłaby wzbudzić podejrzenia.

Trzecie drzwi nawet nie drgnęły.

Za czwartymi, które otworzyły się po cichu, znalazłem kabinę. Rozsunąłem je do końca i po chwili wahania wszedłem do windy.

Kabina nie runęła w przepaść, czego na wpół się spodziewałem. Przyjęła mój ciężar ze słabym protestem, nie opadając poniżej progu wnęki.

Choć drzwi częściowo zasunęły się same, musiałem je dopchnąć. Kolejne ślady, kolejne chusteczki.

Wytarłem brudne od sadzy ręce w dżinsy. Kolejne pranie.

Wiedziałem, co muszę teraz zrobić, ale nagle wydało mi się to zbyt śmiałe. Przez parę minut stałem we wnęce, rozważając inne możliwości. Niestety, nie było innych możliwości.

W takich chwilach zwykle żałuję, że nie próbowałem pokonać głęboko zakorzenionej awersji do broni palnej.

Z drugiej strony, gdy człowiek strzela do uzbrojonych ludzi, oni z reguły odpowiadają tym samym. To zawsze komplikuje sytuację.

Jeśli nie strzelisz pierwszy i nie wycelujesz dobrze, może byłoby lepiej, gdybyś w ogóle nie miał broni. W sytuacjach równie paskudnych jak ta uzbrojeni po zęby ludzie na ogół czują się lepsi od tych nieuzbrojonych; są zadowoleni z siebie i w takim stanie ducha z reguły lekceważą przeciwnika. Człowiek nieuzbrojony z konieczności myśli szybciej — jest bardziej czujny, bardziej zdeterminowany i bardziej zajadły — niż uzbrojony bandzior, któremu broń zastępuje myślenie. Dlatego brak broni może zapewnić przewagę.

Z perspektywy czasu taki tok rozumowania wydaje się absurdalny. Nawet wtedy wiedziałem, że jest głupi, ale nie próbowałem wysuwać argumentów przeciw, bo inaczej nigdy nie wyszedłbym z wnęki i nie przystąpił do działania.

Datura.

Liść na oświetlonym przez księżyc stawie, nasiąkający wodą, pogrążający się w niej i niesiony leniwym prądem, który ciągnie, ciągnie, ciągnie...

Wyszedłem z wnęki na korytarz. Skręciłem w lewo, na północ.

Pewna twarda, agresywna cizia od seksu przez telefon, obłąkana jak szalona krowa, wykombinowała sobie w chorej głowie, że gdy porwie Danny'ego, będzie mogła go wykorzystać, aby zmusić mnie do wyjawienia najściślej strzeżonych sekretów. Dlaczego jednak musiał przy tym umrzeć doktor Jessup, zamordowany w taki brutalny sposób? Tylko dlatego, że był w domu?

Ta cizia od seksu przez telefon, ta wariatka, miała trzech facetów — teraz dwóch — najwyraźniej gotowych popełnić każdą zbrodnię, aby pomóc jej zdobyć to, czego chciała. Nie było banku do obrabowania, nie było pancernej furgonetki do zatrzymania, nie było narkotyków do sprzedania. Ale ona nie chciała pieniędzy; zależało jej na prawdziwych historiach o duchach, na lodowatych palcach wędrujących wzdłuż kręgosłupa, a nie był to łup, jakim mógłby podzielić się z pozostałymi członkami bandy. Powód narażania dla niej życia i wolności od początku wydawał mi się zagadkowy.

Oczywiście nawet faceci bez morderczych skłonności często myślą mniejszą głową, tą bez mózgu. Annały zbrodni pełne są spraw, w których mężczyźni — opętani przez złe kobiety i cierpiący na zaćmienie umysłowe — dopuszczali się najbardziej idiotycznych, najbardziej bestialskich czynów wyłącznie dla seksu.

Jeśli Datura wyglądała równie seksownie, jak mówiła, manipulowanie niektórymi mężczyznami prawdopodobnie przychodziło jej bez wysiłku. Facetów podatnych na jej wpływy musiały charakteryzować pewne wspólne cechy: przewaga testosteronu nad leukocytami, niezdolność odróżniania dobra od zła, upodobanie do podniecających sytuacji, rozkoszowanie się okrucieństwem, nieumiejętność myślenia o jutrze.

Kompletując swoją świtę, na pewno nie narzekała na brak kandydatów. W dzisiejszych czasach w wiadomościach na okrągło mówią o takich bezwzględnych, wyzutych z ludzkich uczuć gościach.

Doktor Wilbur zginął nie tylko dlatego, że stanął tym ludziom na drodze, ale ponieważ zabicie go sprawiło im wielką frajdę, pozwoliło spuścić parę. Anarchia w najczystszej postaci.

Stojąc we wnęce, miałem kłopoty z uwierzeniem, że Datura mogła zmontować taką ekipę. Po przejściu zaledwie trzydziestu metrów uznałem, że było to nieuniknione.

Mając do czynienia z takimi ludźmi, musiałem wykorzystać każdą przewagę, jaką zapewniał mi mój dar.

Kolejne drzwi, otwarte czy zamknięte, nie kusiły mnie ani trochę, dopóki nie zatrzymałem się przed tymi z numerem 1203, lekko uchylonymi.

31

Z pokoju 1203 wyniesiono większość mebli. Zostały tylko dwie nocne szafki, okrągły drewniany stół i cztery fotele.

Ktoś zadał sobie trud i trochę posprzątał. Wnętrze nie było nieskazitelnie czyste, lecz wglądało przyjemniej niż cała reszta zrujnowanego hotelu.

Nadciągająca burza przyciemniła dzień, ale grube świece w pojemnikach z czerwonego i bursztynowego szkła dostarczały nieco światła. Sześć ustawiono na podłodze w kątach pokoju. Sześć kolejnych paliło się na stole.

W innych okolicznościach mruganie płomyków byłoby wesołe. Tutaj wydawało się ponure. Złowieszcze. Okultystyczne.

Aromat świec maskował gryzący odór starego dymu. Powietrze miało zapach bardziej słodki niż kwiatowy. Nigdy wcześniej niczego takiego nie czułem.

Fotele okryte zostały białymi płachtami, żeby nie pobrudzić ubrań od osmalonej tapicerki.

Po obu stronach wielkiego okna na szafkach nocnych

stały dwa duże czarne wazony z dwoma lub trzema tuzinami czerwonych róż. Kwiaty albo nie pachniały, albo nie mogły konkurować z zapachem świec.

Lubiła tragizm i przepych. Jak europejska księżniczka, która w epoce kolonializmu urządzała piknik na perskim dywanie pośrodku afrykańskiej sawanny, ona też nie mogła obyć się bez wygód.

Stała plecami do mnie, wyglądając przez okno. Była w obcisłych czarnych rybaczkach i czarnej bluzce. Sto sześćdziesiąt pięć centymetrów wzrostu. Gęste lśniące włosy, tak jasne, że niemal białe, obcięte krótko, ale nie po męsku.

— Jestem prawie trzy godziny przed zachodem słońca — oznajmiłem.

Ani nie drgnęła z zaskoczenia, ani nie odwróciła się w moją stronę. Patrząc na zbliżającą się burzę, powiedziała:

— Nie jesteś więc kompletnie do niczego.

Jej głos brzmiał nie mniej urzekająco, nie mniej erotycznie niż przez telefon.

— Oddzie Thomasie, czy wiesz, kto był największym sztukmistrzem w dziejach, kto umiał wzywać duchy i wykorzystywał je lepiej niż ktokolwiek inny?

— Ty? — strzeliłem.

— Mojżesz. Znał sekretne imię Boga, dzięki czemu pokonał faraona i rozdzielił morze.

— Mojżesz sztukmistrz? Musiałaś chodzić do zakręconej szkółki niedzielnej.

— Czerwone świece w czerwonym szkle.

— Biwak z klasą — mruknąłem.

— Co zapewniają czerwone świece w czerwonym szkle?

— Światło?

197

— Zwycięstwo — poprawiła mnie. — A żółte świece w żółtym szkle?

— Tym razem to musi być poprawna odpowiedź. Światło.

— Pieniądze.

Stojąc odwrócona plecami, chciała przyciągnąć mnie do okna tajemniczością i siłą woli.

Zdecydowany nie podejmować jej gry, powiedziałem:

— Zwycięstwo i pieniądze. Cóż, chyba na tym polega mój problem. Zawsze palę białe świece.

— Białe świece w przejrzystym szkle zapewniają spokój. Nigdy ich nie używam.

Choć nie miałem zamiaru ulegać jej woli i podchodzić do okna, ruszyłem w stronę dzielącego nas stołu. Poza świecami znajdowało się na nim kilka przedmiotów, jeden przypominał pilota.

— Zawsze śpię z solą pod prześcieradłem — dodała. — A nad moim łóżkiem wisi pięciornik.

— Ostatnio niewiele sypiam, ale słyszałem, że tak to już jest na starość.

Wreszcie odwróciła się od okna, żeby na mnie spojrzeć.

Była oszałamiająca. W mitologii sukub to demon, który pod postacią przepięknej kobiety uprawia seks z mężczyznami, aby skraść ich dusze. Datura miała twarz i ciało wprost stworzone dla takiego demona.

Zastygła w pozie typowej dla kobiety, która wie, że jej wygląd poraża.

Mogłem ją podziwiać jak brązowy posąg o idealnych proporcjach — kobiety, wilka, wdzięcznie stąpającego konia — ale brązowi brakuje tej nie dającej się opisać cechy, która rozpala namiętność w sercu. W przypadku rzeźby cecha ta odróżnia rzemiosło od sztuki. U kobiety jest to różnica pomiędzy zwyczajnym erotyzmem a pięknem, które oczarowuje mężczyznę, rzuca go na kolana.

Piękno, które podbija serce, często jest niedoskonałe, sugeruje wdzięk i dobroć, wzbudza większą czułość niż żądzę.

Spojrzenie jej niebieskich oczu swoją bezpośredniością i siłą obiecywało rozkosz i absolutne zaspokojenie, ale — zbyt ostre, żeby podniecać — kojarzyło się nie tyle z metaforyczną strzałą przeszywającą serce, ile z nożem, który sprawdza twardość materiału rzeźbiarskiego.

— Te świece ładnie pachną — powiedziałem, chcąc udowodnić, że na jej widok nie zaschło mi w ustach ani nie odjęło mowy.

— To Cleo-May.

— A kim ona jest?

— Jesteś naprawdę ignorantem w tych sprawach, Oddzie Thomasie. A może większym prostakiem, niż na to wyglądasz?

— Ignorantem — zapewniłem ją. — Nie tylko w sprawie pięciornika i Cleo-May. Jestem ignorantem w wielu sprawach, w całych rozległych dziedzinach ludzkiej wiedzy. To nie napawa mnie dumą, ale tak wygląda prawda.

Trzymała kieliszek z czerwonym winem. Podniosła go do pełnych ust i sączyła powoli, delektując się smakiem wina i patrząc na mnie nad stołem

— Świece są perfumowane olejkiem Cleo-May — wyjaśniła. — Zapach Cleo-May zmusza mężczyzn do kochania i słuchania tej, która zapala świece. — Wskazała butelkę wina i drugi kieliszek. — Napijesz się ze mną?

— Jesteś bardzo gościnna, ale wolę zachować jasność umysłu.

Gdyby Mona Lisa miała uśmiech Datury, nikt nigdy nie usłyszałby o tym obrazie.

— Tak, chyba tak będzie lepiej.

— Czy to pilot do detonowania bomby?

Tylko zamrożony uśmiech świadczył o jej zaskoczeniu.

— Odbyłeś miłe spotkanie z Dannym?

— Ma dwa przyciski. Pilot.

— Czarny detonuje. Biały rozbraja.

Pilot leżał bliżej niej niż mnie. Gdybym rzucił się do stołu, ona pierwsza chwyciłaby urządzenie.

Nie jestem facetem, który bije kobiety. W tym przypadku mógłbym zrobić wyjątek.

Powstrzymało mnie podejrzenie, że wbije mi nóż w trzewia w chwili, gdy zacisnę pięść, żeby jej przyłożyć.

Poza tym bałem się, że z czystej przekory naciśnie czarny guzik.

— Danny opowiedział ci o mnie? — zapytała.

Postanowiłem zagrać na jej próżności.

— Jak to się stało, że kobieta o tylu zaletach zajmuje się sprzedawaniem seksu przez telefon?

— Wystąpiłam w paru filmach porno. Niezły szmal, ale w tej branży kobiety szybko się wykańczają. Poznałam właściciela internetowego porno-shopu i agencji „seks przez telefon". Jedno i drugie to kurki, które wystarczy przekręcić, żeby popłynęła żywa gotówka. Poślubiłam go. Zmarł. Teraz ja jestem właścicielką.

— Poślubiłaś go, on umarł, ty jesteś bogata.

— Szczęście mi sprzyja. Zawsze.

— Jesteś właścicielką, a jednak wciąż odbierasz telefony? Tym razem jej uśmiech wydawał się bardziej szczery.

— Ci chłopcy są tacy wzruszający. Okręcanie ich wokół palca samymi słowami jest zabawne. Nie zdają sobie sprawy, jak bardzo są poniżani, i na dodatek płacą za to, że robi się z nich głupców.

Demon burzy, wciąż jeszcze bez wyszczerzonych zębów, zatrzepotał za nią lśniącymi skrzydłami, zrzucając pióra blasku. Grom, który trzasnął sucho i groźnie zadudnił, miał niewiele wspólnego z głosami aniołów.

— Ktoś musiał zabić czarnego węża — oznajmiła Datura — i powiesić go na drzewie.

Słyszałem już jej enigmatyczne stwierdzenia, więc myślałem, że radzę sobie całkiem dobrze w rozmowie, ale ten tekst mnie powalił.

— Czarnego węża? Na drzewie?

Wskazała ciemniejące niebo.

— Czy powieszenie czarnego węża nie sprowadza deszczu?

— Być może. Nie wiem. Dla mnie to nowość.

— Kłamca. — Napiła się wina. — W każdym razie mam pieniądze na parę lat. To mi pozwala na swobodne zajmowanie się sprawami duchowymi.

— Bez obrazy, ale trudno mi wyobrazić sobie ciebie jako osobę, która szuka ucieczki w modlitwie.

— Magnetyzm psychiczny jest dla mnie nowością.

Wzruszyłem ramionami.

— To tylko wymyślone przeze mnie określenie intuicji.

— To coś więcej. Danny mi powiedział. A ty urządziłeś przekonujący pokaz. Umiesz wywoływać duchy.

— Nie. Nie umiem. Do tego potrzebny ci Mojżesz.

— Widzisz duchy.

Uznałem, że udając głupiego nie osiągnę niczego poza tym, że ją rozgniewam.

— Nie wzywam ich. Same do mnie przychodzą. Wolałbym, żeby tego nie robiły.

— Tutaj muszą być duchy.

— Są — przyznałem.

— Chcę je zobaczyć.

— Nie możesz.

— W takim razie zabiję Danny'ego.

— Przysięgam ci, że nie mogę wywołać ducha.

— Chcę je zobaczyć — powtórzyła chłodno.

— Nie jestem medium.

— Kłamca.

— Nie mają ektoplazmy, którą mogliby zobaczyć inni. Tylko ja je widzę.

— Jesteś taki wyjątkowy, co?

— Niestety, tak.

— Chcę z nimi porozmawiać.

— Zmarli nie mówią.

Podniosła pilota.

— Sprzątnę tego małego dupka. Naprawdę.

Podejmując skalkulowane ryzyko, powiedziałem:

— Jestem tego pewien. Czy zrobię to, czego chcesz, czy nie. Nie zaryzykujesz pójścia do więzienia za zamordowanie doktora Jessupa.

Odłożyła pilota. Oparła się o parapet, wysuwając biodro i prężąc piersi w wystudiowanej pozie.

— Myślisz, że ciebie też zamierzam zabić?

— Oczywiście.

— W takim razie dlaczego tu przyszedłeś?

— Żeby zyskać na czasie.

— Uprzedzałam, że masz przyjść sam.

— Nie przyprowadziłem oddziału pościgowego — odparłem.

— W takim razie po co chcesz zyskać na czasie?

— Po to, żeby poczekać na niespodziewany zwrot losu. Po to, żeby wykorzystać okazję, jaka się nadarzy.

Miała poczucie humoru kamienia, ale te słowa ją rozbawiły.

— Myślisz, że kiedykolwiek jestem niedbała?

— Zabicie doktora Jessupa nie było mądre.

— Nie bądź tępy. Chłopcy potrzebują rozrywki — oświadczyła, jakby zamordowanie radiologa było logiczną i oczywistą koniecznością. — To część umowy.

Jakby na dany znak, zjawili się „chłopcy". Słysząc ich, odwróciłem się.

Pierwszy wyglądał jak wyprodukowana w laboratorium hybryda, pół człowiek, pół maszyna z lokomotywą w rodowodzie. Wielkie, masywne indywiduum wydawało się nadmiernie umięśnione i powolne, ale pewnie mogłoby doścignąć mnie szybciej niż rozpędzony pociąg.

Grube prymitywne rysy. Spojrzenie równie bezpośrednie jak u Datury, ale mniej czytelne.

Jego oczy były nie tylko pełne rezerwy, ale bardziej enigmatyczne niż wszystkie inne, które dotąd widziałem. Miałem dziwne wrażenie, że za nimi kryje się pejzaż umysłu tak odmiennego od tych, jakie mają zwyczajni ludzie, iż równie dobrze mógłby należeć do istoty z innego świata.

Biorąc pod uwagę jego siłę fizyczną, strzelba wydawała się zbędnym dodatkiem. Podszedł z nią do okna i trzymał oburącz, patrząc na pustynne popołudnie.

Drugi mężczyzna, młodszy, był muskularny, ale nie taki napakowany jak pierwszy. Miał podpuchnięte oczy rozpustnika i rumiane policzki barowego zabijaki, który z radością spędza życie na piciu i biciu, bez wątpienia będąc dobry w jednym i drugim.

Spojrzał mi w oczy, lecz nie tak śmiało jak ludzka lokomotywa. Jego spojrzenie tylko się po mnie prześliznęło, jakby krępowała go moja obecność, choć wydawało się to mało prawdopodobne. Nie wytrąciłby go z równowagi szarżujący byk.

Nie trzymał broni, ale mógł mieć pistolet w kaburze pod sportowym płaszczem z lekkiej bawełny.

Odsunął krzesło od stołu, usiadł i nalał wina do kieliszka.

Mężczyźni mieli czarne stroje. Domyślałem się, że nie przez przypadek. Datura lubiła czerń i ubrali się w ten sposób na jej polecenie.

To oni musieli strzec schodów. Nie zadzwoniła do nich ani nie wysłała wiadomości, a jednak skądś wiedzieli, że ich ominąłem i jestem już u niej.

— To Cheval Andre — powiedziała, wskazując lokomotywę przy oknie.

Nie spojrzał na mnie. Nie powiedział: „Miło cię poznać".

Następnie przedstawiła zabijakę, który jednym łykiem opróżnił trzeci kieliszek wina.

— To Cheval Robert.

Robert łypnął na świece na stole.

— Andre i Robert Cheval — powiedziałem. — Bracia?

— Cheval nie jest nazwiskiem, jak dobrze wiesz. *Cheval* znaczy „koń". Jak dobrze wiesz.

— Koń Andre i Koń Robert. Pani, muszę ci wyznać, iż nawet biorąc pod uwagę moje własne dziwne życie, obecna sytuacja zaczyna mnie przerastać.

— Jeśli pokażesz mi duchy i wszystko, co chcę zobaczyć, może jednak cię nie zabiję. Czy chciałbyś zostać moim Cheval Oddem?

— O rany, większość młodych facetów zazdrościłaby mi takiej propozycji, ale nie wiem, na czym polegałyby moje końskie obowiązki, jaka byłaby pensja, czy zapewniasz ubezpieczenie zdrowotne...

— Andre i Robert mają obowiązek robić wszystko, co każę, jak dobrze wiesz. W zamian daję im to, czego potrzebują, gdy potrzebują. Raz na jakiś czas, jak w przypadku doktora Jessupa, daję im to, czego chcą.

Mężczyźni patrzyli na nią z głodem w oczach — głodem, który chyba tylko po części był pożądaniem. Wyczuwałem w nich niemającą nic wspólnego z seksem potrzebę, którą tylko ona mogła zaspokoić, potrzebę tak groteskową, że miałem nadzieję, iż nigdy nie poznam jej natury.

Uśmiechnęła się.

— Są potrzebującymi chłopcami.

Smoczy ząb błyskawicy zalśnił na tle czarnych chmur, ostry i jasny, a zaraz za nim drugi. Trzasnął piorun. Niebo zadrżało, strząsając miliony srebrzystych łusek deszczu, potem kolejne miliony.

32

Zdawało się, że gwałtowna ulewa wymywa z powietrza nikłe światło, któremu udało się przedrzeć przez burzowe chmury. Popołudniowe niebo mroczniało i posępniało, jakby deszcz był nie tylko elementem pogody, ale również moralnym wyrokiem na ziemię.

Ponieważ przez okno wpadało mniej światła, blask świec stał się jaśniejszy. Czerwone i pomarańczowe chimery skradały się po ścianach, potrząsały grzywami na suficie.

Cheval Andre położył strzelbę na podłodze i wyglądał przez okno z rękami przyciśniętymi płasko do szyby, jakby czerpał moc z burzy.

Cheval Robert siedział przy stole, patrząc w płomienie świec. Nieustannie zmieniający się tatuaż zwycięstwa i pieniędzy pełzał po jego szerokiej twarzy.

Kiedy Datura odsunęła od stołu drugie krzesło i kazała mi usiąść, nie widziałem powodu, żeby odmówić. Jak powiedziałem, miałem zamiar zyskać na czasie i czekać, aż los się odmieni na moją korzyść. Usiadłem bez słowa, jakbym już był posłusznym koniem.

Datura przechadzała się po pokoju, od czasu do czasu wąchała róże, sączyła wino i często przeciągała się jak kot, jędrna, gibka i w pełni świadoma swojej prezencji.

Niezależnie od tego, czy się poruszała, czy stała z podniesioną głową, patrząc na pulsujące na suficie burzowe chmury blasku świec, bez przerwy mówiła.

— W San Francisco mieszka kobieta, która lewituje podczas śpiewania. W czasie przesileń albo w przededniu Wszystkich Świętych zaprasza wybranych, żeby mogli ją oglądać. Jestem pewna, że byłeś u niej i znasz jej nazwisko.

— Nigdy się nie spotkaliśmy — zapewniłem Daturę.

— W Savannah jest piękny dom, odziedziczony przez wyjątkową młodą kobietę po wuju wraz z jego pamiętnikiem, w którym opisał, jak zamordował dziewiętnaścioro dzieci i pogrzebał je w piwnicy. Wiedział, że spadkobierczyni zrozumie i nie powiadomi władz nawet po jego śmierci. Bez wątpienia byłeś tam niejednokrotnie.

— Nie podróżuję.

— Ja zostałam zaproszona kilka razy. Przy odpowiedniej konfiguracji planet, gdy goście są właściwego kalibru, można usłyszeć głosy zmarłych płynące z grobów w podłodze i ścianach. Zagubione dzieci błagają o życie, jakby nie wiedziały, że są martwe, i z płaczem proszą o uwolnienie. To niesamowite doświadczenie, jak dobrze wiesz

Andre stał, a Robert siedział, pierwszy wpatrzony w burzę, drugi w świece, być może zahipnotyzowani melodyjnym głosem Datury. Żaden jeszcze nie powiedział ani słowa. Byli niezwykle milczący i zadziwiająco spokojni.

Datura podeszła do krzesła, pochyliła się w moją stronę i wyjęła wisiorek, który dotąd spoczywał w rowku pomiędzy jej bujnymi piersiami: kamyk w kształcie łzy, czerwony, być może rubin, duży jak pestka brzoskwini.

— Mam w nim trzydzieści — oznajmiła.

— Mówiłaś przez telefon. Trzydzieści... trzydzieści czegoś w amulecie.

— Wiesz, co powiedziałam. Trzydzieści *ti bon ange*.

— Domyślam się, że skompletowanie trzydziestu zabrało trochę czasu.

— Możesz je zobaczyć — dodała, podnosząc kamień do moich oczu. — Inni nie mogą, ale ty z pewnością zobaczysz.

— Urocze maleństwa.

— To udawanie głupka może być przekonujące dla większości ludzi, ale mnie nie nabierzesz. Z trzydziestoma jestem niezwyciężona.

— Już to mówiłaś. Jestem pewien, że to przyjemne uczucie.

— Potrzebny mi tylko jeszcze jeden *ti bon ange* i musi być wyjątkowy. Musi być twój.

— Pochlebiasz mi.

— Jak wiesz, mogę je zbierać na dwa sposoby — mówiła, wsuwając kamień pomiędzy piersi. Nalała wina do kieliszka. — Mogę odebrać ci *ti bon ange* przez rytuał wody. To bezbolesna metoda ekstrakcji.

— Miło mi to słyszeć.

— Druga to taka, że Andre i Robert zmuszą cię do połknięcia kamienia, a ja wypatroszę cię jak rybę i wyjmę go z twojego parującego żołądka, gdy umrzesz.

Jeśli jej konie słyszały tę propozycję, nie okazały zaskoczenia. Dwaj mężczyźni wciąż trwali nieruchomo jak zwinięte węże.

Podnosząc kieliszek i idąc ku różom, Datura mówiła:

— Jeśli pokażesz mi duchy, zabiorę ci twój *ti bon ange* w bezbolesny sposób. Ale jeśli z uporem będziesz udawał ciemniaka, ten dzień skończy się dla ciebie bardzo nieprzyjemnie. Poznasz cierpienie w stopniu, w jakim doświadczyło go niewielu ludzi.

33

Świat oszalał. Dwadzieścia lat temu moglibyście się nie zgodzić z tym twierdzeniem, ale jeśli nie zgadzacie się w dzisiejszych czasach, to tylko dowodzicie, że i wy żyjecie złudzeniami.

W obłąkanym świecie ludzie w rodzaju Datury wznoszą się na szczyt, tworząc śmietankę chorych umysłowo. Wznoszą się nie dzięki swoim zaletom, lecz potędze woli.

Kiedy ludzie odrzucają przedwieczną prawdę, zaczynają szukać sensu we własnych prawdach. Ale prawdy te rzadko kiedy bywają prawdą; wszystkie są tylko zbiorami osobistych upodobań i uprzedzeń.

Im mniej głęboki jest system wiary, z tym większą zagorzałością opowiadają się za nim jego zwolennicy. Najbardziej krzykliwi, najbardziej fanatyczni są ci, których sklecona z byle czego wiara stoi na wyjątkowo niepewnym gruncie.

Chciałbym pokornie zasugerować, że osoba, która zabiera człowiekowi *ti bon ange* — cokolwiek to mogło być — poprzez zmuszanie do połknięcia kamienia, a następnie wypatroszenie i wyjęcie go z brzucha, jest umysłowo niezrównoważoną fanatyczką, nie funkcjonuje już w ramach klasycznej zachodniej filozofii i nie kwalifikuje się do startowania w konkursie Miss America.

Oczywiście, ponieważ mój brzuch był zagrożony przez seksowną rozpruwaczkę, możecie uznać powyższą analizę za tendencyjną. Zawsze łatwo jest oskarżać o stronniczość, kiedy to ktoś inny ma zostać wybebeszony.

Datura znalazła swoją prawdę w miszmaszu okultyzmu. Piękno, żądza władzy i bezwzględność przyciągały do niej takich ludzi jak Andre i Robert, dla których drugorzędną prawdę stanowił jej dziwaczny system magicznego myślenia, a prawdą nadrzędną była ona sama.

Gdy patrzyłem, jak niespokojnie krąży po pokoju, zastanawiałem się, ile osób pracujących w jej firmie — internetowym sex-shopie, agencji „seks przez telefon" — zostało stopniowo zastąpionych przez prawdziwych wyznawców. Inni pracownicy, ci z pustką w sercu, być może sami się nawrócili.

Zastanawiałem się, ilu mężczyznom podobnym do tych dwóch mogła zlecić morderstwo. Przypuszczałem, że choć dziwni, nie są jedyni w swoim rodzaju.

Jakie musiały być żeńskie odpowiedniki Andre i Roberta? Nie chcielibyście zostawiać z nimi dzieci, jeśli prowadziły żłobek.

Jeżeli nadarzy się okazja do ucieczki, rozbrojenia bomby, wyprowadzenia stąd Danny'ego i wydania Datury w ręce policji, zostanę znienawidzony przez jej wiernych wyznawców. Jeśli ich krąg jest mały, być może szybko się rozpadnie.

Znajdą inne systemy wiary albo wrócą do wrodzonego nihilizmu i niedługo stracę dla nich znaczenie.

Jeśli jej tryskające gotówką firmy pełniły rolę źródła kultu, będę musiał podjąć większe środki ostrożności niż przeniesienie się do nowego mieszkania i zmiana nazwiska na Odd Smith.

Jak gdyby pobudzona do działania mieczami błyskawic, które rozdzierały niebo, Datura wyjęła z wazonu garść długich czerwonych róż i machała nimi w powietrzu, dzieląc się swoimi nadprzyrodzonymi doświadczeniami.

— W Paryżu w *sous-sol* budynku, w którym po upadku Francji okupanci niemieccy urządzili komendę policji, oficer gestapo, niejaki Gessel, gwałcił i chłostał młode kobiety w trakcie przesłuchań, a kilka zabił dla przyjemności.

Szkarłatne płatki opadały z róż, gdy gwałtownymi ruchami ręki akcentowała bestialstwo Gessela.

— Jedna z najbardziej zdesperowanych ofiar walczyła... ugryzła go w szyję, rozdarła arterię szyjną. Gessel zmarł we własnej rzeźni, gdzie straszy do dziś dnia.

Zmiętoszony kwiat oderwał się od łodyżki i wylądował na moich kolanach. Przestraszony, strzepnąłem go na podłogę, jakby to była tarantula.

— Na zaproszenie obecnego właściciela budynku — mówiła Datura — odwiedziłam *sous-sol*, podziemie leżące dwa poziomy poniżej ulicy. Jeśli kobieta rozbierze się i okaże gotowość... Czułam na sobie ręce Gessela... chętne, śmiałe, pożądliwe. Wszedł we mnie. Ale nie mogłam go zobaczyć. Obiecano mi, że zobaczę prawdziwą zjawę.

Z nagłą złością rzuciła róże i obcasem zmiażdżyła kwiaty.

— Chciałam zobaczyć Gessela. Czułam go. Czułam jego siłę. Pożądanie. Nieustanny gniew. Ale nie mogłam go zobaczyć. Naoczny dowód wciąż mi umyka.

Oddychając szybko i płytko, zarumieniona nie dlatego, że zmęczyły ją gwałtowne gesty, ale ponieważ podnieciła ją złość, podeszła do Roberta, który siedział przy stole naprzeciwko mnie, i wyciągnęła do niego prawą rękę.

Podniósł jej dłoń do ust. Przez chwilę myślałem, że ją całuje, choć byłoby to dziwnie romantyczne zachowanie jak na parę obłąkańców.

Ciche cmokanie zadało kłam mojemu przypuszczeniu.

Andre odwrócił się od burzy za oknem, w którą dotąd wpatrywał się jak urzeczony. Tańczące światło świec rozjaśniło jego twarz, lecz nie zmiękczyło twardych rysów.

Zbliżył się do stołu niczym ruchoma góra. Stanął przy krześle Roberta.

Kiedy Datura trzymała w ręce trzy smukłe róże, kolce pokłuły skórę. Nie okazywała bólu, gdy smagała nimi powietrze, ale dłoń krwawiła.

Robert pewnie mógłby ssać jej rany, dopóki nie zniknie ostatni ślad smaku. Pomrukiwał z głębokiej satysfakcji.

To było niepokojące, ale wątpiłem, czy o takiej „potrzebie" mówiła Datura. Prawdziwa potrzeba miała być znacznie gorsza.

Samozwańcza bogini z perwersyjnym uśmieszkiem odmówiła Robertowi dalszej łaski i zaoferowała komunię koniowi Andre.

Próbowałem skupić się na widowisku wystawianym przez burzę za oknem, ale nie mogłem oderwać spojrzenia od mrożącej krew w żyłach sceny przy stole.

Olbrzym wtulił usta w jej dłoń. Mlaskał jak kocię, z pewnością nie szukając pożywienia, lecz pragnąc czegoś więcej niż krwi, czegoś nieznanego i nieczystego.

Gdy Cheval Andre korzystał z łaski swojej pani, Cheval Robert przypatrywał się temu pilnie. Pragnienie wykrzywiało jego twarz.

Już kiedy wszedłem do pokoju 1203, zapach Cleo-May był tak słodki, że budził odrazę. Teraz zgęstniał do tego stopnia, że zrobiło mi się niedobrze.

Gdy walczyłem z mdłościami, odniosłem wrażenie, że nie powinienem brać tego dosłownie, że to metafora, ale nie mniej niepokojąca: w czasie rytuału picia krwi Datura nie wyglądała jak kobieta, przestała być istotą o określonej płci — stała się hermafrodytą, przedstawicielem jakiegoś obupłciowego i niemal owadziego gatunku. Spodziewałem się, iż w świetle błyskawicy zobaczę, że jej ciało jest tylko naśladownictwem ludzkiego, że w rzeczywistości należy do wielonogiego, rozedrganego stworzenia.

Zabrała rękę, a Andre rozstał się z nią z niechęcią. Kiedy odwróciła się do niego plecami, posłusznie odszedł do okna, znów przyłożył dłonie płasko do szyby i utkwił wzrok w burzy.

Robert skupiał spojrzenie na świecach. Twarz miał niezwykle spokojną, ale jego oczy były żywe, pełne odbić migoczących płomyków.

Datura odwróciła się w moją stronę. Przez chwilę miała taką minę, jakby nie pamiętała, kim jestem. Potem się uśmiechnęła.

Podniosła kieliszek i podeszła.

214

Gdybym wiedział, że zamierza usiąść mi na kolanach, zerwałbym się na równe nogi, gdy okrążała stół. Ale zanim jej zamiary stały się jasne, było za późno.

Ciepły oddech, omywający moją twarz, pachniał winem.

— Widziałeś okazję, z jakiej mógłbyś skorzystać?

— Jeszcze nie.

— Chcę, żebyś napił się ze mną — powiedziała, przysuwając kieliszek do moich ust.

34

Trzymała wino w ręce pokłutej przez kolce, w ręce, którą ssało dwóch mężczyzn.

Wezbrała we mnie kolejna fala mdłości i odsunąłem głowę od chłodu krawędzi kieliszka.

— Napij się ze mną — powtórzyła gardłowym głosem, powabnym nawet w tych okolicznościach.

— Nie chcę.

— Chcesz, misiaczku. Tylko nie wiesz, że chcesz. Sam siebie nie rozumiesz.

Przycisnęła szkło do moich ust, a ja odwróciłem głowę.

— Biedny Odd Thomas — powiedziała. — Tak bardzo boisz się zepsucia. Czy uważasz, że jestem obrzydliwa?

Otwarte obrażanie jej mogło nie wyjść na dobre Danny'emu. Już mnie tu zwabiła, miała więc z niego pewien pożytek. Mogła ukarać mnie za obrazę, wciskając czarny guzik pilota.

— Łatwo się przeziębiam, to wszystko — odparłem kulawo.

— Ale ja nie jestem przeziębiona.

— Ha, nigdy nie wiadomo. Może jesteś, tylko jeszcze nie masz objawów.

— Zażywam jeżówkę. Ty też powinieneś. Wtedy nigdy się nie przeziębisz.

— Nie znam się na ziołowych lekach.

Zarzuciła mi lewą rękę na szyję.

— Wielkie firmy farmaceutyczne zrobiły ci pranie mózgu.

— Masz rację. Pewnie tak.

— Wielkie koncerny farmaceutyczne, paliwowe, tytoniowe, medialne każdemu włażą do głowy. Zatruwają nas. Nie potrzebujesz chemikaliów. Natura ma leki na wszystko.

— Brugmansja jest wyjątkowo skuteczna — przyznałem. — Mógłbym zastosować teraz liść brugmansji. Albo kwiat. Albo korzeń.

— Nie znam tej rośliny.

Pod bukietem caberneta sauvignon w jej oddechu wyczułem inny zapach, surowy, niemal gorzki, trudny do zidentyfikowania.

Czytałem kiedyś, że u pewnych psychopatów pot i oddech mają nieznaczny, ale charakterystyczny chemiczny zapach, który jest skutkiem pewnych procesów fizjologicznych towarzyszących tego rodzaju zaburzeniom umysłowym. Może jej oddech miał zapach obłędu.

— Łyżka białej gorczycy — powiedziała — uchroni cię przed wszelką krzywdą.

— Szkoda, że nie mam łyżki.

— Zjedzenie korzenia żeń-szenia uczyni cię bogatym.

— Brzmi lepiej niż ciężka praca.

Znowu przycisnęła kieliszek do moich ust, a kiedy próbowałem odsunąć głowę, przytrzymała mnie ręką za szyję.

Kiedy odwróciłem głowę w bok, odsunęła kieliszek i zaskoczyła mnie, wybuchając śmiechem.

— Wiem, że jesteś *mundunugu*, ale doskonale udajesz szarą myszkę.

Nagła zmiana wiatru rzuciła odłamkami deszczu w szyby. Datura pokręciła zadkiem na moich kolanach, uśmiechnęła się i pocałowała mnie w czoło.

— Używanie ziołowych leków nie jest głupie, Oddzie Thomasie. Nie jesz mięsa, prawda?

— Jestem kucharzem specjalizującym się w smażonych daniach.

— Wiem, że je przyrządzasz, ale błagam, tylko mi nie mów, że jesz.

— Nawet cheeseburgery z bekonem.

— To takie autodestrukcyjne.

— I frytki — dodałem.

— Samobójcze.

Pociągnęła wina z kieliszka i splunęła mi nim w twarz.

— Co ci przyszło ze stawiania oporu, misiaczku? Datura zawsze znajdzie sposób. Mogę cię złamać.

Nie, jeśli mojej matce się to nie udało, pomyślałem, wycierając twarz lewą ręką.

— Andre i Robert mogą cię przytrzymać — mówiła — podczas gdy ja zacisnę ci nos. Kiedy otworzysz usta, żeby nabrać powietrza, wleję ci wino do gardła. Potem rozbiję kieliszek o twoje zęby, a ty będziesz mógł przeżuć kawałki. Czy wolisz taki sposób?

Bez wątpienia niektórzy mężczyźni widzieli ekscytujący błękitny ogień w jej oczach, ale mylnie brali go za namiętność; jej spojrzenie było zimne i wygłodniałe jak u krokodyla.

Wpatrując się w moje oczy, powiedziała:

— Mówiłeś, że nikt poza tobą nie może ich zobaczyć.

— Strzegę swoich sekretów.

— Możesz więc wywołać te duchy?

— Tak — skłamałem.

— Wiedziałam. Wiedziałam.

— Martwi rzeczywiście są tutaj, jak mówiłaś.

Rozejrzała się. Cienie drżały w migotliwym blasku świec.

— Nie w tym pokoju — dodałem.

— Zatem gdzie?

— Na dole. Widziałem kilku wcześniej w kasynie.

Podniosła się z moich kolan.

— Wywołaj ich tutaj.

— Błąkają się tam, gdzie chcą.

— Masz moc, żeby ich wezwać.

— To nie działa w ten sposób. Są wyjątki, ale w większości trzymają się miejsca, w którym zmarli... albo gdzie byli najszczęśliwsi za życia.

Odstawiając kieliszek na stół, zapytała:

— Jaką sztuczkę chowasz w rękawie?

— Noszę koszulkę z krótkimi rękawami.

Zmrużyła oczy.

— Co to znaczy?

Wstałem z krzesła.

— Gessel, ten agent gestapo, czy kiedykolwiek objawił się gdzieś poza piwnicą budynku w Paryżu? Gdzieś poza miejscem, w którym umarł?

Namyślała się przez chwilę.

— W porządku. Idziemy do kasyna.

35

Dla ułatwienia eksploracji porzuconego hotelu zabrali ze sobą lampy gazowe Colemana. Odpierały ciemność skuteczniej niż latarki.

Andre zostawił strzelbę na podłodze przy oknie pokoju 1203, co mnie przekonało, że obaj z Robertem mają pistolety pod wierzchnimi okryciami.

Pilot został na stole. Jeśli moje czary-mary w kasynie nie zadowolą Datury, przynajmniej nie będzie mogła od razu zlikwidować Danny'ego. Będzie musiała wrócić po pilota, żeby spowodować wybuch.

Już mieliśmy wyjść z pokoju, gdy przypomniała sobie, że od wczoraj nie jadła banana. To przeoczenie wyraźnie ją zatroskało.

Piknikowe lodówki z jedzeniem i piciem stały w przyległej łazience. Wróciła stamtąd z przepięknym okazem banana Chiquita.

W trakcie obierania owocu wyjaśniła, że bananowiec —

„jak wiesz, Oddzie Thomasie" — był zakazanym drzewem w rajskim ogrodzie.

— Myślałem, że jabłoń.

— Skoro chcesz, możesz dalej strugać głupka.

Choć była pewna, iż wiem, powiedziała mi również, że Wąż (wielką literą) żyje wiecznie, bo dwa razy dziennie zjada owoc bananowca. I że każdy wąż (małą literą) przeżyje tysiąc lat, jeśli będzie przestrzegał tej diety.

— Ale ty nie jesteś wężem — zauważyłem.

— W wieku dziewiętnastu lat zrobiłam *wanga*, żeby zwabić ducha węża z jego ciała do mojego — oświeciła mnie. — Jestem pewna, że widzisz, jak skręca się wśród moich żeber, gdzie będzie żyć wiecznie.

— W każdym razie przez tysiąc lat.

W porównaniu z jej niespójną teologią — zaczerpniętą z voodoo i Bóg tylko wie z czego jeszcze — brednie głoszone przez Jima Jonesa w Gujanie, Davida Koresha w Waco i przywódcę kultu komety, którego wyznawcy popełnili zbiorowe samobójstwo w pobliżu San Diego, brzmiały całkiem rozsądnie.

Choć spodziewałem się, że zrobi z jedzenia banana erotyczne przedstawienie, spożywała owoc z ponurą determinacją. Przeżuwała kęsy bez widocznej przyjemności i przełykając, kilka razy się skrzywiła.

Przypuszczam, że miała dwadzieścia pięć, dwadzieścia sześć lat. Być może podlegała reżimowi zjadania dwóch bananów dziennie od siedmiu lat.

Mając za sobą ponad pięć tysięcy bananów, mogła, co zrozumiałe, stracić do nich upodobanie — zwłaszcza jeśli policzyła, ile musi ich zjeść w przyszłości. Ponieważ miała

221

przeżyć jeszcze dziewięćset siedemdziesiąt cztery lata (jako wąż małą literą), czekało ją zjedzenie około siedmiuset dziesięciu tysięcy bananów.

Uznałem, że znacznie łatwiej jest być katolikiem. Zwłaszcza takim, który nie co tydzień chodzi do kościoła.

Wiele przekonań Datury było głupich, nawet żałosnych, ale głupota i ignorancja nie czyniły jej mniej niebezpieczną. Na przestrzeni dziejów głupcy i ich zwolennicy, z uporem hołdujący życiu w ciemnocie, lecz zakochani w sobie i swojej władzy, wymordowali miliony ludzi.

Kiedy zjadła banana i uspokoiła ducha węża między żebrami, byliśmy gotowi do wizyty w kasynie.

Przestraszyły mnie jakieś dziwne drgania w okolicach krocza, więc wsunąłem rękę do kieszeni. Dopiero wtedy zrozumiałem, że to telefon satelitarny Terri Stambaugh.

Datura spostrzegła, co robię, i zapytała:

— Co tam masz?

Nie miałem wyboru, musiałem wyjawić prawdę.

— Tylko telefon. Musiałem nastawić go na wibrowanie zamiast na dzwonienie. Przestraszył mnie.

— Wciąż wibruje?

— Tak. — Podniosłem aparat na dłoni i patrzyliśmy na niego przez chwilę, dopóki dzwoniący nie zrezygnował. — Przestał.

— Zapomniałam o twoim telefonie. Chyba nie powinniśmy ci go zostawiać.

Nie miałem wyjścia, oddałem telefon.

Zabrała go do łazienki, z całej siły uderzyła nim w blat umywalki i jeszcze poprawiła.

Po powrocie powiedziała z uśmiechem:

— Kiedyś wybraliśmy się do kina i jakiś idiota dwa razy odebrał telefon w czasie seansu. Później poszliśmy za nim i Andre złamał mu obie nogi kijem baseballowym.

To świadczyło, że czasami nawet najbardziej źli ludzie nie są pozbawieni społecznej wrażliwości.

— Idziemy — zarządziła.

Wszedłem do pokoju 1203 z latarką. Wyszedłem z latarką — wyłączoną, przypiętą do paska — i nikt nie miał zastrzeżeń.

Robert z lampą Colemana poprowadził nas do najbliższych schodów i ruszył na czele procesji. Andre zamykał tyły z drugą lampą.

Datura i ja schodziliśmy po szerokich schodach pomiędzy wielkimi ponurymi mężczyznami nie gęsiego, ale ramię w ramię, bo tak sobie życzyła.

W drodze z jedcnastego piętra na podest usłyszałem złowieszczy syk. Niemal uwierzyłem, że to głos ducha węża, którego nosiła w sobie Datura. Po chwili zrozumiałem, że słyszę szum gazu płonącego w koszyczkach lamp.

Za podestem złapała mnie za rękę. Wyrwałbym się ze wstrętem, gdybym nie pomyślał, że może kazać Andre, aby za karę uciął mi rękę w nadgarstku.

Jednak nie tylko strach powstrzymał mnie od odtrącenia jej dłoni. Nie chwyciła mojej ręki zuchwale, lecz ujęła ją z wahaniem, niemal nieśmiało, a potem trzymała mocno jak dziecko, które bierze udział w przygodzie z dreszczykiem.

Nie postawiłbym na twierdzenie, że ta obłąkana, zepsuta kobieta zachowała odrobinę niewinności dziecka, jakim kiedyś musiała być. A jednak uległa ufność, z jaką wsunęła dłoń w moją rękę, wraz z drżeniem przebiegającym ją na myśl o tym, co miało się stać, sugerowała dziecięcą bezbronność.

W upiornym świetle, które tworzyło wokół niej niemal nadprzyrodzoną aurę, popatrzyła na mnie oczami roziskrzonymi z zachwytu. To nie było zwykłe spojrzenie Meduzy; brakowało w nim charakterystycznego głodu i wyrachowania.

Również jej uśmiech, pozbawiony szyderstwa czy groźby, wyrażał naturalne, głębokie zadowolenie z udziału w śmiałym konspiracyjnym przedsięwzięciu.

Przestrzegłem sam siebie przed niebezpieczeństwem, jakie w tym przypadku wiązało się z rozbudzaniem w sobie współczucia. Jakże łatwo byłoby dopuścić myśl o traumach dzieciństwa, które uczyniły z niej amoralnego potwora, a potem wmówić sobie, że można je zrównoważyć — i odwrócić ich skutki — samą dobrocią.

Może wcale nie została ukształtowana przez traumy. Może taka się urodziła, bez genu empatii oraz innych podstawowych cech ludzkich. W takim wypadku każdy życzliwy gest zinterpretowałaby jako wyraz słabości. Wśród drapieżnych bestii okazanie słabości jest zaproszeniem do ataku.

Poza tym, jeśli nawet ukształtowały ją traumatyczne przeżycia, nie usprawiedliwiało to zamordowania doktora Jessupa.

Przypomniałem sobie pełnego pogardy i ubolewania dla rodzaju ludzkiego przyrodnika, który postanowił nakręcić film dokumentalny o moralnej wyższości zwierząt, szczególnie niedźwiedzi. Dostrzegał u nich nie tylko nieosiągalną dla człowieka umiejętność harmonijnego współżycia z naturą, lecz również pewną filuterność, godność, współczucie

224

dla innych zwierząt, a nawet mistycyzm, który uznał za poruszający i uczący pokory. Zjadł go niedźwiedź.

Zanim zdołałem rozproszyć mgłę iluzji podobną do tej, jaka spowijała pożartego przyrodnika, i zanim jeszcze pokonaliśmy trzy zakręty schodów, Datura sama przywiodła mnie do rozsądku, opowiadając kolejną ze swoich urokliwych anegdotek. Lubiła brzmienie własnego głosu tak bardzo, że szybko psuła dobre wrażenie, jakie wywierał jej uśmiech i milczenie.

— W Port-au-Prince, jeśli szanowany adept *juju* weźmie cię pod ochronę, możesz wziąć udział w ceremonii jednego z zakazanych tajnych stowarzyszeń odrzucanych przez większość wyznawców voodoo. W moim przypadku byli to Couchon Gris, „Szare Świnie". W wiejskich okolicach rządzą nocą i wszyscy na wyspie śmiertelnie się ich boją.

Podejrzewałem, że Szare Świnie mają niewiele wspólnego z Armią Zbawienia.

— Od czasu do czasu składają ofiary z ludzi i jedzą ludzkie mięso. Goście mogą to tylko obserwować. Ofiara jest składana na masywnym kamiennym bloku, który na dwóch grubych łańcuchach zwisa z wielkiej żelaznej belki osadzonej pod sufitem.

Mimowolnie zacisnęła rękę, rozpamiętując tę makabrę.

— Poświęcana osoba otrzymuje cios nożem prosto w serce i w tej samej chwili łańcuchy zaczynają śpiewać. *Gros bon ange* natychmiast umyka z tego świata, natomiast *ti bon ange*, zatrzymany przez ceremonię, może tylko przesuwać się w górę i w dół po łańcuchach.

Moja ręka zrobiła się wilgotna i zimna.

Wiedziałem, że Datura musiała to zauważyć.

Znów poczułem lekki, niepokojący zapach, który odkryłem wcześniej, gdy rozważałem pomysł wejścia po tych schodach. Piżmowy, grzybowy, dziwnie przypominający woń surowego mięsa.

Jak wcześniej ujrzałem w wyobraźni martwą twarz człowieka, którego ciało wyciągnąłem z wody w burzowcu.

— Kiedy wsłuchasz się w śpiew łańcuchów — kontynuowała Datura — zrozumiesz, że to nie tylko dźwięk skręcających się, trących o siebie ogniw. W łańcuchach brzmi głos, zawodzenie strachu i rozpaczy, gorące błaganie bez słów.

Bez słów błagałem ją, żeby się zamknęła.

— Ten udręczony głos nie milknie, gdy Couchon Gris spożywają kawałki mięsa przy ołtarzu, co zwykle trwa pół godziny. Potem łańcuchy natychmiast przestają śpiewać, bo *ti bon ange* się rozprasza, wchłonięty przez wszystkich tych, którzy jedli ciało ofiary.

Byliśmy już pomiędzy pierwszym i drugim piętrem. Nie chciałem słuchać tej historii, ale uznałem, że jeśli jest prawdziwa — wierzyłem, że jest — ofiara zasługiwała na szacunek i nie powinno się mówić o niej tak, jakby była tylko tuczonym cielakiem.

— Kto? — zapytałem cienkim głosem.

— Co kto?

— Ofiara. Kto to był tamtej nocy?

— Haitańska dziewczyna. Około osiemnastu lat. Niezbyt ładna. Pospolita. Ktoś powiedział, że była szwaczką.

Moja prawa ręka nagle osłabła i z ulgą poczułem, że dłoń Datury się z niej wysunęła.

Uśmiechnęła się do mnie z rozbawieniem. Była fizycznie

perfekcyjna pod prawie każdym względem, a jej piękno —
lodowate czy nie — zawsze i wszędzie musiało przyciągać
spojrzenia.

Przyszły mi na myśl słowa Szekspira: „Jak czarną duszę
człowiek nieraz zdoła chować pod jasną postacią anioła"*.

Mały Ozzie, mój literacki mentor, który rozpacza, że
nie jestem oczytany w klasykach, byłby dumny, iż wiernie
i w odpowiedniej sytuacji zacytowałem nieśmiertelnego
barda.

Pewnie wygłosiłby również kazanie na temat głupoty
mojej awersji do broni palnej w świetle faktu, że wkręciłem
się w towarzystwo, dla którego rozrywką jest nie sztuka na
Broadwayu, lecz składanie ofiar z ludzi.

Gdy schodziliśmy po ostatnich stopniach, Datura powiedziała:

— To było fascynujące doświadczenie. Głos w łańcuchach brzmiał dokładnie tak samo jak głos tej małej szwaczki, gdy jeszcze żywa leżała na tamtym czarnym kamieniu.

— Miała imię?

— Kto?

— Szwaczka.

— Czemu pytasz?

— Czy miała imię?

— Na pewno. Jedno z tych zabawnych haitańskich imion.
Nigdy go nie poznałam. Rzecz w tym, że jej *ti bon ange* nie
zmaterializował się w żaden sposób. Chciałam to zobaczyć,
ale nie było niczego do zobaczenia. Ta część sprawiła mi
zawód. Chcę zobaczyć.

---

* *Miarka za miarkę*, tłum. Leon Ulrich

Za każdym razem, gdy mówiła „chcę zobaczyć", przypominała nadąsane dziecko.

— Ty nie sprawisz mi zawodu, prawda, Oddzie Thomasie?

— Nie.

Dotarliśmy na parter. Robert wciąż szedł pierwszy, trzymając lampę wyżej niż na schodach.

W drodze do kasyna zwracałem uwagę na układ wypalonych przestrzeni i zwęglonych szczątków, zapamiętując go najdokładniej, jak potrafiłem.

36

W pozbawionym okien kasynie sympatyczny łysiejący mężczyzna wciąż siedział przy stole do blackjacka, od pięciu lat czekając na kolejne rozdanie.

Uśmiechnął się do mnie i kiwnął głową, ale na Daturę i jej chłopców popatrzył z niechęcią.

Na moją prośbę Andre i Robert postawili lampy na podłodze w odległości jakichś sześciu metrów. Poprosiłem o kilka poprawek — jedną trzydzieści centymetrów w tę stronę, drugą piętnaście w lewo — jakby precyzyjne rozmieszczenie lamp było istotne dla rytuału, który zmierzałem odprawić. Wszystko to robiłem z myślą o Daturze, aby ją przekonać, że wywoływanie duchów jest procesem wymagającym cierpliwości.

Dalsze części ogromnej sali skrywał mrok, ale środek był dostatecznie oświetlony dla mojego cclu.

— W kasynie zginęły sześćdziesiąt cztery osoby — powiedziała Datura. — W niektórych miejscach panowała tak wysoka temperatura, że spaliły się nawet kości.

Cierpliwy gracz w blackjacka był jedynym duchem w polu widzenia. Inni — wszyscy ci zwlekający po tej stronie śmierci — też się mieli wkrótce pojawić.

— Misiaczku, spójrz na te stopione automaty. Kasyna zawsze się reklamują, że mają gorące maszyny. Trzeba przyznać, że tym razem nie wciskali kitu.

Z ośmiu duchów, które widziałem tu poprzednio, tylko jeden mógł spełnić moje oczekiwania.

— Były tam zwłoki pewnej starszej kobiety. Trzęsienie ziemi przewróciło rząd automatów i znalazła się w pułapce.

Nie chciałem słuchać makabrycznych szczegółów, ale wiedziałem, że nie odwiodę Datury od ich opisywania, i to w obrazowy sposób.

— Ciało stopiło się z metalem i plastikiem, więc koroner nie mógł wydobyć go w całości.

Pod złagodzonym przez czas swędem spalenizny, siarki i niezliczonych toksycznych wyziewów wyczułem ni to grzybowy, ni to mięsny odór z klatki schodowej. Trudny do określenia, ale na pewno nie wyobrażony, nasilał się i zanikał przy każdym oddechu.

— Koroner uznał, że starą dziwkę należy poddać kremacji, skoro ogień już odwalił połowę roboty. Poza tym był to jedyny sposób na oddzielenie jej od stopionej maszyny.

Z cieni wyszła starsza pani o pociągłej twarzy i nieobecnym spojrzeniu. Może to ona została uwięziona pod szeregiem jednorękich bandytów.

— Ale rodzina... nie zgodzili się na kremację, zależało im na tradycyjnym pochówku.

Coś się poruszyło na skraju pola widzenia. Odwróciłem się i zobaczyłem kelnerkę w stroju indiańskiej księżniczki.

Jej widok mnie zasmucił. Miałem nadzieję, że w końcu odeszła.

— Tak więc trumna zawierała część automatu, z którym baba została zespawana. Jakieś świry czy co?

Wszedł umundurowany strażnik. Trochę przypominał Johna Wayne'a, gdy kroczył z ręką na broni u biodra.

— Są? — zapytała Datura.

— Tak. Czworo.

— Niczego nie widzę.

— W tej chwili objawiają się tylko mnie.

— Pokaż mi.

— Powinien przyjść jeszcze jeden. Zaczekam, dopóki wszyscy się nie zbiorą.

— Dlaczego?

— Bo po prostu tak to jest.

— Tylko nie próbuj mnie kantować — ostrzegła.

— Dostaniesz, co chcesz — zapewniłem ją.

Opanowanie Datury zamieniło się w wyraźne podniecenie i niespokojne oczekiwanie, natomiast Andre i Robert okazywali entuzjazm dwóch głazów. Każdy stał przy swojej latarni i czekał.

Andre wlepiał oczy w mrok za kręgiem światła. Nie wyglądało na to, że przygląda się czemuś z tego świata. Miał rozluźnione rysy. Rzadko mrugał. Jak dotąd okazał emocje tylko w trakcie ssania pokłutej przez kolce dłoni Datury, ale nawet wtedy jego zdolność do manifestowania uczuć równała się tej, jaką wykazuje przeciętny pień dębu.

Podczas gdy Andre sprawiał wrażenie zakotwiczonego na spokojnych wodach, ukradkowe spojrzenia Roberta od czasu do czasu zdradzały, że żegluje po lekko rozkołysanym wewnętrznym morzu. W tej chwili jego uwagę zaprzątały ręce, gdy paznokciami lewej czyścił paznokcie prawej, powoli, metodycznie, z przyjemnością — pewnie mógł robić to godzinami.

Z początku uznałem, że obaj egzystują po głupiej stronie tępoty, jednak zacząłem zmieniać zdanie. Przypuszczałem, że ich życie wewnętrzne nie obfituje w rozważania natury intelektualnej i filozoficznej, ale byli znacznie bardziej rozwinięci umysłowo, niż się wydawało.

Może spędzili z Daturą wiele lat i tyle razy wspólnie polowali na duchy, że w końcu nadprzyrodzone zjawiska przestały ich bawić. Nawet najbardziej egzotyczne wycieczki mogą stać się nudne wskutek powtarzania.

Nic dziwnego, że po latach słuchania trajkoczącej Datury uciekali w milczenie, zamykali się w redutach wewnętrznego spokoju, po których jej nieustanna obłąkańcza paplanina po prostu spływała.

— W porządku, czekasz na piątego ducha — powiedziała, skubiąc moją koszulkę. — Ale opowiedz mi o tych, które już tu są. Gdzie są? Kim są?

Aby ją uspokoić i przestać się martwić, że nie przyjdzie zmarły mężczyzna, którego najbardziej chciałem zobaczyć, opisałem hazardzistę przy stole do blackjacka, jego miłą twarz, pełne usta i brodę z dołeczkiem.

— Wygląda tak samo, jak przed pożarem? — zapytała.

— Owszem.

— Kiedy wywołasz go dla mnie, chcę zobaczyć jedno i drugie, jaki był za życia i co zrobił z nim ogień.

— Nie ma sprawy — zgodziłem się, ponieważ nigdy nie uwierzyłaby, że nie potrafię tego dokonać.

— Chcę zobaczyć, co ogień zrobił im wszystkim. Ich rany, ich cierpienie.

— W porządku.

— Kto jeszcze?

Po kolei wskazywałem, gdzie stali: starsza kobieta, ochroniarz, kelnerka.

Datura zainteresowała się tylko kelnerką.

— Powiedziałeś, że była brunetką. Włosy miała ciemne czy czarne?

Uważniej przyjrzałem się zjawie, która przysunęła się do nas.

— Czarne. Krucze włosy.

— Szare oczy?

— Tak.

— Słyszałam o niej pewną historię — oznajmiła Datura z zapałem, który przyprawił mnie o ciarki.

Młoda kelnerka podeszła jeszcze bliżej, skupiając uwagę na Daturze, i zatrzymała się parę kroków od nas.

Mrużąc oczy, próbując zobaczyć ducha, ale patrząc w bok od niego, Datura zapytała:

— Dlaczego się błąka?

— Nie wiem. Zmarli nie mówią do mnie. Kiedy rozkażę, żeby się ukazali, może ty zdołasz nakłonić ich do mówienia.

Omiotłem wzrokiem cienie kasyna, wypatrując wysokiego, barczystego mężczyzny o ostrzyżonych na jeża włosach. Nie zobaczyłem go, a on był moją jedyną nadzieją.

Datura powiedziała:

— Zapytaj tę dziewczynę, czy nazywała się... Maryann Morris.

Zaskoczona kelnerka przysunęła się i położyła rękę na

ramieniu Datury, która niczego nie zauważyła, bo tylko ja czuję dotyk zmarłych.

— Tak, na pewno — powiedziałem. — Zareagowała na nazwisko.

— Gdzie ona jest?

— Wprost przed tobą, na wyciągnięcie ręki.

Jak udomowione zwierzę, które nagle wraca do życia na łonie natury, Datura rozdęła delikatne nozdrza, w jej oczach rozbłysło dzikie podniecenie, a rozchylone wargi odsłoniły białe zęby jakby w oczekiwaniu krwawej zabawy.

— Wiem, dlaczego Maryann nie może odejść. Mówili o niej w wiadomościach. Miała dwie siostry. Obie pracowały tutaj.

— Kiwa głową — powiedziałem i natychmiast pożałowałem, że pośredniczę w tym spotkaniu.

— Założę się, że Maryann nie wie, co się stało z jej siostrami, czy żyją, czy zginęły. Nie odejdzie, póki się tego nie dowie.

Zatroskanie na twarzy ducha połączone z nieśmiałą nadzieją świadczyło, że Datura odgadła powód ociągania się Maryann. Nie chcąc jej zachęcać, nie potwierdziłem trafności tego spostrzeżenia.

Nie potrzebowała mojej zachęty.

— Jedna siostra, kelnerka, pracowała tamtej nocy w sali balowej.

Sala balowa Fortuna. Zarwany sufit. Miażdżący, najeżony szpikulcami ciężar wielkiego żyrandola.

— Druga siostra pracowała jako hostessa w głównej restauracji. Maryann wykorzystała swoje kontakty, żeby załatwić im tę pracę.

234

Jeśli była to prawda, kelnerka koktajlowa mogła się czuć odpowiedzialna za to, że jej siostry przebywały w Panamint w czasie trzęsienia ziemi. Gdy usłyszy, że przeżyły, prawdopodobnie zrzuci łańcuchy, które łączyły ją z tym światem, z tymi ruinami.

Nawet jeśli siostry zginęły, prawda powinna uwolnić ją od czyśćca, na który sama się skazała. Poczucie winy być może wzrośnie, ale zwycięży nadzieja spotkania z ukochanymi osobami w następnym świecie.

Kiedy zamiast zwykłego zimnego wyrachowania czy dziecięcego zdumienia, które na krótko rozjaśniło oczy Datury w czasie schodzenia z jedenastego piętra, zobaczyłem na jej twarzy gorycz i złośliwość, podkreślającą wyraz zdziczenia, poczułem nie mniejsze mdłości niż wtedy, gdy zakrwawioną ręką przyciskała kieliszek do moich ust.

— Zbłąkanych zmarłych łatwo jest zranić — ostrzegłem. — Winniśmy im prawdę, tylko prawdę, ale musimy ich pocieszać i zachęcać do odejścia tym, co mówimy i jak to mówimy.

Słuchając własnego głosu, zrozumiałem, że wszelkie próby nakłonienia Datury do okazania współczucia są bezcelowe.

Zwracając się bezpośrednio do niewidzialnego dla niej ducha, powiedziała:

— Twoja siostra Bonnie żyje.

Zobaczyłem, że twarz Maryann Morris rozjaśnia się nadzieją.

Datura mówiła dalej:

— Półtoratonowy żyrandol złamał jej kręgosłup. Zgniótł ją na miazgę. Wybił oczy, zmiażdżył...

— Co ty robisz? Nie rób tego — poprosiłem.

— Bonnie jest sparaliżowana od szyi w dół i ślepa. Żyje z zasiłku w podrzędnym domu opieki, gdzie pewnie umrze z powodu zaniedbanych odleżyn.

Chciałem uciszyć Daturę, nawet gdybym musiał ją uderzyć, i być może chciałem ją uciszyć po części dlatego, że miałbym wtedy powód, aby ją uderzyć.

Andre i Robert, jak gdyby wyczuli moje pragnienie, patrzyli na mnie czujnie, gotowi w każdej chwili wkroczyć do akcji.

Choć strzelenie Datury w zęby warte byłoby lania, jakie spuściłoby mi tych dwóch zbirów, przypomniałem sobie, że przyszedłem tutaj dla Danny'ego. Kelnerka nie żyła, ale mój przyjaciel o kruchych kościach miał szansę przeżyć. Moje zadanie polegało na zapewnieniu mu tej szansy.

Datura dalej mówiła do ducha, którego nie mogła zobaczyć:

— Twoja druga siostra, Nora, miała poparzone osiemdziesiąt procent powierzchni ciała, ale przeżyła. Trzy palce jej lewej ręki zostały spalone. Włosy i znaczna część twarzy także, Maryann. Straciła jedno ucho. Usta. Nos. Spalone do cna.

Odwróciłem oczy, bo patrzenie na znękaną kelnerkę było nie do zniesienia. W żaden sposób nie mógłbym jej pocieszyć po tej zajadłej napaści.

Oddychając szybko i płytko, Datura wpuszczała do serca wilka, który gnieździł się w jej kościach. Słowa były zębami, okrucieństwo pazurami.

— Nora przeszła trzydzieści sześć operacji, a czekają ją kolejne: przeszczepy skóry, rekonstrukcja twarzy, wszystkie bolesne i nużące. I wciąż wygląda koszmarnie.

— Zmyślasz — wtrąciłem.

— Akurat. Jest szkaradna. Rzadko kiedy wychodzi, a jeśli już, to zakłada kapelusz i okręca szalem swoją odrażającą twarz, żeby nie straszyć dzieci.

Ta agresywna radość z zadawania psychicznego cierpienia, ta niewytłumaczalna gorycz ujawniła, że idealna twarz nie tylko przeczy naturze Datury, ale w rzeczywistości jest maską. Im dłużej trwał atak na biedną kelnerkę, tym mniej nieprzejrzysta stawała się maska i tym wyraźniej można było zobaczyć ukrytą pod nią pełną złości brzydotę. Lon Chaney z Upiora w Operze wydawałby się przy niej słodki i łagodny jak owieczka.

— Ty, Maryann, w porównaniu z nimi wywinęłaś się tanim kosztem. Twój ból się skończył. Możesz stąd odejść w dowolnej chwili. Ale twoje siostry, ponieważ przebywały tutaj w czasie trzęsienia ziemi, będą cierpiały przez długie lata, do końca swojego żałosnego życia.

Siła podsycanego przez Daturę bezzasadnego poczucia winy miała przykuć udręczoną duszę do tych zgliszcz na następnych dziesięć albo sto lat.

— Wkurzam cię, Maryann? Czy nienawidzisz mnie za to, że powiedziałam ci, jakimi bezradnymi, zepsutymi zabawkami stały się twoje siostry?

— To wstrętne, podłe i nie zadziała. To wszystko na nic — oświadczyłem.

— Wiem, co robię, misiaczku. Zawsze dokładnie wiem, co robię.

— Ona nie jest taka jak ty. Ona nie nienawidzi, więc nie możesz jej rozwścieczyć.

— Wszyscy nienawidzą — odparła i obrzuciła mnie

237

morderczym spojrzeniem, które obniżyło temperaturę mojej krwi. — Nienawiść napędza świat. Zwłaszcza w przypadku dziewczyn w rodzaju Maryann. One nienawidzą najlepiej ze wszystkich.

— A co ty wiesz o takich dziewczynach? — zapytałem z pogardą, ze złością. I sam odpowiedziałem na swoje pytanie: — Nic. Nie wiesz nic o kobietach takich jak ona.

Andre zrobił krok w naszą stronę, a Robert łypnął na mnie spode łba.

— Widziałam twoje zdjęcie w gazetach, Maryann — podjęła Datura. — Tak, zebrałam informacje, zanim tu przyszłam. Zaznajomiłam się z twarzami wielu ludzi, którzy tu umarli, żeby móc ich rozpoznać, jeśli... kiedy mój nowy chłopiec, mój mały dziwak pozwoli mi ich zobaczyć. To będzie niezapomniane przeżycie.

Wysoki, barczysty facet z włosami ostrzyżonymi na jeża i głęboko osadzonymi oczami koloru żółci wreszcie się zjawił, ale rozkojarzony bezlitosnym atakiem Datury na kelnerkę, nie spostrzegłem jego spóźnionego przybycia. Zobaczyłem go, gdy nagle przysunął się bliżej.

— Widziałam twoje zdjęcie, Maryann — powtórzyła Datura. — Byłaś ładna, lecz nie piękna. Dość ładna, żeby mężczyźni cię wykorzystywali, ale nie dość ładna, żebyś ty mogła wykorzystywać ich dla własnych celów.

Ósmy duch kasyna, stojący nie dalej niż trzy metry od nas, wyglądał na równie wściekłego jak wcześniej. Zaciśnięte szczęki. Zaciśnięte pięści.

— „Ładna" nie wystarczy — mówiła Datura. — Uroda szybko przemija. Gdybyś nie umarła, twoje życie byłoby pasmem rozczarowań urozmaiconym przez kelnerowanie.

Ostrzyżony podszedł i zatrzymał się może metr za plecami wstrząśniętego ducha Maryann Morris.

— Przyszłaś do tej pracy z wielkimi nadziejami — powiedziała Datura — ale znalazłaś się w ślepym zaułku i szybko zrozumiałaś, że jesteś nieudacznikiem. Kobiety takie jak ty zwracają się o pomoc do sióstr, do przyjaciół, i w ten sposób urządzają sobie życie. Ale ty... ty zawiodłaś nawet siostry, prawda?

Jedna z lamp Colemana pojaśniała wyraźnie, przygasła i znów pojaśniała — cienie odskoczyły, przyskoczyły i jeszcze raz odskoczyły.

Andre i Robert ponuro spojrzeli na lampę, popatrzyli jeden na drugiego, a potem rozejrzeli się po sali, zaintrygowani.

37

— Zawiodłaś swoje siostry — powtórzyła Datura — swoje sparaliżowane, ślepe, oszpecone siostry. Jeśli to nieprawda, jeśli gadam bzdury, pozwól mi się zobaczyć, Maryann. Pokaż się, staw mi czoło, pokaż, co zrobił z tobą ogień. Pokaż się i przestrasz mnie.

Nie potrafię wywołać duchów w postaci na tyle materialnej, aby ktokolwiek mógł je zobaczyć, ale miałem nadzieję, iż Ostrzyżony ze swoim wysokim potencjałem poltergeista urządzi przedstawienie, które nie tylko rozbawi Daturę i jej pomagierów, ale rozproszy ich uwagę na tyle, że zdołam uciec.

Problem polegał na tym, jak podsycić tlący się gniew do tego stopnia, by zamienił się w wybuch wściekłości potrzebny do zasilenia poltergeista. Wyglądało na to, że Datura rozwiąże za mnie ten problem.

— Nie pomogłaś siostrom — zadrwiła. — Ani przed trzęsieniem ziemi, ani w czasie, ani po, nigdy.

Kelnerka schowała twarz w dłoniach i spokojnie znosiła

jadowite oskarżenia, natomiast Ostrzyżony patrzył na Daturę z miną wskazującą, że zaraz wybuchnie.

Wiązała go z Maryann Morris przedwczesna śmierć oraz niemożność odejścia w zaświaty, ale nie wiem, czy wpadł we wściekłość dlatego, że poczuł się obrażony w jej imieniu. Nie sądzę, aby te pozostawione własnemu losowi duchy miały jakieś poczucie wspólnoty. Widzą się wzajemnie, lecz każdy jest zupełnie sam.

Bardziej prawdopodobne, że to złośliwość Datury wzbudziła oddźwięk, rozdrażniła ducha i podsyciła jego gniew.

— Przybył piąty duch — oznajmiłem. — Teraz warunki są idealne.

— Więc zrób to — przynagliła mnie ostro. — Wywołaj ich teraz, natychmiast. Daj mi zobaczyć.

Boże, wybacz mi. Chcąc uratować siebie i Danny'ego, powiedziałem:

— To, co robisz, jest przydatne. To... sam nie wiem... może pobudza ich emocje.

— Mówiłam ci, że zawsze dokładnie wiem, co robię. Nigdy we mnie nie wątp, misiaczku.

— Nie odpuszczaj jej, a z moją pomocą za parę minut zobaczysz nie tylko Maryann, lecz i pozostałych.

Obrzuciła kelnerkę kolejnymi obelgami w języku znacznie bardziej plugawym niż dotychczas. Obie lampy Colemana zaczęły pulsować, jakby solidaryzowały się z błyskawicami, które być może w tej chwili rozdzierały niebo.

Podchodząc i zawracając, krążąc niczym drapieżnik w klatce sfrustrowany pobytem w zamknięciu, Ostrzyżony tłukł pięścią w pięść z taką siłą, że w materialnej postaci połamałby sobie kłykcie, ale jako duch nie mógł wytworzyć nawet dźwięku.

241

Mógłby rzucić się na mnie z pięściami, lecz nie wyrządziłyby mi szkody. Duch nie może skrzywdzić żywej osoby bezpośrednim dotykiem. Ten świat należy do nas, nie do nich.

Jeśli jednak błąkająca się pomiędzy światami dusza zostanie straszliwie upokorzona, jeśli za życia cechowała ją złośliwa, zazdrosna, mściwa, uparta i buntownicza natura, jej gniew łatwo zamienia się w najczarniejszą demoniczną wściekłość, którą może wyładować na przedmiotach.

Datura mówiła do kelnerki, której nie widziała i której nigdy nie mogłaby zobaczyć:

— Wiesz, co sobie myślę i na co stawiam, Maryann? Założę się, że w tym nędznym domu opieki jakiś skurwiel z personelu zakrada się do pokoju twojej siostry, do pokoju Bonnie, i gwałci ją.

Ostrzyżony już nie był wściekły — wpadł w furię. Zadarł głowę i wrzasnął, ale dźwięk uwiązł wraz z nim w przestrzeni pomiędzy tym a tamtym światem.

— Bonnie jest bezradna — mówiła Datura głosem jadowitym jak zawartość gruczołów jadowych grzechotnika. — Boi się o tym komuś powiedzieć, bo gwałciciel nigdy się nie odzywa. Nie zna jego imienia i nie może go zobaczyć, więc boi się, że nikt jej nie uwierzy.

Ostrzyżony darł powietrze rękami, jak gdyby chciał wydrapać sobie drogę przez kurtynę oddzielającą go od świata żywych.

— Dlatego Bonnie znosi wszystko, co ten facet jej robi, ale kiedy cierpi, myśli o tobie, ponieważ przez ciebie była tu w czasie trzęsienia ziemi, które zniszczyło jej życie. Myśli o tym, że nie jesteś przy niej, że nigdy cię nie było.

Słuchając siebie, swojej najbardziej cenionej słuchaczki, Datura delektowała się własną złośliwością. Po każdej pełnej nienawiści wypowiedzi zdawała się drżeć z rozkoszy, jaką jej sprawiało odkrywanie w sobie coraz głębszych pokładów nikczemności.

Zło ukryte pod maską piękna ukazało się prawie w całej okazałości. Jej zarumieniona, wykrzywiona twarz już nie była tematem snów dojrzewającego chłopca. Stała się przedmiotem rojeń pensjonariuszy domów wariatów i więzień dla chorych psychicznie zbrodniarzy.

Spiąłem się, wyczuwając, że zaraz nastąpi potężna demonstracja furii ducha.

Zainspirowany przez Daturę, pobudzony do działania Ostrzyżony podrygiwał sztywno, jakby smagany setką biczów albo porażany prądem. Wyciągnął ręce z rozcapierzonymi palcami niczym natchniony kaznodzieja, który nawołuje wiernych do okazania skruchy.

Z jego wielkich dłoni rozchodziły się koncentryczne kręgi mocy. Widziałem je, ale moja towarzyszka i jej pomocnicy mieli zobaczyć tylko ich skutki.

Od strony stosów zniszczonych automatów napłynęły grzechot, trzaski, szczęknięcia i brzęki, a dwa stołki przy stole do blackjacka zaczęły tańczyć w miejscu. Tu i ówdzie z podłogi poderwały się niewielkie wiry popiołu.

— Co się dzieje? — zapytała Datura.

— Zaraz się ukażą — odparłem, choć wszystkie duchy poza Ostrzyżonym znikły. — Wszystkie. Wreszcie je zobaczysz.

Poltergeist jest bezosobowy jak huragan. Nie może celować ani wywoływać zamierzonych efektów. Jest ślepą, miażdżącą siłą i może skrzywdzić istoty ludzkie, ale nie bezpośrednim ciosem. Jeśli jednak wściekle latające przedmioty trafią kogoś w głowę, skutek jest taki sam, jak cios pałką z dobrym zamachem.

Kawałki sztukaterii, które spadły w czasie trzęsienia ziemi, poderwały się ze stołów do gry w kości i runęły w naszą stronę.

Zrobiłem unik, Datura się uchyliła i pociski przeleciały obok nas, uderzając w kolumny i ściany.

Ostrzyżony strzelił z dłoni piorunami mocy, a kiedy wydał kolejny niemy krzyk, z jego ust wytrysły koncentryczne kręgi energii.

Na podłodze tańczyły kolejne, jeszcze większe wiry szarych popiołów i kawałków zwęglonego drewna, grudy tynku sypały się z sufitu, luźne kable i przewody elektryczne smagały powietrze niczym baty, zniszczony stół do blackjacka koziołkował przez salę jakby niesiony przez niewyczuwalną dla nas wichurę, osmalone koło fortuny wirowało tak szybko, że zniszczone liczby zlewały się w smugę, para metalowych kul maszerowała jak gdyby w poszukiwaniu martwego gracza, który kiedyś ich potrzebował, a z mroku dobiegało niesamowite zgrzytanie, szybko nabierające siły i wysokości.

W tym wściekle narastającym chaosie kawał tynku ważący może z siedem kilo uderzył Roberta w pierś, zbijając go z nóg.

Jednocześnie z ciemności wyłoniła się przyczyna przeraźliwego zgrzytu — na wpół stopiony brązowy posąg naturalnej wielkości, wyobrażający indiańskiego wodza na koniu, obracający się w zatrważającym tempie. Podstawa ze zgrzytem sunęła po betonowej podłodze, na której zostały tylko strzępy wykładziny, krzesząc snopy białych i pomarańczowych iskier.

Gdy Robert się przewracał, a Datura i Andre skupiali uwagę na zbliżającym się brązowym posagu, skorzystałem z okazji, przyskoczyłem do bliższej lampy, poderwałem ją z podłogi i rzuciłem nią w drugą lampę.

Pomimo braku praktyki w grze w kręgle, trafiłem idealnie.

Lampa uderzyła w lampę z trzaskiem i krótkim rozbłyskiem, a potem znaleźliśmy się w ciemności, którą rozjaśniały tylko iskry strzelające spod kopyt obracającego się konia.

38

Kiedy poltergeist tak potężny jak Ostrzyżony daje upust długo hamowanej furii, najczęściej szaleje, dopóki jego energia się nie wyczerpie — jak niezrównoważona gwiazda rapu, której odbija na dorocznym rozdaniu nagród Vibe. W tym przypadku szalejący duch mógł dać mi najwyżej dwie lub trzy minuty.

W ciemności pełnej grzechotu, dudnienia, zgrzytów i trzasków, popędziłem z głową skuloną ze strachu, że mogą mnie ogłuszyć albo zdekapitować jakieś latające szczątki. Przymrużyłem też oczy, bo w powietrzu wirowało mnóstwo odłamków i drzazg.

W kompletnych ciemnościach, niczego nie widząc, starałem się posuwać wzdłuż linii prostej. Moim celem była galeria zdemolowanych sklepów za kasynem, przez którą przeszliśmy w drodze od północnych schodów hotelu.

Napotykając sterty gruzu, jedne obchodziłem, po innych przełaziłem, nie zatrzymując się ani na chwilę. Wymacywałem drogę rękami, ale ostrożnie, żeby nie pokaleczyć się o coś najeżonego gwoździami i ostrymi metalowymi krawędziami.

Wypluwałem popiół i jakieś niezidentyfikowane szczątki, wyskubywałem puszyste kłaczki łaskoczące mnie w uszy. Kichałem, nie martwiąc się, że przeciwnicy mnie usłyszą — kakofonia tworzona przez poltergeista była ogłuszająca.

Szybko jednak zacząłem się martwić, że zszedłem z kursu, bo w atramentowych ciemnościach miałem kłopoty z orientacją. Przyszło mi na myśl, że w każdej chwili mogę zderzyć się z Daturą, która powie: „Przecież to mój nowy chłopiec, mój mały dziwak".

Zatrzymałem się w pół kroku.

Odpiąłem latarkę od paska. Wahałem się jednak, czy ją zapalić choćby tylko na chwilę, żeby rozeznać się w otoczeniu.

Datura i jej potrzebujący chłopcy poza lampami Colemana mieli na pewno latarkę albo nawet trzy. Jeśli nie, Andre gotów będzie podpalić sobie czuprynę, żeby jako żywa pochodnia zapewnić światło swojej pani.

Kiedy Ostrzyżony straci parę, kiedy członkowie wesołej gromadki przestaną tulić się do podłogi i ośmielą się podnieść głowy, będą przekonani, że jestem w pobliżu. Po zapaleniu latarek wystarczy im parę minut, aby zrozumieć, że w tym bałaganie, zrobionym przez poltergeista, nie ma mnie ani żywego, ani martwego.

Jeśli zapalę latarkę, mogą zobaczyć światło, a wtedy będą wiedzieli, że uciekłem. Nie chciałem niepotrzebnie przyciągać uwagi. Potrzebowałem każdej bezcennej minuty przewagi.

Czyjaś ręka musnęła moją twarz.

Wrzasnąłbym jak mała dziewczynka, ale nie mogłem wydobyć dźwięku i dzięki temu uniknąłem kompromitacji, Palce delikatnie nacisnęły moje usta, jakby zakazując mi krzyku, który bezskutecznie próbowałem wydać. Drobna ręka, kobieca.

W kasynie przebywały tylko trzy kobiety. Dwie z nich były martwe od pięciu lat.

Samozwańcza bogini, nawet jeśli była niepokonana ze względu na posiadanie trzydziestu czegoś tam w amulecie, nawet jeśli miała zagwarantowane tysiącletnie życie dzięki karmieniu bananami goszczącego w niej węża, nie widziała w ciemności. Nie miała szóstego zmysłu. Nie mogła znaleźć mnie bez latarki.

Ręka zsunęła się z moich ust na brodę, policzek. Potem dotknęła mojego lewego ramienia, przesunęła się w dół i ujęła moją dłoń.

Być może dlatego, że chcę, aby zmarli wydawali się ciepli, dla mnie tacy są. Ta ręka była ciepła, a poza tym wydawała się nieporównanie czystsza od wypielęgnowanej dłoni spadkobierczyni agencji „seks przez telefon". Czysta i szczera, silna, choć delikatna. Chciałem wierzyć, że to Maryann Morris, kelnerka koktajlowa.

Zaufałem jej i pozwoliłem się pilotować po niespełna dziesięciosekundowym postoju w ciemności.

W mroku za nami Ostrzyżony nadal hałaśliwie dawał upust swojej frustracji. Szliśmy znacznie szybciej niż wtedy, gdy byłem zdany wyłącznie na siebie. Omijaliśmy przeszkody, zamiast przez nie przełazić, ani razu się nie wahając. Duch widzi równie dobrze w świetle, jak bez światła.

Parę razy skręciliśmy — czułem, że we właściwą stronę — i przewodniczka zatrzymała mnie po niecałej minucie marszu. Puściła moją lewą rękę i dotknęła prawej, w której trzymałem latarkę.

Zapaliłem ją i zobaczyłem, że przeszliśmy przez galerię i jesteśmy na końcu korytarza, przy drzwiach północnych schodów. Faktycznie pomogła mi Maryann, wciąż występująca w pasującym do sytuacji stroju indiańskiej księżniczki.

Liczyła się każda sekunda, ale nie mogłem zostawić jej bez próby naprawienia zła, jakie wyrządziła Datura.

— Ciemne moce rozpętane na tym świecie skrzywdziły twoje siostry. To nie twoja wina. Gdy w końcu stąd odejdą, czy nie chcesz ich powitać... po drugiej stronie?

Spojrzała na mnie. Miała śliczne szare oczy.

— Idź do domu, Maryann Morris. Tam czeka na ciebie miłość. Musisz iść.

Obejrzała się w stronę kasyna, a potem z niepokojem popatrzyła na mnie.

— Kiedy tam będziesz, zapytaj o moją Stormy. Nie pożałujesz. Jeśli Stormy ma rację i następne życie jest służbą, z nikim nie przeżyjesz wspanialszych przygód.

Odsunęła się ode mnie.

— Idź do domu — szepnąłem.

Odwróciła się i odeszła.

— Idź. Do domu. Zostaw życie... i żyj.

Gdy jej sylwetka się rozmywała, z uśmiechem spojrzała przez ramię, a potem znikła z korytarza.

Tym razem, jestem pewien, przeszła za zasłonę.

Otworzyłem drzwi klatki schodowej, dałem susa przez próg i co sił w nogach pognałem na górę.

39

Świece Cleo-May, mające wzbudzić we mnie miłość i skłonić do uległości wobec czarującej młodej kobiety, która spółkowała z duchami gestapowców, bryzgały na ściany czerwienią i żółcią.

Pomimo ich starań, tego burzowego dnia pokojem 1203 ciemności władały pospołu ze światłem. Skądś wpadł przeciąg o usposobieniu nerwowego pieska i gonił własny ogon to w jedną, to w drugą stronę, więc każda fala jasności rodziła ruchliwe cienie, za każdą drżącą zmarszczką blasku płynęły bałwany mroku.

Strzelba leżała na podłodze przy oknie, gdzie zostawił ją Andre. Była cięższa, niż się spodziewałem. Podniosłem ją i niemal upuściłem.

Nie była to jedna z tych długich strzelb, które człowiek zabiera na polowanie na dzikie indyki, antylopy gnu czy cokolwiek innego, na co poluje się za pomocą długich strzelb. Ta miała krótką lufę i pistoletowy chwyt — był to model nadający się do obrony domu albo do napaści na sklep monopolowy.

Policja również używa takiej broni. Dwa lata temu znaleźliśmy się z Wyattem Porterem w nieciekawej sytuacji, w której poza nami brało udział trzech pracowników nielegalnej wytwórni metamfetaminy oraz ich pupil, krokodyl. Gdyby komendant nie zrobił dobrego użytku ze strzelby kaliber 12, całkiem podobnej do tej, wyszedłbym stamtąd z jedną nogą mniej i pewnie bez jąder.

Nigdy nie strzelałem z takiej broni — do tej pory tylko raz użyłem broni palnej — ale widziałem, jak robił to komendant. Oczywiście nawet po obejrzeniu wszystkich Brudnych Harrych z Clintem Eastwoodem człowiek niekoniecznie musi stać się znakomitym strzelcem i znawcą procedur policyjnych.

Jeśli zostawię broń, potrzebujący chłopcy bez skrupułów użyją jej przeciwko mnie. Jeśli dam się zapędzić w ciasny kąt i przynajmniej nie spróbuję do nich strzelić, będzie to równoznaczne z samobójstwem, bo przecież prawdopodobnie śniadanie tych dwóch osiłków ważyło więcej niż ja.

Wpadłem więc do pokoju, podbiegłem do strzelby, poderwałem ją z podłogi, skrzywiłem się, czując jej ciężar, przypomniałem sobie, że jestem za młody na pieluchomajtki dla dorosłych, i stanąłem przy oknie. Szybko sprawdziłem broń w niespokojnym blasku serii błyskawic. Powtarzalna. Magazynek na trzy naboje i kolejny nabój w zamku. Miała też spust.

Czułem, że mógłbym jej użyć w sytuacji kryzysowej, choć muszę przyznać, iż znaczna część mojej pewności siebie wynikała z faktu, że niedawno zapłaciłem składkę na ubezpieczenie zdrowotne.

Omiotłem wzrokiem podłogę, stół, parapet, ale nie zobaczyłem dodatkowej amunicji.

Ze stołu zabrałem pilota, uważając, żeby nie wcisnąć czarnego guzika.

Uznałem, że rejwach wzniecony przez Ostrzyżonego mógł już cichnąć, miałem więc tylko parę minut, zanim Datura oraz jej chłopcy dojdą do siebie i wrócą do gry.

Straciłem cenne sekundy na wizytę w łazience i sprawdzenie wyników testu wytrzymałościowego, jakiemu Datura poddała telefon satelitarny Terri. Był pogięty, ale nie w kawałkach, więc wsunąłem go do kieszeni.

Obok umywalki leżało pudełko z amunicją. Wetknąłem cztery naboje do kieszeni.

Wybiegłem z pokoju na korytarz i spojrzałem w stronę północnych schodów, potem popędziłem w przeciwnym kierunku, do pokoju 1242.

Ponieważ Datura nie chciała, aby Danny odniósł jakieś zwycięstwo czy dostał pieniądze, nie zostawiła mu żadnych świec, ani czerwonych, ani żółtych. Armie czarnych chmur podbiły już całe niebo i pokój przemienił się w cuchnącą sadzą norę. Rozjaśniały ją tylko światła wojenne natury, a po podłodze pełgały szybkie wzory, które przywodziły na myśl stada biegających szczurów.

— Odd... — szepnął Danny, gdy wszedłem. — Dzięki Bogu. Byłem pewny, że nie żyjesz.

Zapaliłem latarkę, kazałem mu ją trzymać i również szeptem odparłem:

— Czemu mi nie powiedziałeś, co to za wariatka?

— Czy ty mnie nigdy nie słuchasz? Mówiłem ci, że jest bardziej obłąkana niż syfilityczna szalona krowa gotowa przeprowadzić samobójczy zamach!

— Tak. Ale to eufemizm równy stwierdzeniu, że Hitler był malarzem, który bawił się w politykę.

Okazało się, że biegające szczury są deszczem wpadającym do pokoju przez okno, w którym brakowało jednej z trzech szyb. Krople grzechotały na stercie mebli.

Oparłem strzelbę o ścianę i pokazałem Danny'emu pilota. Rozpoznał urządzenie.

— Czy ona nie żyje? — zapytał.

— Ja bym na to nie liczył.

— A co z Gogiem i Magogiem?

Nie musiałem dociekać, o kogo chodzi.

— Jeden oberwał, ale nie sądzę, że poważnie.

— Więc przyjdą?

— Pewne jak podatki.

— Musimy spływać.

— Spłyniemy — zapewniłem go i nieomal wcisnąłem guzik na pilocie.

W przedostatniej chwili, z przygotowanym kciukiem, zapytałem sam siebie, kto mi powiedział, że czarny guzik zdetonuje bombę, a biały ją rozbroi.

Datura.

40

To Datura, która miała konszachty z Szarymi Świniami z Haiti i patrzyła, jak po złożeniu szwaczki w ofierze jedzą jej ciało, powiedziała mi, że czarny guzik zdetonuje ładunek, a biały go rozbroi.

Z mojego doświadczenia wynikało jednak, że ta kobieta nie jest wiarygodnym źródłem informacji.

Co więcej, podała mi tę informację z własnej woli, gdy zapytałem, czy pilot na stole obsługuje bombę. Nie miałem pojęcia, z jakiego powodu to zrobiła.

Chwila. Poprawka. Ostatecznie mogłem wymyślić jeden powód, makiaweliczny i okrutny.

Gdyby za sprawą jakiegoś dzikiego przypadku pilot trafił w moje ręce, chciała zaprogramować mnie na wysadzenie, a nie ocalenie Danny'ego.

— Co? — zapytał.

— Daj mi latarkę.

Obszedłem krzesło, kucnąłem i przyjrzałem się bombie. Od chwili, gdy pierwszy raz ją widziałem, moja podświadomość zdołała przeanalizować plątaninę kolorowych przewodów — i guzik z tego wyszło.

To niekoniecznie musi źle świadczyć o mojej podświadomości. W tym samym czasie pracowała nad innymi ważnymi zadaniami — takimi jak sporządzenie listy chorób, jakimi mogłem się zarazić, gdy Datura splunęła mi winem w twarz.

Jak poprzednio próbowałem uruchomić szósty zmysł, przesuwając czubkiem palca po przewodach. Po niespełna czterech sekundach musiałem przyznać, że to desperacka taktyka nierokująca nadziei na osiągnięcie niczego prócz śmierci.

— Odd?

— Jestem, jestem. Słuchaj, Danny, zagrajmy w skojarzenia.

— Teraz?

— Później możemy być martwi, kiedy więc mamy zagrać? Rozśmiesz mnie. To pomoże mi przemyśleć problem. Ja podam hasło, a ty powiesz pierwsze słowa, jakie ci przyjdą do głowy.

— To głupie.

— Zaczynam: czarne i białe.

— Klawisze fortepianu.

— Jeszcze raz. Czarne i białe.

— Noc i dzień.

— Czarne i białe.

— Sól i pieprz.

— Czarne i białe.

— Dobro i zło.

— Dobro — powiedziałem.

— No dobra, w porządku.

— Nie dobra, tylko dobro. To następne słowo do skojarzenia: dobro.

— Duszny.

— Dobro — powtórzyłem.

— Czynny.

— Dobro.

— Bóg.

— Zło — podałem kolejne słowo.

— Datura — powiedział natychmiast.

— Prawda.

— Dobro.

Znów podrzuciłem „Datura".

— Kłamstwo — odparł bez namysłu.

— Intuicja doprowadziła nas do tego samego wniosku — oznajmiłem.

— Jakiego wniosku?

— Biały detonuje — odparłem, lekko kładąc kciuk na czarnym przycisku.

Czasami ciekawie jest być Oddem Thomasem, ale życie takiego Harry'ego Pottera jest znacznie bardziej zabawne. Gdybym był Harrym, wziąłbym szczyptę tego, kapkę tamtego, wymamrotał zaklęcie, sklecił czar „nie wybuchaj mi w twarz" i wszystko byłoby po prostu świetnie.

Zamiast tego wcisnąłem czarny guzik i wydawało się, że wszystko jest świetnie.

— Co się stało? — zapytał Danny.

— Nie słyszałeś bum? Słuchaj uważnie, wciąż możesz usłyszeć.

Wpakowałem palce pomiędzy przewody, zacisnąłem pięść i wyrwałem kolorowy kłąb kabli z bomby.

Mała wersja poziomnicy przekrzywiła się i bąbelek przesunął się do strefy wybuchu.

— Nie jestem martwy — oświadczył Danny.

— Ja też nie.

Podszedłem do mebli spiętrzonych przez trzęsienie ziemi i wyciągnąłem plecak z kryjówki, w której go zostawiłem niespełna godzinę temu.

Z plecaka wyjąłem nóż i przeciąłem ostatnie pętle taśmy, niepozwalające Danny'emu wstać z krzesła.

Kilo materiałów wybuchowych spadło na podłogę z łupnięciem nie głośniejszym niż cegła z modeliny. Plastik można zdetonować tylko zapalnikiem elektrycznym.

Gdy Danny wstał, wrzuciłem nóż do plecaka. Zgasiłem latarkę i przypiąłem ją do pasa.

Moja podświadomość, zwolniona z obowiązku rozgryzania okablowania bomby, liczyła sekundy od chwili ucieczki z kasyna i była przerażona sytuacją. Szybko, szybko, szybko!

41

Jak gdyby pomiędzy niebem i ziemią wybuchła wojna, ogień zaporowy błyskawic znów rozbłysnął nad pustynią, tworząc tu i ówdzie sadzawki szkła na piasku.

Grzmot huknął tak potężnie, że zawibrowały mi zęby, jakbym chłonął akordy płynące z ogromnych głośników na koncercie death-metalu. Kolejne szczurze bataliony deszczu wpadły przez wybite okno.

Patrząc na burzę, Danny mruknął:

— Ja cię kręcę...

— Jakiś nieodpowiedzialny skurczybyk zabił czarnego węża i powiesił go na drzewie.

— Czarnego węża?

Podałem mu plecak, podniosłem strzelbę, stanąłem na progu w otwartych drzwiach i rozejrzałem się po korytarzu. Furie jeszcze nie przybyły.

Za moimi plecami Danny powiedział:

— Moje nogi stoją w ogniu po spacerze z Pico Mundo, a biodro jest pełne ostrych noży. Nie wiem, jak długo wytrzymam.

— Nie wybieramy się daleko. Jak tylko przejdziemy przez most linowy i komnatę tysiąca węży, dalej pójdzie jak po maśle. Po prostu staraj się iść jak najszybciej.

Nie mógł iść szybko. Zwykły kaczy chód przemienił się w mozolne kuśtykanie, bo prawa noga uginała się pod jego ciężarem, i choć nigdy nie zaliczał się do narzekających cierpiętników, teraz syczał z bólu prawie przy każdym kroku.

Gdybym zamierzał wyprowadzić go z Panamint, nie uszlibyśmy daleko. Harpia i jej goryle dopędziliby nas i zwlekli na dół.

Poprowadziłem go na północ do wnęki z windami i odetchnąłem z ulgą, gdy wreszcie znikliśmy z widoku.

Choć z niechęcią rozstawałem się ze strzelbą, choć żałowałem, że nie mam czasu, aby zespolić ją biologicznie z prawą ręką i połączyć bezpośrednio z centralnym układem nerwowym, oparłem broń o ścianę.

Gdy zacząłem rozsuwać drzwi zbadanej wcześniej windy, Danny szepnął:

— Chcesz mnie zrzucić w dół szybu, żeby wyglądało na wypadek, bo wtedy moja karta z marsjańskim wijem mózgożercą na zawsze będzie twoja?

Drzwi się otworzyły, a ja na chwilę zapaliłem latarkę, żeby pokazać mu pustą kabinę.

— Nie ma światła, ogrzewania ani bieżącej wody, ale nie ma także Datury.

— Co będziemy tu robić?

— Ty się tu schowasz. Ja zajmę się odwracaniem uwagi i myleniem tropów.

— Znajdą mnie w ciągu dwunastu sekund.

— Nie, uznają, że drzwi nie można otworzyć. I nie będą

przypuszczali, że ukrywasz się tak blisko miejsca, gdzie cię trzymali.

— Bo to głupie.

— Właśnie.

— A oni nie uważają nas za głupich.

— Otóż to.

— Dlaczego obaj się tu nie schowamy?

— Bo to byłoby głupie.

— Dwa jaja w jednym koszyku.

— Zaczynasz się wdrażać, stary.

W plecaku miałem trzy dodatkowe półlitrowe butelki wody. Jedną zatrzymałem, a dwie dałem Danny'emu.

Mrużąc oczy w nikłym świetle, odczytał nazwę:

— Evian.

— Skoro chcesz tak myśleć.

Dałem mu też oba energetyczne batony kokosowe z rodzynkami.

— Z czymś takim możesz przetrwać trzy albo cztery dni.

— Mam nadzieję, że wrócisz wcześniej.

— Jeśli nie złapią mnie przez parę godzin, dojdą do wniosku, że nasz plan polegał na tym, aby zapewnić ci czas na ucieczkę w twoim tempie. Będą przekonani, że sprowadzisz gliny, i zwieją.

Wziął ode mnie kilka foliowych pakiecików.

— Co to?

— Chusteczki odświeżające. Jeśli nie wrócę, to będzie znaczyło, że nie żyję. Odczekaj dwa dni, aby mieć pewność, że jest bezpiecznie. Potem otwórz drzwi i ruszaj do międzystanowej.

Wszedł do windy, ostrożnie wypróbowując jej stabilność.

— A kiedy... gdzie mam się wysikać?

— Do pustych butelek po wodzie.

— Myślisz o wszystkim.

— Tak, ale później nie wykorzystywałbym ich ponownie. Siedź cicho jak mysz pod miotłą, Danny. Jeśli nie będziesz cicho, zginiesz.

— Uratowałeś mi życie, Odd.

— Jeszcze nie.

Dałem mu jedną z dwóch latarek i poradziłem, żeby nie zapalał jej w windzie. Światło mogłoby się przesączyć przez jakąś szczelinę. Poza tym musiał oszczędzać baterie na czas zejścia po schodach, jeśli będzie zdany wyłącznie na siebie.

Gdy pchnąłem drzwi kabiny, żeby je zasunąć, Danny powiedział:

— Ostatecznie zadecydowałem, że nie żałuję, iż nie jestem tobą.

— Nie wiedziałem, że chodzi ci po głowie kradzież tożsamości.

— Tak mi przykro — szepnął przez zwężającą się szczelinę. — Cholernie przykro.

— Przyjaciele na wieki — oświadczyłem jak wtedy, gdy mieliśmy po dziesięć czy jedenaście lat. — Przyjaciele na wieki.

42

Minąłem pokój 1242, w którym leżała rozbrojona bomba, i szedłem do bocznego korytarza, taszcząc plecak i strzelbę. W drodze kombinowałem, jak przeżyć. Chęć dopilnowania, aby Datura zgniła w więzieniu, motywowała mnie do życia bardziej niż cokolwiek innego od pół roku.

Przypuszczałem, że się rozdzielą i wrócą na jedenaste piętro po północnych i południowych schodach, żeby odciąć nam drogę ucieczki. Jeśli zdołam zejść choćby dwie czy trzy kondygnacje, na dziewiąte lub ósme piętro, i pozwolę, żeby mnie minęli, być może uda mi się wśliznąć na schody za nimi i popędzić na sam dół — aby za godzinę czy dwie wrócić z policją.

Kiedy pierwszy raz wszedłem do pokoju 1203, Datura nie musiała pytać, jak się tam znalazłem. Wiedziała, że ominąłem klatki schodowe, wspinając się szybem windy. Żadna inna trasa nie doprowadziłaby mnie na jedenaste piętro.

W konsekwencji, chociaż byli pewni, że nie mógłbym sprowadzić Danny'ego tą trasą, mogli przynajmniej od czasu do czasu nasłuchiwać przy windach. Drugi raz nie mógłbym skorzystać z tej sztuczki.

Drzwi na południową klatkę schodową były na wpół otwarte. Wsunąłem się na podest.

Na dolnych piętrach panowała cisza. Ostrożnie, powoli zszedłem z kilku stopni — czterech, pięciu — i przystanąłem, żeby nasłuchiwać. Cisza.

Obcy zapach, piżmowo-grzybowo-mięsny, był nie bardziej gęsty niż wcześniej, może nawet rzadszy, lecz nie mniej odpychający.

Ciarki z dużą wprawą przemaszerowały mi po karku. Niektórzy mówią, że w ten sposób Bóg ostrzega o bliskiej obecności diabła, ale ja dostaję gęsiej skórki za każdym razem, gdy ktoś częstuje mnie brukselkami.

Niezależnie od tego, czym było źródło dziwnego zapachu, odór mieszał się z toksycznym gulaszem zostawionym przez pożar i przed wizytą w Panamint nie spotkałem się z niczym podobnym. Choć był tak osobliwy, nie pochodził z innego świata. Każdy naukowiec mógłby go przeanalizować i podać mi jego molekularny wzór.

Nigdy nie spotkałem nadprzyrodzonej istoty, która sygnalizowałaby swoją obecność zapachem. Ludzie wydzielają zapach, duchy nie. A jednak wciąż mrowiła mnie skóra na karku, choć w pobliżu nie było brukselek.

Niecierpliwie powtarzając sobie, że w mroku na klatce schodowej nie czai się nic groźnego, szybko zszedłem na niższy stopień, potem na kolejny. Nie zapaliłem latarki, żeby nie zdradzić swojej obecności Daturze czy jednemu z jej koni, jeśli byli gdzieś pode mną.

Dotarłem do podestu, zszedłem dwa stopnie niżej —

i zobaczyłem, jak na ścianie na dziesiątym piętrze rozkwita blade światło.

Ktoś wchodził. Musiał być tylko jedną, może dwie kondygnacje niżej, bo światło niezbyt dobrze pokonuje zakręty o 180 stopni.

Pomyślałem, czy nie popędzić na dół w nadziei, że dotrę na dziesiąte piętro i z prędkością królika czmychnę z klatki schodowej, zanim ten ktoś skręci na kolejny bieg schodów i mnie zobaczy. Problem w tym, że nie wiedziałem, czy zdołam otworzyć drzwi na korytarz albo czy zardzewiałe zawiasy nie zajęczą jak potępieniec.

Plama światła na ścianie jaśniała i rosła. Ktoś wchodził szybko. Słyszałem kroki.

Miałem strzelbę. W zamkniętej przestrzeni klatki schodowej nawet ja nie mógłbym nie zaliczyć porządnego trafienia.

Konieczność skłoniła mnie do zabrania broni, ale nie paliłem się do jej użycia. Broń miała być ostatnią deską ratunku, nie pierwszą.

Poza tym w chwili, gdy pociągnę za spust, będą wiedzieli, że nie opuściłem hotelu, a wtedy polowanie stanie się jeszcze bardziej zapamiętałe.

Zawróciłem jak najciszej. Minąłem drzwi na jedenastym piętrze i szedłem dalej w ciemności, zamierzając dotrzeć na dwunaste, ale po trzech krokach trafiłem na stopień zasłany gruzem.

Nie miałem pojęcia, co leży wyżej. Z obawy, że dalsza wędrówka może się zakończyć hałaśliwą wywrotką na zdradliwych kopcach śmieci albo że schody są zupełnie zatarasowane, cofnąłem się.

Światło na podeście poniżej stawało się coraz jaśniejsze,

snop padał prosto na ścianę. Prześladowca musiał mnie zobaczyć, gdy tylko skręci na ostatnie schody.

Wymknąłem się przez uchylone drzwi, wracając na jedenaste piętro.

W szarym świetle zobaczyłem, że drzwi dwóch pierwszych pokoi po prawej i lewej stronie są zamknięte. Nie traciłem czasu na sprawdzanie, czy się otworzą, bo mogły być zablokowane.

Drugi pokój po prawej stronie był otwarty. Opuściłem korytarz i schowałem się za drzwiami.

Trafiłem do apartamentu. Przez otwarte drzwi po obu stronach pokoju wlewało się światło dzienne.

Naprzeciwko wejścia znajdowały się rozsuwane szklane drzwi balkonowe. Grzechotały cicho w podmuchach wiatru, a za nimi szalały srebrzyste nici deszczu.

Na korytarzu myśliwy — Andre albo Robert — otworzył drzwi klatki schodowej na całą szerokość. Drzwi z trzaskiem uderzyły w odbojnik.

Stojąc przyciśnięty plecami do ściany, wstrzymując oddech, słyszałem, jak mija mój pokój. Chwilę później odbite drzwi zatrzasnęły się z hukiem.

Mężczyzna zmierzał do głównego korytarza i pokoju 1242 w nadziei, że mnie nakryje, zanim wcisnę biały guzik, żeby uwolnić Danny'ego — i zamiast tego wysadzę nas obu w powietrze.

Zamierzałem odczekać dziesięć, piętnaście sekund, aby mieć pewność, że opuścił boczny korytarz. Potem chciałem się rzucić do ucieczki po schodach.

Teraz, gdy mnie minął, już nie musiałem się bać, że ktoś może wchodzić po schodach. Zapalę latarkę, będę zbiegać po dwa stopnie naraz i znajdę się na parterze, zanim tamten wróci na klatkę schodową i mnie usłyszy.

Dwie sekundy później na głównym korytarzu Datura zaklęła tak ordynarnie, że przyprawiłaby o rumieniec wszetecznicę Babilonu.

Musiała wejść po północnych schodach ze swoim drugim kolesiem. Zajrzała do pokoju 1242 i odkryła, że Danny Jessup ani nie jest przywiązany do bomby, ani rozbryzgany na ścianach.

43

W kasynie w czasie słownej napaści na Maryann Morris Datura dowiodła, że jej aksamitny głos może zostać skręcony w garotę równie straszną jak narzędzie dusiciela.

Ukryty za drzwiami w trzypokojowym apartamencie słuchałem, jak złorzeczy na mnie gromko, czasami używając słów, które moim zdaniem nie przystoją nawet facetowi. Z każdą mijającą sekundą czułem, że moje szanse na ucieczkę drastycznie maleją.

Mogła być syfilityczną szaloną krową, ale, o ile mi wiadomo, była również kwintesencją obłędu, przypadkiem znacznie gorszym niż niebezpieczny dla otoczenia handlarz porno, i była bardziej narcystyczna niż sam Narcyz. Zdawało się, że jest żywiołem równie potężnym jak ziemia, woda, wiatr i ogień. Przyszło mi do głowy imię hinduskiej bogini śmierci, ciemnej strony bogini matki. Kali jako jedyna spośród bogów pokonała czas. Czwororęka, gwałtowna i nienasycona, pożera wszelkie istoty. Przedstawia się ją zwykle w naszyjniku z ludzkich czaszek, tańczącą na trupie.

To metaforyczne wyobrażenie — jasnowłosa seksowna Datura jako uosobienie smagłej, chudej niczym szczapa okrutnej Kali — natychmiast wydało mi się tak właściwe, tak prawdziwe, że zmieniło i pogłębiło mój odbiór rzeczywistości. Wszystkie szczegóły mrocznego pokoju, otaczających mnie szczątków i burzy szalejącej za drzwiami balkonu stały się wyraźniejsze. Miałem wrażenie, że chwilami sięgam wzrokiem nawet poza strukturę molekularną.

W chwili tej nowej wyrazistości we wszystkim, co znajdowało się w polu widzenia, odkryłem transcendentną tajemnicę, której nie dostrzegłem nigdy wcześniej, czekające na przyjęcie transformujące objawienie. Przeniknął mnie chłód o trudnym do określenia charakterze, respekt mający więcej wspólnego z czcią niż ze strachem, choć niepozbawiony grozy.

Możecie uznać, że próbuję opisać podwyższoną percepcję, która niekiedy występuje w chwili śmiertelnego zagrożenia. Bywam śmiertelnie zagrożony dość często, więc wiem, co się wówczas czuje. To metafizyczne przeżycie miało inny charakter.

Jak w przypadku wszystkich mistycznych doświadczeń, kiedy już-już ma nastąpić wyjaśnienie niepojętego, chwila objawienia przemija, nie mniej efemeryczna niż sen. Ale gdy ta przeminęła, poczułem się zelektryzowany, jakbym został porażony taserem zaprojektowanym do naładowania umysłu i zmuszenia go do konfrontacji z trudną prawdą.

Paskudna prawda była taka, że Datura pomimo swojego całego obłędu, ignorancji i śmiechu wartych dziwactw była przeciwnikiem straszliwszym niż przyznawałem to przed samym sobą. Gdy chodziło o brutalne użycie siły, miała tyle chętnych rąk co Kali, natomiast moje dwie ręce były bardzo ku temu nieskore.

Zamierzałem wymknąć się z hotelu i sprowadzić pomoc albo, jeśli to się nie uda, wystrzegać się tej kobiety i jej pomagierów tak długo, aż dojdą do przekonania, że naprawdę uciekłem i że oni powinni zrobić to samo, zanim ściągnę władze. Był to nie tyle plan działania, ile unikania.

Słuchając Datury, która pomstowała chyba gdzieś niedaleko skrzyżowania korytarzy — niepokojąco blisko — zrozumiałem, że podczas gdy u większości ludzi wściekłość zaćmiewa rozsądek, w jej przypadku wyostrzyła przebiegłość i zmysły. I spotęgowała nienawiść.

Jej talent do czynienia zła, zwłaszcza zła szczególnego rodzaju, które kiedyś zwano nikczemnością, był tak wielki, że miałem wrażenie, iż również posiada jakieś niezwykłe dary konkurujące z moimi. Łatwo dałbym się przekonać, że czuje zapach krwi wroga, gdy jeszcze płynie w żyłach, i podąża w trop za nim, aby ją przelać.

Po jej przybyciu zrezygnowałem z planu natychmiastowej ucieczki północnymi schodami. Wykonanie jakiegokolwiek ruchu w czasie, gdy przebywała w pobliżu, równałoby się samobójstwu.

Rozumiałem, że najpewniej nie uniknę konfrontacji, ale nie zależało mi na jej przyspieszeniu.

Kiedy ujrzałem tę szaloną kobietę w nowym, jeszcze bardziej przerażającym świetle, zacząłem przygotowywać się na to, co być może będę musiał zrobić, żeby utrzymać się przy życiu.

Przypomniałem sobie kolejną ponurą opowieść dotyczącą czwororękiej hinduskiej bogini, co powstrzymało mnie od zlekceważenia Datury. Kali do tego stopnia lubowała się w makabrze, że kiedyś odcięła sobie głowę, aby wypić własną krew tryskającą z szyi.

Będąc boginią tylko we własnym mniemaniu, Datura nie przeżyłaby dekapitacji. Gdy jednak wspomniałem, z jaką przyjemnością opowiadała koszmarne historie o krzykach dzieci zamordowanych w Savannah i szwaczce złożonej w ofierze w Port-au-Prince, mogłem bez trudu uwierzyć, że jest nie mniej krwiożercza niż Kali.

Stałem za drzwiami, w cieniach często rozjaśnianych światłem burzy, i słuchałem jej przekleństw. Niebawem jej głos ścichł do tego stopnia, że przestałem rozumieć słowa, ale wciąż brzmiały w nim szalone kadencje wściekłości, nienawiści i mrocznego pragnienia.

Jeśli Andre i Robert się odzywali — jeśli mieli odwagę spróbować — nie słyszałem ich głosów. Tylko jej. Ich posłuszeństwo wraz z usuwaniem się w cień świadczyło, że są wiernymi wyznawcami, którzy z większą ochotą niż jakikolwiek sekciarz wypiją zatruty napój *kool-aid**.

Pewnie powinienem czuć ulgę, gdy w końcu umilkła, ale zamiast tego miałem uczucie brukselkowe. Silne.

Ze znużeniem oparłem się o ścianę i wyprostowałem plecy.

Trzymana oburącz strzelba, która dotąd wydawała się tylko narzędziem, nagle ożyła — wciąż była uśpiona, ale żywa i obdarzona świadomością, jak każda broń w moich rękach. Jak w przeszłości, martwiłem się, że w krytycznej chwili nie będę miał nad nią władzy.

---

* nawiązanie (m.in.) do zbiorowego samobójstwa członków sekty People's Temple w Jonestown w Gujanie (przywódca nakłonił wiernych do wypicia napoju z cyjankiem potasu)

Dzięki, mamo.

Kiedy Datura przestała gadać, spodziewałem się, że usłyszę kroki, może szmer otwieranych i zamykanych drzwi, co wskazywałoby na rozpoczęcie poszukiwań. Panowała cisza.

Stłumiony syk deszczu na balkonie i dające się słyszeć od czasu do czasu dudnienie gromu tworzyły tylko szum tła. Ale gdy nadsłuchiwałem hałasów z korytarza, miałem burzy za złe, jakby była wspólniczką Datury.

Próbowałem sobie wyobrazić, co zrobiłbym na jej miejscu, lecz jedyna racjonalna odpowiedź brzmiała następująco: „Spływajmy stąd". Danny był wolny, nie mieli ani mnie, ani jego, powinna więc wyczyścić konta w banku i w te pędy zwiewać ku granicy.

Zwyczajny psychopata bierze nogi za pas, gdy zaczyna robić się gorąco — ale nie Kali, pożeraczka umarłych.

Musieli zaparkować przy hotelu przynajmniej jeden wóz. Po uprowadzeniu Danny'ego wrócili tutaj pieszo, okrężną drogą, żeby poddać próbie mój magnetyzm psychiczny, ale nie mieli powodu, żeby po zakończeniu zabawy oddalić się stąd w taki sam sposób.

Może Datura się bała, że jeśli dotarliśmy z Dannym na parter i opuściliśmy Panamint, to znajdziemy ich wóz, zewrzemy przewody i odjedziemy, zostawiając ich na lodzie. W takim wypadku któreś z nich mogło pospieszyć na dół, żeby unieruchomić pojazd albo stanąć na straży.

Deszcz. Bezustanny szum deszczu.

Nie ostrzegł mnie żaden dźwięk. Zagrożenie zaanonsował piżmowy, grzybowy zapach surowego mięsa.

44

Skrzywiłem się, czując tę jedyną w swoim rodzaju woń, która raczej nie pobudzała zdrowego apetytu. Musiałem zrobić krok albo przenieść ciężar ciała z jednej nogi na drugą, bo usłyszałem cichy, ale ostry trzask czegoś zmiażdżonego pod stopą.

Tkwiłem w klinie przestrzeni pomiędzy otwartymi w dwóch trzecich drzwiami a ścianą. Jeśli moi prześladowcy otworzą je szerzej, drzwi odbiją się ode mnie, co zdradzi moją obecność.

W wielu innych budynkach po otwarciu drzwi przez wąską szczelinę pomiędzy tylną krawędzią a futryną można zobaczyć osobę stojącą na progu. Tutaj ościeżnica była szersza niż zwykle, a gruba listwa wzdłuż niej przysłaniała szczelinę.

Ale patrząc na to z jaśniejszej strony — czego w tej chwili rozpaczliwie potrzebowałem — skoro ja nie mogłem zobaczyć jego, on nie mógł zobaczyć mnie.

Czując ten niepokojący zapach tylko na klatkach schodowych i w czasie swojej drugiej wizyty w kasynie, nie kojarzyłem go z Andre i Robertem. Teraz zrozumiałem, że nie wykryłem tej woni w pokoju 1203, gdzie również cieszyłem się ich towarzystwem, ponieważ skutecznie maskował ją duszący aromat świec z Cleo-May.

Za rozsuwanymi drzwiami na północy odwrócone drzewo błyskawicy stanęło w ogniu, zakorzenione w niebie, konarami sięgając ziemi. Drugie drzewo nałożyło się na pierwsze, a trzecie na drugie: efemeryczny oślepiający las, który spłonął w chwili, gdy wyrósł.

Mężczyzna stał w drzwiach tak długo, iż zacząłem podejrzewać, że nie tylko wiedział o mojej obecności, ale również znał moją dokładną pozycję i po prostu się ze mną bawił. Z sekundy na sekundę moje nerwy napinały się coraz bardziej niczym guma nakręcanego śmigła samolotu-zabawki z drewna balsa. Nie mogłem jednak działać pochopnie.

Przecież mógł po prostu odejść. Przeznaczenie nie zawsze jest w parszywym humorze. Czasami huragan sunie z rykiem ku bezbronnemu wybrzeżu, a potem odsuwa się od lądu.

Ledwie podniosła mnie na duchu ta optymistyczna myśl, mężczyzna przestąpił próg, przy czym bardziej wyczułem jego ruch niż usłyszałem.

Chwyt pistoletowy nie jest kolbą, którą przyciska się do ramienia. Trzyma się go z przodu, lekko w bok od tułowia.

Początkowo drzwi osłaniały przede mną intruza. Gdy wszedł w głąb pokoju, pożałowałem, że nie mam na sobie peleryny niewidki. Niestety, wciąż nie byłem Harrym Potterem.

Broń, z której komendant Porter oddał strzał, żeby uchronić mnie przed utratą nogi i wykastrowaniem przez krokodyla, miała wrednego kopa. Porter stał na szeroko rozsuniętych nogach, z lewą stopą wysuniętą kawałek przed prawą, z lekko ugiętymi kolanami, żeby zneutralizować odrzut, a i tak porządnie nim szarpnęło.

Mężczyzna, który wszedł do pokoju, wciąż był nieświadom mojej obecności. Gdy minął drzwi, zobaczyłem go od tyłu.

Nawet gdyby pokręcił głową na boki, mógłby mnie nie zobaczyć. Jednak instynkt powinien go ostrzec, a cienie, w których stałem, nie były dość głębokie, żeby mnie ukryć, gdyby się odwrócił.

Widziałem go od tyłu i niezbyt wyraźnie. Mocna, ale nie masywna budowa ciała wykluczała Andre.

Kolejne błyskawice zapuściły korzenie w targanym przez wichurę ogrodzie burzy. Łoskot gromu brzmiał tak, jakby w jednej chwili cały las runął pokotem.

Robert przemierzał pokój, nie patrząc ani w prawo, ani w lewo. Zacząłem myśleć, że wszedł tutaj nie po to, aby mnie znaleźć, lecz z jakiegoś innego powodu.

Sadząc z jego zachowania, jeszcze bardziej somnambulicznego niż zwykle, przyciągał go zew burzy. Zatrzymał się przed drzwiami balkonowymi.

Pomyślałem z nadzieją, że jeśli nasilenie burzowej pirotechniki potrwa co najmniej minutę, przykuwając uwagę Roberta i maskując czynione przeze mnie hałasy, może zdołam niepostrzeżenie wyśliznąć się z kryjówki na korytarz i uciec po schodach. Wolałem uniknąć konfrontacji.

Gdy przesunąłem się do przodu, zamierzając wyjrzeć zza drzwi i sprawdzić, czy Datura i Andre prowadzą poszukiwania gdzieś indziej, oszołomił mnie i zatrzymał skutek następnej kanonady piorunów. Każdy rozbłysk oświetlał Roberta i w szybie drzwi balkonowych widziałem jego upiorne odbicie. Twarz połyskiwała blado niczym maska teatru kabuki, ale oczy były jeszcze bielsze, oślepiająco białe w blasku błyskawic.

Natychmiast pomyślałem o wężowatym mężczyźnie wyłowionym z kanału, z oczami wywróconymi w tył głowy.

Kolejne błyskawice stworzyły jeszcze trzy odbicia z białymi oczami. Stałem sparaliżowany przez mrożący do szpiku ziąb nawet wtedy, gdy Robert odwrócił się w moją stronę.

45

Zrobił to nieśpiesznie, nie wykonując żadnych gwałtownych ruchów, które sygnalizowałyby wrogie zamiary.

Nieprzewidywalna latarnia sygnałowa burzy już nie rozjaśniała jego twarzy, tylko podświetlała go od tyłu. Niebo, jeden wielki galeon z tysiącem czarnych żagli, bez przerwy nadawało sygnały, jak gdyby zabiegając o jego uwagę, i kontynuowało kanonadę.

Odwrócone od błyskawic oczy już nie lśniły księżycową bielą. Mimo to, choć głęboki cień skrywał twarz, wydawały się lekko fosforyzujące i mleczne jak u człowieka oślepionego przez kataraktę.

W ciemności nie mogłem być tego pewien, ale czułem, że oczy Roberta są wywrócone, że widać tylko białka. Być może było to tylko wyobrażenie zrodzone z chłodu, który przenikał mnie do szpiku kości.

Przyjąłem postawę, jaką podpatrzyłem u komendanta Portera, podniosłem strzelbę i wycelowałem nisko, ponieważ odrzut mógł poderwać lufę.

Czułem, że niezależnie od stanu oczu, czy były białe niczym gotowane jaja, czy nabiegłe krwią i niebieskie jak beryl, Robert jest nie tylko świadom mojej obecności, lecz również doskonale mnie widzi.

A jednak jego zachowanie i swobodnie opuszczone ręce sugerowały, że widok mojej osoby nie przełączył go na psychozabójczy tryb działania. Sprawiał wrażenie może nie zaskoczonego, ale na pewno roztargnionego i zmęczonego.

Uznałem, że wcale mnie nie szukał, tylko wszedł tutaj z innego powodu albo w ogóle bez żadnego celu. Znalazłszy mnie przez przypadek, sprawiał wrażenie niezadowolonego z konieczności uporania się z tym stanem rzeczy.

Coraz dziwniej i dziwniej: przeciągłe westchnienie, niemal jęk, sugerowało ogromne znużenie i zdawało się wyrażać udrękę.

Jego niewytłumaczalna apatia i moja niechęć do użycia broni w sytuacji, gdy moje życie nie było jednoznacznie zagrożone, doprowadziły do dziwnego impasu, którego zaledwie dwie minuty temu nie potrafiłbym sobie wyobrazić.

Pot zrosił mi czoło. To nie mogło trwać w nieskończoność. Coś musiało się stać.

Jego ręce zwisały wzdłuż boków. Kapryśne światło burzy pełgało po pistolecie albo rewolwerze w prawej dłoni.

Po odwróceniu się od okna mógł skoczyć w moją stronę, strzelić, paść na podłogę i oddawać kolejne strzały przetaczając się, żeby uniknąć trafienia ze strzelby. Nie wątpiłem, że jest doświadczonym zabójcą. Jego szanse na położenie mnie trupem byłyby znacznie większe niż moje na zadanie mu rany.

Pistolet wisiał w jego ręce niczym kotwica, gdy zrobił dwa kroki w moją stronę. Nie wyglądało to groźnie, niemal tak, jakby chciał o coś poprosić. Były to kroki ciężkiego konia pociągowego, pasujące do przydomku Cheval, jaki nadała mu Datura.

Bałem się, że Andre wparuje do pokoju z impetem lokomotywy, którą z początku mi przypominał.

Robert mógłby wtedy otrząsnąć się z niezdecydowania — albo czegokolwiek innego, co powstrzymywało go od działania. We dwóch wzięliby mnie w krzyżowy ogień.

Ale nie mogłem strzelić do człowieka, który w tej chwili wcale nie wydawał się skłonny do zastrzelenia mnie.

Choć podszedł bliżej, jego twarz nie stała się ani trochę wyraźniejsza niż wcześniej. Wciąż miałem niepokojące wrażenie, że oczy są oszronionymi szybkami.

Usłyszałem kolejny dźwięk, który najpierw uznałem za wymamrotane pytanie. Gdy się powtórzył, bardziej przypominał stłumione kaszlnięcie.

Ręka z pistoletem zaczęła się unosić.

Miałem wrażenie, że podniósł broń wcale nie w morderczych zamiarach, tylko bezwiednie, niemal jakby zapomniał, że ją trzyma. Jednak biorąc pod uwagę wszystko, co o nim wiedziałem — oddanie Daturze, upodobanie do smaku krwi, udział w brutalnym zabójstwie doktora Jessupa — nie mogłem czekać na wyraźniejszą wskazówkę.

Zakołysałem się pod wpływem siły odrzutu, ale on przyjął gruby śrut jak ciężarówka i nie upuścił broni. Wprowadziłem nabój do komory i strzeliłem drugi raz. Szklane drzwi za Robertem rozpadły się, bo wycelowałem za wysoko albo nieco w bok. Strzeliłem trzeci raz, a on cofnął się chwiejnie przez wyrwę, która powstała w miejscu rozsuwanych drzwi.

Wciąż trzymał broń, ale jej nie użył. Uznałem, że czwarty strzał nie jest konieczny. Przynajmniej dwa z trzech trafiły go celnie i mocno.

Mimo wszystko pobiegłem za nim, niemal jakby strzelba przejęła nade mną władzę i koniecznie chciała się wystrzelać. Czwarty nabój zdmuchnął go z balkonu.

Gdy tylko zbliżyłem się do strzaskanych drzwi, zobaczyłem coś, co dotąd skrywał przede mną deszcz i kąt widzenia. Część balkonu zarwała się w czasie trzęsienie ziemi, pociągając za sobą balustradę.

Jeśli po trzech strzałach została w Robercie iskierka życia, upadek z jedenastego piętra musiał ją zgasić.

46

Po uśmierceniu Roberta miałem miękkie kolana i zawroty głowy, ale nie dostałem mdłości, czego się spodziewałem. Ostatecznie był to Cheval Robert, a nie dobry mąż, kochający ojciec czy podpora lokalnej społeczności. Co więcej, miałem wrażenie, że chciał, abym zrobił to, co zrobiłem. Zdawało się, że witał śmierć jak dobrodziejstwo.

Gdy odsunąłem się od drzwi balkonowych i wpadającego przez nie deszczu, usłyszałem wrzask Datury płynący z jakiegoś dalekiego miejsca na jedenastym piętrze. Krzyk brzmiał coraz głośniej, jak wycie zbliżającej się syreny.

Jeśli wyskoczę na korytarz, niewątpliwie złapią mnie, zanim dotrę do schodów. Oboje z Andre mieli broń i liczenie na to, że ogarnie ich takie samo niezdecydowanie co Roberta, byłoby sprzeczne z logiką.

Przeniosłem się z salonu do sypialni na prawo od drzwi z korytarza. Tutaj panował głębszy mrok, ponieważ okna były mniejsze i przysłonięte zbutwiałymi zasłonami.

Nie spodziewałem się znaleźć kryjówki. Potrzebowałem czasu na przeładowanie, to wszystko.

Ich uwagę przyciągnęły strzały, więc pewnie wejdą ostrożnie. Prawdopodobnie najpierw ostrzelają pokój na ślepo, ubezpieczając się wzajemnie.

Nim któreś z nich ośmieli się zajrzeć do sypialni, będę już przygotowany — przynajmniej na tyle, na ile to możliwe. Miałem do dyspozycji tylko cztery naboje.

Jeśli dopisze mi szczęście, nie będą wiedzieli, gdzie Robert prowadził poszukiwania — o ile je prowadził. Na podstawie samego dźwięku nie mogli dokładnie określić miejsca, w którym padły strzały.

Powinni przeszukać wszystkie pokoje wzdłuż krótszego korytarza, co być może da mi okazję do opuszczenia jedenastego piętra.

Datura wykrzyknęła moje imię znacznie bliżej, ale nie w apartamencie, może na skrzyżowaniu korytarzy. Choć nie wołała mnie na koktajl mleczny w tutejszej lodziarni, sprawiała wrażenie bardziej podekscytowanej niż wkurzonej.

Lufa i zamek strzelby były rozgrzane po niedawnym strzelaniu.

Opierając się o ścianę, drżąc na wspomnienie Roberta spadającego z balkonu, wyłowiłem z kieszeni dżinsów pierwszy z zapasowych naboi. Po omacku, niezdarnie wykonując nieznane mi zadanie, próbowałem wsunąć nabój do zamka.

— Słyszysz mnie, Oddzie Thomasie? — zawołała Datura. — Słyszysz mnie, mój chłopcze?

Komora stawiała opór, nie chciała przyjąć naboju. Ze zdenerwowania zaczęły trząść mi się ręce, co jeszcze bardziej utrudniało zadanie.

— Co to było za cholerstwo? — krzyczała. — Czy to był poltergeist, mój chłopcze?

W czasie konfrontacji z Robertem moja twarz zrobiła się mokra od potu. Brzmienie głosu Datury przemieniło pot w lód.

— To było odjazdowe, naprawdę absolutnie zajebiste! — oznajmiła, wciąż jeszcze gdzieś na korytarzu.

Zadecydowałem, że komorę załaduję na końcu, i próbowałem wcisnąć nabój do czegoś, co uznałem za magazynek.

Nabój wysunął się z moich spoconych, drżących palców. Odbił się od prawego buta.

— Nabrałeś mnie, Oddzie Thomasie? Chciałeś, żebym nakręcała starą Maryann, dopóki nie wybuchnie?

Nie wiedziała o Ostrzyżonym. Niech myśli, że to duch ładnej, ale nie dość ładnej kelnerki pokazał, co potrafi. Była w tym pewna sprawiedliwość.

Przykucnąłem i zacząłem na ślepo obmacywać podłogę. Bałem się, że nabój mógł się gdzieś odtoczyć, a wtedy musiałbym zapalić latarkę, żeby go znaleźć. Potrzebowałem wszystkich czterech nabojów. Kiedy po paru sekundach znalazłem zgubę, niemal jęknąłem z ulgi.

— Chcę powtórki przedstawienia! — krzyknęła Datura.

Kucając ze strzelbą na udach, jeszcze raz spróbowałem załadować magazynek, odwracając nabój najpierw w jedną, potem w drugą stronę, ale właz magazynka — o ile to był właz magazynka — nie chciał go przyjąć.

Zadanie wydawało się proste, znacznie łatwiejsze niż przewracanie sadzonych jaj bez rozbijania żółtka, ale najwyraźniej nie było na tyle proste, żeby ktoś nieobznajomiony z bronią mógł załadować ją po ciemku. Potrzebowałem światła.

— Podkręćmy tę głupią martwą dziwkę jeszcze raz!

Podszedłem do okna i odsunąłem butwiejącą kotarę.

— Ale tym razem będę cię trzymać na smyczy, mój chłopcze!

Do zachodu słońca została godzina, może dwie, ale burza filtrowała światło i na zalewanej deszczem pustyni zapadał fałszywy zmierzch. Mimo wszystko widziałem dość dobrze, żeby sprawdzić strzelbę.

Wyłowiłem z kieszeni następny nabój. Spróbowałem załadować. Nic z tego.

Położyłem go na parapecie, sięgnąłem po trzeci. Nie wierząc własnym oczom, wyjąłem czwarty.

— Nie wydostaniesz się stąd, ani ty, ani Danny Frajer. Słyszysz mnie? Stąd nie ma wyjścia.

Amunicja, którą znalazłem na blacie przy umywalce w łazience, nie pasowała do mojej broni.

Miałem strzelbę, która w tej sytuacji nie mogła być uważana za strzelbę. Stała się wymyślną maczugą.

Znalazłem się na głębokiej wodzie nie tylko bez wiosła, ale także bez łodzi.

47

Zwykłem myśleć, że być może pewnego dnia zacznę pracować w detalicznej sprzedaży opon. Spędziłem sporo czasu na wałęsaniu się po Tire World w pobliżu centrum handlowego Green Moon Mall na Green Moon Road, i wszyscy pracownicy wydawali mi się zrelaksowani, zadowoleni.

W świecie opon pod koniec dnia pracy człowiek nie musi się zastanawiać, czy dokonał czegoś znaczącego. Ludzie przyjeżdżają na kiepskich gumach, a ty wyprawiasz ich z pięknymi nowymi oponami.

Amerykanie uwielbiają się przemieszczać i gdy nie mają takiej możliwości, czują się przygaszeni. Dostarczanie im opon jest nie tylko dobrym interesem, ale również leczy strapione dusze.

Obawiam się, że choć sprzedawanie opon nie wiąże się z twardym targowaniem, jak w nieruchomościach czy międzynarodowym handlu bronią, mógłbym uznać tę pracę za zbyt emocjonalnie wyczerpującą. Gdyby nadnaturalny aspekt mojego życia nie wiązał się z niczym bardziej stresującym niż codzienne kontakty z Elvisem, praca w sprzedaży opon miałaby sens, ale jak widzieliście, ulubiony syn Memphis to nie wszystko.

Przed wizytą w Panamint myślałem, że w końcu wrócę do pracy u Terri Stambaugh. Gdyby na dodatek do wszystkiego innego, co wiecznie się ze mną działo, również patelnia wystawiła moje nerwy na próbę, może uległbym pokusie życia w świecie opon, zajmując się nie ich sprzedażą, ale zakładaniem.

Ten burzowy dzień na pustyni wiele zmienił. Musimy mieć cele i marzenia, musimy dążyć do ich spełnienia. Nie jesteśmy jednak bogami; nie mamy możliwości kształtowania wszystkich aspektów przyszłości. Droga, jaką wytycza dla nas świat, jest drogą uczącą pokory — jeśli tylko chcemy się uczyć.

Stojąc w zapleśniałym pokoju w zrujnowanych hotelu, dumając nad bezużyteczną strzelbą, słuchając, jak krwiożercza wariatka zapewnia mnie, że to ona decyduje o moim losie, nie mając ani jednego kokosowego batonu z rodzynkami, czułem się upokorzony. Może nie tak bardzo jak Kojot rozpłaszczony pod tym samym głazem, którym zamierzał zmiażdżyć Strusia Pędziwiatra, ale wystarczająco.

— Wiesz, dlaczego nie możesz mi uciec, mój chłopcze? — krzyknęła.

Nie dociekałem, pewny, że sama mi powie.

— Bo wiem o tobie. Wiem o tobie wszystko. Wiem, że to działa w obie strony.

Stwierdzenie to w tej chwili nie miało dla mnie sensu, ale ponieważ z ust Datury słyszałem wiele równie tajemniczych wypowiedzi, nie włożyłem większego wysiłku w próbę jego zrozumienia.

Zastanawiałem się, kiedy przestanie wrzeszczeć i zajrzy do pokoju. Może Andre już wśliznął się do apartamentu i przeprowadzał rozpoznanie, a jej krzyki na korytarzu miały mnie przekonać, że topór jeszcze nie opada.

Jak gdyby odczytując moje myśli, zawołała:

— Nie muszę cię szukać, prawda, Oddzie Thomasie?

Położyłem strzelbę na podłodze, wytarłem twarz rękami, osuszyłem ręce o dżinsy. Czułem się brudny jak po sześciu dniach unikania wody, bez nadziei na niedzielną kąpiel.

Zawsze się spodziewałem, że umrę czysty. W moim śnie, kiedy otwieram drzwi z białymi płycinami i zarabiam szpikulcem w gardło, mam czystą koszulkę, wyprasowane dżinsy i świeżą bieliznę.

— Nie muszę ryzykować, że odstrzelisz mi głowę, gdy będę cię szukać! — krzyknęła.

Biorąc pod uwagę szamba, w jakie zawsze wpadam, nie mam pojęcia, skąd się wziął ten pomysł umierania w czystości. Po zastanowieniu uznałem, że to wygląda na okłamywanie samego siebie.

Freud miałby kupę uciechy, analizując mój kompleks śmierci w czystości. Ale Freud był osłem.

— Psychiczny magnetyzm! — wrzasnęła, wzbudzając we mnie większe zainteresowanie niż dotychczas. — Psychiczny magnetyzm działa w obie strony, mój chłopcze.

Mój humor, który nie był szampański pod absolutnie żadnym względem, w tej chwili stał się wyjątkowo pieski.

Kiedy skupiam myśli na konkretnej osobie, mogę krążyć

po mieście pozornie bez celu, a magnetyzm psychiczny często mnie do niej prowadzi. Mechanizm zaskakuje czasem także wtedy, gdy myślę o kimś, kogo wcale nie szukam, i ten ktoś przychodzi do mnie mimo woli.

Gdy magnetyzm psychiczny pracuje na wstecznym biegu, tracę kontrolę... i jestem narażony na przykre niespodzianki. Ze wszystkich informacji, jakie Danny przekazał Daturze, ta mogła okazać się najbardziej niebezpieczna.

Poprzednio, ilekroć za sprawą odwrotnego magnetyzmu psychicznego wpadł na mnie jakiś zły facet, obaj byliśmy jednakowo zaskoczeni. Można powiedzieć, że spotykaliśmy się na równej stopie.

Zamiast przeszukiwać gorączkowo pokój za pokojem, piętro po piętrze, Datura zamierzała pozostać czujna, ale spokojna, poddając się przyciąganiu mojej aury albo czym też u licha jest to paranormalne źródło. Mogła przyczaić się na schodach, od czasu do czasu sprawdzać, czy w szybie wind nie słychać hałasu, i czekać, aż znajdzie się u mojego boku — lub za moimi plecami — po prostu dzięki temu, że jak w piosence Williego Nelsona mam ją „zawsze w moich myślach".

Niezależnie od przebiegłości, jaką się wykażę w trakcie poszukiwań wyjścia, przypuszczalnie wpadnę na Daturę przed opuszczeniem hotelu. To trochę przypominało przeznaczenie.

Jeśli wypiłeś o jedno piwo za dużo, możesz zacząć mędrkować. Nie bądź idiotą, Odd. Wystarczy, że nie będziesz o niej myślał.

Wyobraź sobie, że biegasz na bosaka w letni dzień, beztroski jak dziecko, i nagle następujesz na starą deskę z sześciocalowym gwoździem, który przebija ci śródstopie. Nie musisz zmieniać planów i szukać lekarza. Wszystko będzie w porządku, gdy tylko przestaniesz myśleć o wielkim, ostrym, zardzewiałym kolcu wbitym w stopę.

Grasz w golfa na polu z osiemnastoma dołkami i piłka wpada do lasu. Gdy ją podnosisz, grzechotnik kąsa cię w rękę. Nie zawracaj sobie głowy telefonowaniem z komórki pod 911. Możesz dokończyć grę, jeśli po prostu skupisz się na machaniu kijem i wyrzucisz z pamięci denerwującego węża.

Obojętnie ile piw wypiłeś, jestem pewien, że rozumiesz mój punkt widzenia. Datura była gwoździem w mojej stopie, kłami węża w mojej ręce. W tych okolicznościach moja próba zapomnienia o niej przypominała twoją próbę niemyślenia o rozwścieczonym nagim zapaśniku sumo, z którym zamknięto cię w jednym pokoju.

Przynajmniej zdradziła swoje zamiary. Teraz wiedziałem, że wie o odwrotnym magnetyzmie psychicznym. Mogła wpaść na mnie, odciąć mi głowę i wypić moją krew, gdy najmniej będę się tego spodziewał, ale przynajmniej nie będę zaskoczony.

Przestała krzyczeć.

Czekałem spięty, wytrącony z równowagi tą ciszą.

Niemyślenie o niej przychodziło mi łatwiej wtedy, gdy jazgotała, niż teraz, kiedy się zamknęła.

Grzechot i smugi deszczu na oknie. Grzmot. Tren wiatru.

Ozziemu Boone, mentorowi i człowiekowi pióra, spodobałoby się to słowo. Tren: lament, elegia, pieśń żałobna.

Podczas gdy bawiłem się w chowanego z wariatką w wypalonym hotelu, Ozzie pewnie siedział w przytulnym gabinecie, sączył gęste gorące kakao, skubał orzechowe ciasteczka i pisał pierwszą powieść z nowej serii o detektywie, który umie porozumiewać się ze zwierzętami. Może zatytułuje ją *Tren dla chomika*.

Ten tren oczywiście miałby być dla Roberta, nafaszerowanego ołowianym śrutem i połamanego, leżącego jedenaście pięter niżej.

Po chwili zerknąłem na fosforyzującą tarczę zegarka. Sprawdzałem czas co parę minut, aż minął kwadrans.

Powrót na korytarz nie budził we mnie entuzjazmu. Z drugiej strony dalszy pobyt tutaj też nie napawał optymizmem.

Poza chusteczkami higienicznymi, butelką wody i paroma innymi rzeczami, które dla człowieka w moim położeniu nie miały żadnej wartości, w plecaku był nóż. Najbardziej ostre ostrze nie mogło się równać ze strzelbą — zakładając, że Datura miała strzelbę — ale było lepsze od paczki chusteczek.

Nie mógłbym jednak nikogo pociąć, nawet Datury. Używanie broni palnej przytłacza, ale pozwala zabić z pewnej odległości. W porównaniu z nożem pistolet jest mniej... intymny. Żeby zabić z bliska i własną ręką, z krwią spływającą po rękojeści, potrzebny byłby Odd Thomas z innego wymiaru, Odd Thomas bardziej okrutny niż ja i mniej przywiązany do czystości.

Uzbrojony w gołe ręce i determinację, w końcu wszedłem do salonu.

Nie zobaczyłem Datury.

Korytarz, gdzie niedawno grasowała i wrzeszczała, był pusty.

Moje strzały ściągnęły ją tutaj z północnej strony budynku. Najpewniej wtedy obserwowała tamte schody i teraz na nie wróciła.

Spojrzałem ku południowym schodom. Jeśli Andre gdzieś się przyczaił, to właśnie tam. Mogłem mieć przewagę determinacji, ale on miał silniejsze argumenty. Po walce na pięści przypominałbym paczkę krakersów, pokruszonych przed wsypaniem do zupy.

Datura nie wiedziała, gdzie jestem, gdy stała tu i wrzeszczała. Nie miała pewności, czy ją słyszę, ale powiedziała mi prawdę o swoim planie: żadnych poszukiwań, tylko cierpliwość, zawierzenie mrożącemu krew w żyłach przeznaczeniu.

48

Skorzystanie ze schodów i szybu windy nie wchodziło w rachubę, miałem więc tylko takie możliwości, jakie oferowało jedenaste piętro.

Pomyślałem o kilogramie gelignitu czy jak tam go zwą w dzisiejszych czasach. Taki młody i zdesperowany facet jak ja powinien znaleźć jakieś zastosowanie dla materiałów wybuchowych w ilości wystarczającej do przerobienia dużego domu na zapałki.

Choć nie przeszedłem żadnego szkolenia w zakresie materiałów wybuchowych, miałem przewagę wynikająca z paranormalnej przenikliwości. Tak, mój dar wpakował mnie w to bagno, ale jeśli nie wpakuje mnie jeszcze głębiej, to może mnie z niego wydobyć.

Miałem również w sobie amerykańskiego ducha, którego nigdy nie należy lekceważyć.

Według znanej mi z filmów historii, bawiąc się paroma puszkami i drutem, Alexander Bell wynalazł telefon z pomocą swojego asystenta Watsona, który był również towarzyszem Sherlocka Holmesa, po czym po przetrzymaniu pogardy i sceptycyzmu ludzi mniejszego formatu odniósł wielki sukces — a wszystko to stało się w ciągu dziewięćdziesięciu minut.

Narażony na pogardę i sceptycyzm bardzo podobnego zestawu ludzi mniejszego formatu Thomas Edison, kolejny wielki Amerykanin, między wieloma innymi rzeczami wynalazł żarówkę, fonograf, pierwszą dźwiękową kamerę filmową i baterię alkaliczną, również w dziewięćdziesiąt minut, a przy tym wyglądał jak Spencer Tracy.

Będąc w moim wieku, Thomas Edison wyglądał jak Mickey Rooney, wynalazł mnóstwo pomysłowych urządzeń i wykazał się pewnością siebie wystarczającą do zignorowania sceptyków. Podobnie jak Edison i Mickey Rooney, byłem typowym Amerykaninem, miałem więc powody wierzyć, że po zbadaniu komponentów rozmontowanej bomby potrafię je poskładać, tworząc użyteczną broń.

Zresztą nie miałem żadnych innych perspektyw.

Przemknąłem chyłkiem po głównym korytarzu i wsunąłem się do pokoju 1242, gdzie był przetrzymywany Danny, zapaliłem latarkę i stwierdziłem, że Datura zabrała materiały wybuchowe. Może nie chciała, żeby wpadły w moje ręce, może zamierzała zrobić z nich jakiś użytek, a może po prostu zatrzymała je z sentymentu.

Zastanawianie się, w jaki sposób mogła wykorzystać bombę, byłoby z gruntu niezdrowe, dlatego zgasiłem latarkę i podszedłem do okna. W blasku bladej lampy gasnącego dnia obejrzałem telefon Terri, którym Datura tłukła o blat w łazience.

Kiedy otworzyłem klapkę, ekran pojaśniał. Ucieszyłby

mnie widok logo, rozpoznawalnego obrazu albo jakichś informacji. Niestety, zobaczyłem tylko pozbawione znaczenia niebiesko-żółte cętki.

Wcisnąłem kilka klawiszy, numer komórki komendanta Portera, ale cyfry nie pojawiły się na ekranie. Wcisnąłem DZWOŃ i słuchałem. Nic.

Gdybym żył sto lat wcześniej, może mógłbym w myśl powiedzenia „dla chcącego nic trudnego" z kawałków tego i tamtego sklecić jakieś urządzenie komunikacyjne, ale w dzisiejszych czasach wszystko jest bardziej skomplikowane. Nawet Edison nie mógłby na poczekaniu zmontować nowego mikroprocesora.

Rozczarowany pokojem 1242, wróciłem na korytarz. Z otwartych drzwi sączyło się znacznie mniej światła dziennego niż zaledwie pół godziny temu. Noc na korytarzach miała zapaść co najmniej godzinę wcześniej niż na dworze.

Choć prześladowało mnie przyprawiające o gęsią skórkę uczucie, że jestem obserwowany, choć półmrok uniemożliwiał zbagatelizowanie tych obaw jako bezpodstawnych, nie włączyłem latarki. Andre i Datura mieli broń: światło uczyniłoby mnie łatwym celem.

W każdym badanym pokoju po zamknięciu drzwi czułem się dość bezpiecznie, żeby zapalić światło. Niektóre z nich obejrzałem wcześniej, gdy szukałem kryjówki dla Danny'ego. Ani wtedy, ani teraz nie znalazłem tego, czego potrzebowałem.

W głębi serca, w tym przytulnym zakamarku, w którym nawet w najczarniejszych godzinach mieszka wiara w cuda, miałem nadzieję znalezienia walizki jakiegoś od dawna nieżyjącego gościa, a w niej pistoletu. Z drugiej strony, choć broń krótka byłaby mile widziana, wolałbym trafić na dźwig towarowy odizolowany od osobowych albo przestronną windę do transportu dań z leżącej na parterze kuchni. W końcu odkryłem schowek służbowy mający około trzech metrów głębokości i ponad cztery szerokości. Na półkach leżały środki czyszczące, kostki mydła dla gości i zapasowe żarówki. Odkurzacze, wiaderka i szczotki walały się na podłodze.

Instalacja tryskaczowa, która zawiodła wszędzie indziej, tutaj zadziałała lepiej niż trzeba albo może pękła rura wodociągowa. Część sufitu się zarwała, a z nienaruszonej części spadły kawały płyt gipsowych, najwyraźniej nasiąknięte wodą.

Szybko przejrzałem rzeczy na półkach. Wybielacz, amoniak i inne zwyczajne substancje wykorzystywane w gospodarstwie domowym można połączyć na wiele sposobów, żeby otrzymać materiały wybuchowe, środki znieczulające, odczynniki powodujące oparzenia, bomby dymne i gazy trujące. Niestety, nie znałem żadnych receptur.

Zważywszy na to, że często pakuję się w kłopoty i nie jestem chodzącą maszyną do zabijania, nie powinienem zaniedbywać edukacji w dziedzinie sztuki destrukcji i zabijania. Żądny wiedzy samouk znajdzie w Internecie mnóstwo potrzebnych informacji. Ponadto w dzisiejszych czasach poważne uniwersytety prowadzą wykłady, a nawet całe kursy poświęcone filozofii anarchii i jej praktycznym zastosowaniom.

Przyznaję, że w kwestii takiego samodoskonalenia jestem patentowanym leniem. Wolę popracować nad ulepszaniem naleśników, niż wbijać sobie do głowy przepisy na sporządzenie szesnastu rodzajów gazu paraliżującego. Wolę czytać powieść Ozziego Boone'a niż godzinami ćwiczyć na fantomie pchnięcia nożem w serce. Nigdy nie twierdziłem, że jestem ideałem.

Zwróciłem uwagę na klapę w ocalałej części sufitu. Gdy pociągnąłem za zwisającą rączkę, sprężynowe zamknięcie zaskrzypiało i zajęczało, ale się otworzyło. Z klapy zsunęła się składana drabinka.

Wspiąłem się i w świetle latarki zobaczyłem wysoki na metr dwadzieścia, metr pięćdziesiąt korytarz pomiędzy jedenastym i dwunastym piętrem. Wewnątrz biegł labirynt rur z miedzi i PCW, przewodów elektrycznych oraz instalacji związanych z ogrzewaniem, wentylacją i klimatyzacją.

Mogłem albo zapuścić się w tę przestrzeń, albo wrócić do schowka i wypić koktajl wybielaczowo-amoniakowy.

Ponieważ nie miałem plasterków świeżej limonki, wgramoliłem się do tunelu, podciągnąłem drabinkę, i zamknąłem za sobą klapę.

49

Legenda mówi, że afrykańskie słonie, gdy poczują zbliżającą się śmierć, wędrują w głąb pierwotnej dżungli na jeszcze nieodkryte przez człowieka cmentarzysko, na którym leży góra kości i ciosów. Pomiędzy jedenastym i dwunastym piętrem Ośrodka Rekreacyjnego Panamint odnalazłem szczurzy odpowiednik cmentarzyska słoni. Nie spotkałem ani jednego żywego okazu, ale co najmniej setkę tych, które odeszły do pełnej sera wieczności.

Leżały w grupach po trzy i cztery, choć zobaczyłem też stos składający się może z dwudziestu. Przypuszczam, że udusiły się w dymie, który wypełnił to miejsce w noc katastrofy. Po pięciu latach zostały z nich tylko czaszki, kości, strzępki futra i zmumifikowane ogony.

Do czasu tego odkrycia nigdy nie przypuszczałem, że jestem na tyle wrażliwy, aby doszukać się czegoś melancholijnego w stosach szczurzych trucheł. Gwałtowane zakończenie ich tętniącego energią życia, przerwanie rozkosznych snów o resztkach potraw dostarczanych do pokoi, przedwczesny kres przytulnych sesji wzajemnego iskania i gorących nocy szaleńczej kopulacji — to wszystko budziło smutek. Ten szczurzy cmentarz nie mniej wyraźnie niż cmentarzysko słoni mówił o przemijaniu.

Nie znaczy to, że płakałem nad ich losem. Nawet nie miałem kluchy w gardle. Ale przez większą część życia byłem fanem Myszki Miki, nic więc dziwnego, że wzruszyła mnie ta szczurza apokalipsa.

Osad z dymu pokrył większość powierzchni, lecz sam ogień spowodował niewiele zniszczeń. Płomienie przeskakiwały piętra, wędrując niewłaściwie zbudowanymi kanałami technicznymi, i oszczędziły to przejście, podobnie jak jedenaste piętro.

Tunel pomiędzy piętrami miał sto czterdzieści centymetrów wysokości, nie musiałem więc leźć na czworakach. Szedłem pochylony, z początku nie wiedząc, co mam nadzieję znaleźć, ale w końcu zrozumiałem, że pionowe kanały, którymi wspinał się ogień, pozwolą mi zejść na dół.

Byłem zdumiony rozmiarami instalacji. Ponieważ termostat w każdym hotelowym pokoju nastawia się niezależnie od innych, wszystkie pomieszczenia są ogrzewane i chłodzone przez własne konwektory wentylatorowe. Każdy konwektor jest podłączony do odgałęzień czterech rur, rozprowadzających zimną i ciepłą wodę po całym budynku. Konwektory, pompy, rury, nawilżacze i zbiorniki przelewowe tworzyły geometryczny labirynt, który przypominał mi najeżone maszynami powierzchnie jednego z tych ogromnych statków kosmicznych z *Gwiezdnych wojen* i kaniony, w których walczyły myśliwce.

Zamiast myśliwców widziałem pająki i wielkie sieci skomplikowane jak spiralne galaktyki, a także zostawione przez monterów puste puszki po wodzie sodowej, wylizane do czysta pojemniki na kanapki i kolejne szczury. W końcu natknąłem się na odgałęzienie, które mogło mi umożliwić ucieczkę z Panamint.

Szyb, wyłożony obitymi blachą niepalnymi płytami, miał w przekroju jakieś siedemdziesiąt na siedemdziesiąt centymetrów. Od miejsca, w którym stałem, wznosił się na cztery piętra w górę. Poniżej ginął w ciemnościach, których moja latarka nie mogła spenetrować.

Taka przestronna pionowa autostrada spełniałaby moje wymagania, gdyby nie wszystkie te rury i przewody, które biegły wzdłuż trzech ścian i połowy czwartej. Do jedynej wolnej powierzchni przymocowana była drabina nie ze szczeblami, ale z szerokimi na dziesięć centymetrów stopniami, które zapewniały pewniejsze oparcie dla stóp.

Pionowy kanał znajdował się daleko od szybu windowego. Jeśli Datura albo Andre pełnili wartę przy windach, nie powinni mnie usłyszeć, gdy będę schodził.

Spomiędzy rur i przewodów na pozostałych trzech ścianach wystawały dodatkowe uchwyty dla rąk i stalowe klamry do przypinania uprzęży bezpieczeństwa.

W kominie wisiała zamocowana gdzieś pod dachem budynku półcalowa linka w rodzaju tych, jakich używają alpiniści. Grube węzły rozmieszczone co trzydzieści centymetrów mogły służyć jako uchwyty dla dłoni. Z pewnością została założona po pożarze, może przez ratowników.

Wydedukowałem, niekoniecznie poprawnie, że gdybym pomimo szerokich stopni drabiny i licznych klamer dla linek asekuracyjnych runął na dół, to lina z węzłami mogła być ostatnią deską ratunku w czasie spadania.

Chociaż mam mniej małpich genów, niż wymagało przebycie tej studni, nie widziałem innej możliwości, jak podjąć próbę. Inaczej mógłbym chyba tylko czekać na teleportację na statek matkę — i pewnego dnia znaleziono by mnie, same kości i dżinsy, na cmentarzysku szczurów.

Latarka przygasała. Założyłem nowe baterie z plecaka.

Używając zapinanego na rzepy mankietu dla grotołazów, przymocowałem latarkę do lewego przedramienia.

Włożyłem składany nóż rybacki do kieszeni.

Wypiłem pół butelki wody, której nie zostawiłem Danny'emu. Miałem nadzieję, że jakoś sobie radzi. Strzały musiały go przestraszyć. Pewnie myślał, że nie żyję.

Może tak było, tylko jeszcze o tym nie wiedziałem.

Zastanowiłem się, czy muszę zrobić siku. Nie musiałem.

Nie mogłem wymyślić kolejnych powodów do zwłoki, więc zostawiłem plecak i wszedłem do szybu.

50

Na którymś kanale w kablówce, noszącym bodajże nazwę „Chłam, którego nikt inny nie pokaże w TV", oglądałem kiedyś serial o poszukiwaczach przygód, którzy zeszli do środka ziemi i odkryli tam cywilizację. Oczywiście było to imperium zła.

Władający nim cesarz, który przypomina Minga Bezlitosnego ze starych kiczowatych filmów o Flashu Gordonie, zamierza podbić świat na powierzchni, gdy tylko wynajdzie promień śmierci i wyhoduje paznokcie na tyle długie, żeby nie musiał się ich wstydzić jako władca całej planety. Kolejność obojętna.

Podziemny świat zamieszkują zwykłe bandziory i niegodziwcy, a także dwa czy trzy rodzaje mutantów, kobiety w rogatych kapeluszach i oczywiście dinozaury. To arcydzieło sztuki filmowej powstało dziesiątki lat przed wynalezieniem animacji komputerowej. Nie zastosowano nawet zdjęć poklatkowych; w roli dinozaurów występowały nie gliniane modele, lecz iguany. Przyklejono im gumowe dodatki, żeby wyglądały groźnie i bardziej przypominały dinozaury, ale wyglądały po prostu jak zdezorientowane iguany.

Schodząc pionowym kanałem, ostrożnie przenosząc się ze szczebla na szczebel, odtwarzałem w myślach akcję tego starego serialu. Próbowałem skupiać się na niedorzecznych wąsach cesarza, na podejrzanie podobnych do karłów mutantach w kapeluszach z gumowych węży i skórzanych pantalonach, na fragmentach dialogów, skrzących się dowcipem niczym serek śmietankowy, i na tych wzruszająco śmiesznych iguanozaurach.

Ale moje myśli wciąż wracały do Datury, niezawodnego gwoździa w stopie: do niej, do odwrotnego magnetyzmu psychicznego, do nieprzyjemnego zabiegu patroszenia i wyławiania amuletu z mojego żołądka. Niedobrze.

Powietrze w szybie okazało się mniej aromatyczne niż cuchnące sadzą toksyczne wyziewy w innych częściach hotelu. Było za to stęchłe, wilgotne, na przemian siarkowe i spleśniałe. W miarę jak schodziłem, nabierało treści, aż w końcu miałem wrażenie, że zrobiło się dość gęste do picia.

Do szybu dochodziły poziome kanały i mijając niektóre z nich, czułem przeciąg. Te chłodne prądy pachniały inaczej, ale wcale nie lepiej niż powietrze w szybie.

Dwa razy zacząłem się krztusić. Za każdym razem musiałem się zatrzymać, żeby pohamować wymioty.

Smród, klaustrofobiczna ciasnota szybu, woń chemikaliów i pleśni wisząca w powietrzu sprawiły, że zakręciło mi się w głowie po zejściu zaledwie czterech pięter.

Choć wiedziałem, że ponosi mnie wyobraźnia, zacząłem się zastanawiać, czy na dnie szybu nie ma ciał — ludzkich, nie szczurzych — nieodnalezionych przez ratowników i grupy przeszukujące zgliszcza, leżących w szlamie rozkładu.

Im niżej schodziłem, tym bardziej byłem zdecydowany nie kierować latarki w dół ze strachu przed tym, co mogę tam zobaczyć: nie tylko zwłoki, ale może także stojącą na nich wyszczerzoną postać.

Kali zawsze wyobrażana jest nago. Jako *jagrata* jest wychudzona i bardzo wysoka. Z jej otwartych ust wystaje długi język i dwa kły. Roztacza straszliwe piękno, perwersyjnie poruszające.

Co dwa piętra mijałem kolejne poziome korytarze. Za każdym razem mogłem zejść z drabiny, a potem wejść na nią ponownie; za każdym razem przenosiłem się na linę, przytrzymując się węzłów, opuszczałem się i wracałem na niższy odcinek drabiny.

Biorąc pod uwagę zawroty głowy i narastające mdłości, schodzenie po linie było szczytem lekkomyślności. A jednak to robiłem.

Na świątynnych wizerunkach Kali w jednej ręce trzyma pętlę, w drugiej laskę zwieńczoną czaszką. W trzeciej ma miecz, a w czwartej odciętą głowę.

Nagle wydało mi się, że słyszę ruch na dole. Zamarłem, ale zaraz potem powiedziałem sobie, że hałas był tylko echem mojego oddechu, i schodziłem dalej.

Numery namalowane na ścianach identyfikowały piętra nawet wtedy, gdy nie było do nich dostępu. Na wysokości pierwszego moja prawa stopa trafiła w coś mokrego i zimnego.

Kiedy ośmieliłem się zaświecić w dół, zobaczyłem, że dno szybu pełne jest czarnej wody i śmieci. Nie mogłem iść dalej tą trasą.

Wspiąłem się do korytarza między pierwszym i drugim piętrem.

Jeśli na tym poziomie sczezły jakieś szczury, to nie za sprawą dymu, lecz głodnych paszcz ognia, które nie wypluły nawet zwęglonych kości. Szalejące płomienie zostawiły po sobie absolutnie czarną sadzę, która pochłaniała światło i nie odbijała promieni latarki.

Poskręcane, powyginane, stopione metalowe rury, które kiedyś były instalacją grzewczo-chłodzącą, tworzyły oszałamiające krajobrazy, jakich nie zobaczy się nawet w koszmarach po ostrym balowaniu czy pizzy z papryką jalapeno. Sadza, która pokrywała wszystko wokół — tu cienką błonką, gdzie indziej warstwą grubą na parę centymetrów — nie była sypka ani sucha, lecz tłusta.

Lawirowanie wśród tych amorficznych, śliskich przeszkód i przełażenie przez nie było niebezpieczne. Miejscami podłoga wydawała się pochylona, co sugerowało, że pręty zbrojeniowe w betonie musiały zacząć się topić i wyginać w straszliwym żarze.

Powietrze cuchnęło tu bardziej niż w szybie, było gryzące, niemal jakby zjełczałe, a jednak wydawało się rozrzedzone jak na wielkiej wysokości. Osobliwa faktura sadzy podsuwała mi koszmarne pomysły na temat jej pochodzenia. Starałem się myśleć o iguanozaurach, ale oczyma wyobraźni widziałem Daturę w naszyjniku z ludzkich czaszek.

Gramoliłem się na czworakach, ślizgałem na brzuchu, przeciskałem przez wygładzone żarem metalowe zwieracze w wypalonych trzewiach hotelu i rozmyślałem o Orfeuszu w piekle.

W micie greckim Orfeusz wyrusza do piekła na poszukiwanie Eurydyki, swojej żony, która trafiła tam po śmierci. Udaje mu się zdobyć przychylność Hadesa i zgodę na wyprowadzenie żony z królestwa potępienia.

Ja jednak nie mogłem być Orfeuszem, ponieważ Stormy Llewellyn, moja Eurydyka, nie poszła do piekła, ale do znacznie lepszego miejsca, na które w pełni zasłużyła. Jeśli tu było piekło, a ja wszedłem do niego w misji ratunkowej, to dusza, którą pragnąłem ocalić, musiała należeć do mnie.

Gdy zacząłem dochodzić do wniosku, że klapy pomiędzy tym przejściem a drugim poziomem hotelu musiały zostać zasypane poskręcanym, nadtopionym metalem, niemal wpadłem w dziurę w podłodze. Światło latarki omiotło szkielety ścian czegoś, co kiedyś musiało być magazynkiem.

Klapa i drabina znikły, obrócone w popiół. Z ulgą opuściłem się do pomieszczenia na dole, wylądowałem na nogach i zachwiałem się, ale nie straciłem równowagi.

Pomiędzy wykrzywionymi stalowymi słupkami brakującej ściany wyszedłem na główny korytarz. Znajdowałem się na pierwszym piętrze, powinienem więc wymknąć się z hotelu bez konieczności korzystania ze strzeżonych schodów.

W świetle latarki najpierw zobaczyłem ślady łap — takie jak te, które ujrzałem po wejściu do Panamint. Natychmiast pomyślałem o szablozębnym.

Następnie spostrzegłem odciski stóp. Prowadziły do stojącej w odległości kilku kroków Datury, która zapaliła latarkę w chwili, gdy ją oświetliłem.

51

Co za suka. W każdym tego słowa znaczeniu.

— Cześć, mój chłopcze — powiedziała Datura.

Oprócz latarki trzymała pistolet.

— Byłam u stóp północnych schodów, popijałam wino i wyluzowana czekałam, aż poczuję moc, rozumiesz, twoją moc ciągnącą mnie do ciebie tak, jak powiedział Danny Frajer.

— Nie gadaj tyle — poprosiłem. — Po prostu mnie zastrzel.

Ale ona, ignorując mnie, mówiła dalej:

— Znudziło mi się. Szybko się nudzę. Już wcześniej zauważyłam te wielkie kocie tropy w popiołach u stóp schodów. Na schodach też są. Postanowiłam pójść za nimi.

W tej części hotelu ogień szalał z wyjątkową wściekłością. Większość ścian uległa spaleniu, wskutek czego powstała wielka ponura przestrzeń ze stropem wspartym na filarach z betonu i stali. Z biegiem lat osiadający popiół i pył utworzył gładki, gruby dywan, po którym niedawno przechadzał się mój szablozębny tygrys.

— Bestia szwendała się wszędzie — powiedziała Datura. — Krążące i zawracające tropy zainteresowały mnie do tego stopnia, że zapomniałam o tobie. Kompletnie zapomniałam. Właśnie wtedy usłyszałam, że nadchodzisz, i zgasiłam latarkę. To odjazdowe, mój chłopcze. Myślałam, że tropię kota, ale magnetyzm przyciągnął mnie tutaj. Dziwny z ciebie facet, nie sądzisz?

— Sądzę — przyznałem.

— Ślady zostawił kot czy duch, którego wywołałeś, żeby mnie tu sprowadził?

— Prawdziwy kot.

Byłem bardzo zmęczony. I brudny. Chciałem z tym skończyć, pójść do domu, wskoczyć do wanny.

Dzieliło nas w przybliżeniu trzy i pół metra. Gdybym stał parę kroków bliżej, mógłbym spróbować rzucić się w jej stronę, przemknąć pod ręką i odebrać pistolet.

Jeśli nie przestanie gadać, może sytuacja zmieni się na moją korzyść. Na szczęście nakłonienie jej do mówienia nie wymagało z mojej strony większego wysiłku niż ten, jaki wkładam w oddychanie.

— Znałam księcia z Nigerii — mówiła — który twierdził, że jest *isangoma*, że o północy może się zmienić w panterę.

— Dlaczego nie o dziesiątej?

— Nie sądzę, żeby w ogóle mógł to robić. Łgał, bo chciał mnie przelecieć.

— Ze mną nie musisz się tym martwić.

— To musi być widmowy kot, coś w rodzaju fantomu. W jakim celu prawdziwy kot miałby łazić po tej śmierdzącej norze?

— Niedaleko zachodniego wierzchołka Kilimandżaro na

wysokości około pięciu tysięcy ośmiuset metrów spoczywa wysuszone, zamarznięte truchło lamparta.

— Mówisz o tej górze w Afryce?

— „Nikt nie wyjaśnił, czego lampart szukał na tej wysokości" — zacytowałem.

Zmarszczyła brwi.

— Nie rozumiem. Co w tym dziwnego? Cholerny wredny lampart może chodzić, gdzie tylko zechce.

— To cytat ze *Śniegów Kilimandżaro*.

Machnęła pistoletem na znak zniecierpliwienia.

— To opowiadanie Ernesta Hemingwaya — wyjaśniłem.

— Tego od mebli?* A co on ma do tego?

Wzruszyłem ramionami.

— Mam przyjaciela, który zawsze się cieszy, gdy robię literackie aluzje. Uważa, że mógłbym zostać pisarzem.

— Jesteście gejami czy co?

— Nie. On jest strasznie gruby, a ja mam nadnaturalne zdolności, to wszystko.

— Mój chłopcze, czasami gadasz bez sensu. Zabiłeś Roberta?

Blask naszych świecących z naprzeciwka latarek nie mógł rozproszyć nieprzeniknionych ciemności, jakie panowały na pierwszym piętrze. Gdy byłem w szybie i poziomych kanałach, ulewa wymyła resztki zimowego światła.

Nie mam nic przeciwko śmierci, ale ta przepaścista, wypalona przez ogień ruina była brzydkim miejscem do umierania.

---

* w pięćdziesiątą rocznicę przyznania pisarzowi Nagrody Nobla (1954) zakłady meblarskie Thomasville Furnoture wprowadziły na rynek nową kolekcję „Ernest Hemingway"

— Zabiłeś Roberta? — zapytała ponownie.

— Spadł z balkonu.

— Tak, po tym, jak go zastrzeliłeś. — Nie sprawiała wrażenia wzburzonej. Patrzyła na mnie z wyrachowaniem czarnej wdowy, która się zastanawia, czy nadawałbym się na partnera. — Nieźle grasz ciemniaka, ale na pewno jesteś *mundunugu*, bez dwóch zdań.

— Z Robertem było coś nie w porządku.

Zmarszczyła czoło.

— Nic o tym nie wiem. Potrzebujący chłopcy zwykle towarzyszą mi krócej, niżbym sobie życzyła.

— Tak?

— Z wyjątkiem Andre. Andre jest prawdziwym bykiem.

— Myślałem, że koniem. Cheval Andre.

— Absolutnym ogierem. Gdzie się podziewa Danny Frajer? Chcę, żeby tu był. Jest zabawny jak małpa.

— Poderżnąłem mu gardło i wrzuciłem go do szybu.

Moje słowa zelektryzowały ją. Rozdęła nozdrza i zobaczyłem, że na jej smukłej szyi pulsuje mocno żyła.

— Jeśli nie zginął wskutek upadku, to do tej pory wykrwawił się na śmierć. Albo utonął. Na dnie szybu jest kilka metrów wody.

— Czemu miałbyś to zrobić?

— Zdradził mnie. Wyjawił ci moje sekrety.

Datura oblizała usta jak po smacznym deserze.

— Masz tyle warstw co cebula, mój chłopcze.

Postanowiłem zagrać w grę: „jesteśmy z tej samej gliny, czemu nie połączyć sił", lecz okazało się to niepotrzebne.

— Nigeryjski książę łgał jak pies, ale jestem skłonna

uwierzyć, że ty po północy naprawdę przemieniasz się w panterę.

— To nie jest pantera.

— Tak? Więc czym się stajesz?

— To nie jest szablozębny tygrys.

— Stajesz się lampartem, jak ten z Kilimandżaro?

— To puma.

Puma kalifornijska, jeden z najpotężniejszych drapieżników świata, woli urwiste góry i lasy, ale dobrze też sobie radzi wśród falistych wzgórz i niskich zarośli.

Pumy mają się świetnie w gęstych, bujnych krzakach na wzgórzach i w kanionach wokół Pico Mundo, i często zapuszczają się na okoliczne pustynne tereny. Samce zajmują terytorium łowieckie o powierzchni dwustu pięćdziesięciu kilometrów kwadratowych i lubią się wałęsać.

W górach puma żywi się mulakami i owcami kanadyjskimi. Na jałowym terytorium Mojave poluje na kojoty, lisy, szopy i gryzonie, i z przyjemnością wita odmianę.

— Samce ważą średnio od sześćdziesięciu do siedemdziesięciu kilogramów — powiedziałem. — Polują pod osłoną nocy.

Znów zobaczyłem szeroko otwarte oczy pełne dziewczęcego zdumienia — jedyną sympatyczną, szczerą reakcję, jaką po raz pierwszy u niej zobaczyłem, gdy szliśmy do kasyna z Gogiem i Magogiem.

— Pokażesz mi?

— Chodzi tak cicho, że nawet w dzień trudno ją zobaczyć, jeśli zamiast wypoczywać wybierze się na przechadzkę. Przemyka się niepostrzeżenie.

Podniecona jak w czasie składania ludzkiej ofiary, zapytała:

— Te ślady łap... są twoje, prawda?

— Pumy są skrytymi samotnikami.

— Skryte czy nie, ty mi ją pokażesz. — Pragnęła cudów, baśniowych nieprawdopodobnych rzeczy, lodowatych palców na kręgosłupie. Teraz uznała, że w końcu spełnię jej marzenie. — Nie wyczarowałeś tych tropów, żeby doprowadziły mnie do ciebie. Przemieniłeś się... i sam je zostawiłeś.

Gdybym stał na jej miejscu, a ona na moim, nie zobaczyłbym skradającej się pumy.

Natura jest okrutna — wszystkie te trujące rośliny, drapieżne zwierzęta, trzęsienia ziemi i powodzie — ale czasami bywa sprawiedliwa.

52

Ogromne łapy z wyraźnie zarysowanymi palcami... Opusz-
czane powoli, stawiane tak delikatnie, że dywan popiołów,
miałki niczym talk, nie burzył się pod nimi...

Piękne ubarwienie. Płowe, przechodzące w ciemny brąz
na czubku ogona, na uszach i po obu stronach nosa.

Gdyby Datura stała na moim miejscu, obserwowałaby
zbliżające się zwierzę z chłodnym rozbawieniem, zachwy-
cona moją nieświadomością.

Choć starałem się skupiać uwagę na niej, moje oczy wciąż
przesuwały się na kota. Ja nie byłem rozbawiony. Ani trochę.
Czułem ponurą fascynację i narastającą zgrozę.

Moje życie spoczywało w rękach Datury, mogła mi je
zabrać albo mnie oszczędzić, być może moja przyszłość
miała trwać ułamek sekundy, tyle ile czasu trwa lot kuli.
Jednocześnie ja miałem w rękach jej życie i mojego
milczenia w kwestii skradającego się drapieżnika nie może do końca usprawiedliwić fakt, że trzymała mnie na
muszce.

Gdybyśmy polegali na *tao*, z którym się rodzimy, zawsze wiedzielibyśmy, jakie zachowanie jest najlepsze w każdej sytuacji, najlepsze nie dla naszego konta w banku czy dla nas samych, lecz dla naszej duszy. Ale chciwość, niskie emocje i namiętności odciągają nas od *tao*.

Mogę z ręką na sercu powiedzieć, iż nie nienawidziłem Datury, choć miałem ku temu powody. Ale zdecydowanie jej nie cierpiałem. Napawała mnie odrazą między innymi dlatego, że symbolizowała rozmyślną ignorancję i narcyzm tak charakterystyczne dla naszych niespokojnych czasów.

Zasłużyła na więzienie. Moim zdaniem zasłużyła nawet na stracenie; w przypadku śmiertelnego niebezpieczeństwa, żeby uratować siebie albo Danny'ego, miałem prawo ją zabić.

Może jednak nikt nie zasługuje na rozszarpanie i pożarcie żywcem przez dziką bestię.

Być może przyzwolenie na taki rozwój sytuacji zamiast ostrzeżenia uzbrojonej w pistolet ofiary, by mogła się uratować, jest karygodne niezależnie od okoliczności.

Codziennie wędrujemy przez moralny las po ścieżkach, które zawsze się rozgałęziają. Często błądzimy.

Kiedy plątanina ścieżek przed nami jest tak zawiła, że nie możemy albo nie chcemy dokonać wyboru, często mamy nadzieję, iż otrzymamy znak, który wskaże nam drogę. Poleganie na znakach może jednak doprowadzić do tego, że zaczniemy się uchylać od wszelkich moralnych zobowiązań, co pociąga za sobą straszną karę.

Gdyby wszyscy postrzegali jako znak pojawienie się lamparta w wysokich śniegach Kilimandżaro, dokąd na pewno nie zaciągnęła go natura, wtedy ukazanie się głodnej pumy w wypalonym kasynie-hotelu powinno być równie łatwe do zrozumienia jak święty głos z gorejącego krzewu.

Ten świat jest pełen tajemnic. Czasami dostrzegamy jedną z nich i wycofujemy się, przepełnieni zwątpieniem i strachem. Czasami wychodzimy jej na spotkanie.

Ja wyszedłem.

Czekając na moją przemianę, na chwilę przed odkryciem, iż nie jest niezwyciężona, Datura zrozumiała, że coś za jej plecami przykuwa moją uwagę. Obejrzała się, żeby zobaczyć, co to takiego.

Odwracając się, zaprosiła pumę do skoku, narażając się na spotkanie z jej ostrymi zębami i pazurami.

Wrzasnęła. Brutalna siła uderzenia wytrąciła jej pistolet z ręki, zanim zdążyła wycelować czy nacisnąć spust.

W duchu tajemnicy, która określała tę chwilę, pistolet poszybował ku mnie wysokim łukiem, a ja chwyciłem go w locie z niewymuszoną gracją.

Może Datura została śmiertelnie ranna, może umierała. Prawda jest taka, że choć trzymałem pistolet, odpowiednik miecza migbłystalnego, nie zabiłem Dżabbersmoka i nie mogę się uważać za cudobrego chłopca*. Kłęby popiołu burzyły się u moich stóp, gdy pędziłem w kierunku północnego skrzydła budynku i schodów.

Choć nie widziałem krwi ani ucztującego drapieżnika, nigdy nie zapomnę krzyków Datury.

Może szwaczka pod nożem Szarych Świń również tak krzyczała. Zamurowane dzieci w piwnicy tamtego domu w Savannah też.

---

* z wiersza *Dżabbersmok* Lewisa Carrolla w tłum. M. Słomczyńskiego

Usłyszałem ryk — nie pumy — na wpół bólu, na wpół wściekłości.

Obejrzałem się i zobaczyłem latarkę Datury, obracaną we wszystkie strony przez miotającego się kota i jego zdobycz.

Od południowej strony budynku, zza czarnych filarów, które mogły być perystylem piekła, zbliżało się kolejne światło trzymane przez zwalistą mroczną postać. Andre.

Wrzaski Datury ucichły.

Światło prześliznęło się po niej i znalazło pumę. Jeśli Andre miał pistolet, to go nie użył.

Szedł ku mnie, z respektem zataczając szerokie półkole wokół kota i jego łupu. Wyglądało na to, że nigdy się nie zatrzyma. Rozpędzone lokomotywy mają po swojej stronie siłę bezwładności.

Moje drżące światło przyciągało go pewniej niż mógłby to zrobić magnetyzm psychiczny, ale gdybym je zgasił, stałbym się ślepy.

Choć wciąż dzieliła nas spora odległość, a ja nie jestem najlepszym strzelcem swojej epoki, oddałem strzał, potem drugi i trzeci.

Miał pistolet. Odpowiedział ogniem.

Celował lepiej niż ja, czego mogłem się spodziewać. Jeden pocisk odbił się rykoszetem od kolumn na lewo ode mnie, a drugi przemknął obok mojej głowy tak blisko, że poza hukiem i echem wystrzału usłyszałem świst powietrza.

Dalsza wymiana strzałów mogła się skończyć zdmuchnięciem mojej świeczki, więc zacząłem uciekać, kuląc się i klucząc.

Drzwi na klatkę schodową nie było. Skoczyłem za próg, popędziłem na dół.

Za podestem, na ostatnich schodach, uświadomiłem sobie, iż Andre ma nadzieję, że zejdę na parter, do dobrze mu znanych korytarzy i przestrzeni, gdzie zdoła mnie złapać, bo był silny, szybki i wbrew pozorom wcale nie głupi.

Usłyszałem, że wchodzi na klatkę schodową, i zrozumiałem, że zmniejsza odległość szybciej, niż się spodziewałem. Kopniakiem otworzyłem drzwi na parter, ale z nich nie skorzystałem. Oświetliłem schody prowadzące na dół, żeby sprawdzić, czy nie są czymś zawalone, po czym zgasiłem latarkę i ruszyłem w ciemność.

Mocno kopnięte drzwi odbiły się i zatrzasnęły z hukiem. Gdy dotarłem na podest i po omacku, wodząc ręką po poręczy, wkroczyłem na nieznany teren, usłyszałem, że Andre opuszcza klatkę schodową.

Szedłem dalej. Zyskałem na czasie, ale mój prześladowca niedługo się zorientuje, że go wykiwałem.

53

W piwnicy odważyłem się zapalić latarkę i zobaczyłem, że schody prowadzą jeszcze niżej, ale nie miałem ochoty nimi podążać. Dolny poziom piwnicy stanowił ślepy zaułek.

Z drżeniem przypomniałem sobie opowieść o duchu gestapowskiego kata, który jakoby nawiedzał tamto podziemie w Paryżu. Usłyszałem aksamitny głos Datury: „Czułam na sobie ręce Gessela — chętne, śmiałe, pożądliwe. Wszedł we mnie".

Wybierając drogę do piwnicy, spodziewałem się znaleźć garaże albo miejsca przeznaczone dla samochodów dostawczych. W obu przypadkach byłyby tam wyjścia.

Miałem dość Panamint. Wolałbym ryzykować na otwartym terenie, w burzy.

Przede mną ciągnął się długi betonowy korytarz z drzwiami po obu stronach i podłogą wyłożoną winylowymi płytkami. Tutaj nie dostał się ani ogień, ani dym.

Drzwi były białe, lecz bez płycin, więc zajrzałem do kilku mijanych pomieszczeń. Puste. Albo biura, albo magazyny, opróżnione po katastrofie, bo najwyraźniej zawierały rzeczy, które nie zostały zniszczone przez ogień czy wodę.

Do tej części budynku nie przeniknął gryzący smród pogorzeliska. Oddychałem wyziewami przez tyle godzin, że tutejsze powietrze szczypało mnie w nosie i drażniło płuca, niemal nieznośnie czyste.

Skrzyżowanie korytarzy oferowało trzy możliwości. Po krótkim wahaniu skręciłem w prawo w nadziei, że drzwi na końcu wyprowadzą mnie wreszcie na parking.

Gdy dotarłem do końca korytarza, usłyszałem trzask stalowych drzwi na północnych schodach.

Natychmiast zgasiłem latarkę. Otworzyłem drzwi, przed którymi stałem, przestąpiłem próg i zamknąłem się w nieznanym miejscu. Drzwi nie miały zasuwy.

W świetle latarki zobaczyłem metalowe schody z gumowanymi stopniami. Wiodły w dół.

Andre mógł dokładnie przeszukać ten poziom. Ale również dobrze instynkt mógł poprowadzić go gdzieś indziej.

Mogłem czekać, aby zobaczyć, co zrobi, i mieć nadzieję, że gdy otworzy drzwi, zastrzelę go, zanim on zastrzeli mnie. Albo mogłem zejść po schodach.

Byłem zadowolony, że zdobyłem pistolet, ale nie ośmieliłem się uważać tego za znak, iż pisane mi jest przeżycie. Ruszyłem na niższy poziom, którego jeszcze niedawno tak usilnie próbowałem unikać.

Zbiegłem na pierwszy podest, potem drugi, i ostatni ciąg schodów doprowadził mnie do przedsionka z solidnie wyglądającymi drzwiami. Zdobiło je kilka napisów; większość kobylastymi czerwonymi literami ostrzegała: WYSOKIE

NAPIĘCIE. Jeden z nich informował, że wstęp mają tylko upoważnieni pracownicy.

Upoważniłem się do wejścia, otworzyłem drzwi i z progu omiotłem wnętrze latarką. Osiem betonowych stopni prowadziło do leżącej półtora metra niżej krypty, betonowego bunkra o wymiarach cztery i pół na sześć metrów.

Pośrodku na postumencie, jak na wyspie, stała wieża jakiejś aparatury. Może niektóre z tych gratów były transformatorami, a może elementami maszyny czasu.

W przeciwległym końcu komory na poziomie podłogi w ciemność wwiercał się tunel o średnicy dzicwięćdziesięciu centymetrów. Najwidoczniej transformatory umieszczono w podziemiu z uwagi na możliwość wybuchu, co się nieraz zdarza. Gdyby natomiast pękła jakaś rura albo doszło do zalania z innego powodu, urządzenia chronił odprowadzający wodę ściek.

Ominąłem główne schody na dolny poziom i skorzystałem z tych, które prowadziły tylko do tego lochu. Utknąłem w ślepym zaułku, czego się obawiałem.

Od chwili ataku pumy na każdym zakręcie rozważałem możliwości i obliczałem prawdopodobieństwo jej ponownego pojawienia się. Spanikowany nie słuchałem cichutkiego głosiku, który jest moim szóstym zmysłem.

W moim przypadku nie ma rzeczy bardziej niebezpiecznej niż zapominanie, że jestem człowiekiem obdarzonym nie tylko rozumem, lecz również nadnaturalną percepcją. Kiedy funkcjonuję wyłącznie w jednym albo drugim trybie, wypieram się połowy siebie, rezygnuję z połowy swoich możliwości.

W mniejszym stopniu ta prawda odnosi się również do innych.

Ślepy zaułek.

Mimo wszystko przestąpiłem próg i zamknąłem drzwi. Bez większej nadziei sprawdziłem, czy mają zasuwę, i moje wątpliwości zostały potwierdzone.

Zbiegłem po betonowych schodach na sam dół i okrążyłem wieżę sprzętu.

Penetrując tunel światłem latarki, zobaczyłem, że się nachyla i stopniowo skręca w lewo, ginąc z oczu. Był suchy i dość czysty. Nie zostawię śladów.

Jeśli Andre wejdzie do tego pomieszczenia, z pewnością zajrzy do tunelu. Jeśli mnie nie zobaczy, nie powinien kontynuować poszukiwań. Uzna, że wymknąłem mu się gdzieś wcześniej.

W tunelu o średnicy dziewięćdziesięciu centymetrów nie mogłem iść schylony. Musiałem leźć na czworakach.

Wetknąłem pistolet Datury za pas na plecach i ruszyłem w ciemność na rękach i kolanach.

Musiałem przebyć jakieś sześć metrów od wlotu, żeby zniknąć za zakrętem. Nie potrzebowałem światła, więc zgasiłem latarkę i wsunąłem ją w mankiet grotołaza.

Pół minuty później, blisko zakrętu, położyłem się i przekręciłem na bok. Oświetliłem przebytą drogę, przyglądając się dolnej części tunelu.

Zostawiłem parę smug sadzy na betonie, ale po takim tropie nikt nie odgadnie, że tędy przechodziłem. Ślady mogły powstać przed laty. W dodatku ciemne plamy wilgoci kamuflowały sadzę.

W ciemności podniosłem się na ręce i kolana, i polazłem

dalej. Kiedy uznałem, że zniknąłem z pola widzenia od strony lochu, przemierzyłem jeszcze trzy, cztery metry dla większej pewności i zatrzymałem się.

Usiadłem w poprzek tunelu, oparty plecami o zakrzywioną ścianę, i czekałem.

Po minucie przypomniał mi się stary serial o cywilizacji pod powierzchnią ziemi. Może gdzieś przy tej trasie leży podziemne miasto z kobietami w rogatych kapeluszach, złym cesarzem i mutantami. I dobrze. Nic w tym mieście nie mogło być gorsze od tego, co zostawiłem za sobą w Panamint.

Nagle do wspomnienia filmu zakradła się Kali, której nie było w scenariuszu: Kali z ustami pomalowanymi krwią i wywieszonym językiem. Nie trzymała stryczka, laski z czaszką, miecza ani odciętej głowy. Miała puste ręce, żeby móc mnie dotknąć, pieścić, żeby unieść moją twarz do pocałunku.

Sam, bez ogniska i ślazowych cukierków, opowiadałem sobie historie o duchach. Możecie myśleć, że życie uodporniło mnie na strach, jaki budzą takie historie, ale nie macie racji.

Widując codziennie dowody życia pozagrobowego, nie mogę szukać ratunku w trzeźwym rozsądku, nie mogę sobie powiedzieć: „Przecież duchów nie ma". Nie wiem dokładnie, co nas czeka po odejściu z tego świata, ale jestem pewien, że coś czeka, dlatego moja wyobraźnia wciąga mnie w wiry mroczniejsze od waszych.

Nie zrozumcie mnie źle. Jestem pewien, że macie fantastycznie mroczną, pokręconą i może jeszcze bardziej chorą wyobraźnię. Nie próbuję dewaluować obłędu waszej wyobraźni ani umniejszać dumy, jaką z niej czerpiecie.

Siedząc w tunelu i strasząc sam siebie, przepędziłem Kali nie tylko z roli, w jakiej obsadziła się w serialu, ale również z myśli. Skupiłem się na iguanach udających dinozaury i na karłach w skórzanych kowbojskich ochraniaczach, czy co tam nosiły.

Zamiast Kali po paru minutach w moje myśli wpełzła Datura, poszarpana przez pumę, lecz nie mniej uwodzicielska. Pełzła ku mnie tunelem.

Oczywiście nie słyszałem jej oddechu, bo martwi nie oddychają.

Chciała usiąść mi na kolanach, wiercić tyłeczkiem i dzielić się ze mną swoją krwią.

Martwi nie mówią. Ale łatwo było uwierzyć, że Datura może stanowić wyjątek od tej reguły. Z pewnością nawet śmierć nie mogła uciszyć tej gadatliwej bogini. Rzuci się na mnie, usiądzie mi na kolanach, powierci tyłeczkiem, przyciśnie do moich ust krwawiącą rękę i zapyta: „Chcesz mnie posmakować, mój chłopcze?".

Już kawałek tego oglądanego w wyobraźni filmu sprawił, że chciałem zapalić latarkę.

Gdyby Andre zamierzał skontrolować komorę z aparaturą, do tej pory już by to zrobił. Na pewno poszedł gdzieś indziej. Jego pani i Robert nie żyli, więc pewnie zwieje samochodem, który ukryli na terenie ośrodka.

Za parę godzin zaryzykuję powrót do hotelu, a stamtąd ruszę do międzystanowej.

Gdy położyłem kciuk na włączniku latarki, za zakrętem rozbłysło światło i usłyszałem Andre przy wlocie do tunelu.

54

Jedną z dobrych rzeczy w magnetyzmie psychicznym jest to, że nie mogę się zgubić. Zrzućcie mnie w środek dżungli, bez mapy i kompasu, a przyciągnę do siebie poszukiwaczy. Mojej twarzy nigdy nie zobaczycie na kartoniku mleka z napisem: „Czy widzieliście tego chłopaka?". Jeśli pożyję na tyle długo, żeby zachorować na alzheimera, i oddalę się od domu opieki, pielęgniarki i pacjenci ruszą za mną, zmuszeni do podążania moim tropem.

Obserwując światło tańczące w tunelu za zakrętem, pomyślałem, że być może znów snuję fantazje o duchach, strasząc się bez powodu. Nie powinienem zakładać, że Andre wyczuł, dokąd poszedłem.

Jeśli będę siedział cicho, uzna, że schowałem się w którymś z wielu bardziej prawdopodobnych miejsc. Nie wejdzie do tunelu. Był wielkim facetem; czołgając się ciasnym kanałem narobi mnóstwo hałasu.

Zaskoczył mnie, oddając strzał.

W zamkniętej przestrzeni huk był dostatecznie głośny,

żeby krew pociekła z uszu. Wystrzał — głośny trzask i towarzyszące mu dudnienie jakby ogromnego dzwonu — zadźwięczał z takim *vibrato*, że poczułem harmonizujące z nim wibracje przenikające kanaliki Haversa w moich kościach. Huk i dzwonienie goniły się w kanale, a mające wyższy ton echa przypominały przeraźliwe wycie nadlatujących rakiet.

Hałas zdezorientował mnie do tego stopnia, że przez chwilę nie mogłem pojąć, co oznaczają kawałeczki betonu, które posypały się na mój lewy policzek i szyję. Potem zrozumiałem: rykoszet.

Padłem płasko twarzą w dół i jak szalony zacząłem czołgać się głąb tunelu. Przebierałem nogami niczym jaszczurka i podciągałem się na rękach, bo gdybym się podniósł na kolana, z pewnością zarobiłbym kulkę w zadek albo w tył głowy.

Mógłbym egzystować z jednym pośladkiem — i siedzieć krzywo do końca życia, nie przejmować się wyglądem obwisłego siedzenia dżinsów, przywyknąć do przezwiska Półdupek — ale z rozwaloną głową długo bym nie pociągnął. Ozzie powiedziałby, iż tak często robię niewłaściwy użytek z mózgu, że pewnie mógłbym radzić sobie bez niego, ale wolałem nie ryzykować.

Andre strzelił drugi raz.

W głowie wciąż mi dzwoniło po pierwszym strzale, więc ten nie wydawał się zbyt głośny. Mimo wszystko rozbolały mnie uszy, jakby dźwięk o takim natężeniu był materialny i wpadając do przewodów słuchowych, znacznie je rozszerzył.

W chwili dzielącej pierwotny huk strzału od narodzin przeraźliwego echa przeleciał obok mnie rykoszet. Hałas, choć przerażający, potwierdził, że szczęście mnie nie opuściło. Gdybym został trafiony, szok skutecznie by mnie ogłuszył i nie słyszałbym wystrzału.

Pełzłem jak salamandra, oddalając się od światła, ale wiedziałem, że ciemność nie zapewni mi ochrony. Andre nie widział celu i liczył na to, że zrani mnie szczęśliwym trafem. W tych okolicznościach, gdy zakrzywione betonowe ściany zwiększały liczbę rykoszetów jednego pocisku, szanse trafienia mnie były większe niż szanse wygrania w jakiejkolwiek grze w kasynie.

Andre oddał trzeci strzał. Współczucie, jakie kiedykolwiek dla niego żywiłem — a myślę, że czasem trochę było mi go żal — wyparowało.

Nie miałem pojęcia, ile razy kula musi musnąć ścianę, żeby w przypadku trafienia nie spowodować poważnych obrażeń. Salamandrowanie było wyczerpujące i nie wiedziałem, czy zdążę się odczołgać na bezpieczną odległość, zanim szczęście się ode mnie odwróci.

Nagle poczułem podmuch i instynktownie skręciłem w lewo. Kolejny burzowiec. Ten też miał około dziewięćdziesięciu centymetrów średnicy, ale biegł lekko w górę.

Tunelem, który opuściłem, przeleciał czwarty pocisk. Prawie pewny, że znajduję się poza zasięgiem rykoszetu, polazłem dalej na rękach i kolanach.

Kąt nachylenia szybko wzrastał i wspinaczka z minuty na minutę stawała się trudniejsza. Byłem coraz bardziej sfrustrowany, że pochyłość mnie spowalnia, ale w końcu pogodziłem się z tym okrutnym faktem. Moja sprawność zmalała, dlatego powiedziałem sobie, że lepiej się nie forsować; nie miałem już dwudziestu lat.

Huknęły kolejne strzały, ale przestałem je liczyć, gdy przestały zagrażać moim pośladkom. Po jakimś czasie uświadomiłem sobie, że Andre przestał strzelać.

Odnoga, którą się przemieszczałem, urwała się w komorze o powierzchni metra kwadratowego. Oświetliłem ją latarką. Wyglądała na studzienkę ściekową. Woda wlewała się przez trzy rury pod stropem. Niesione przez nią śmieci opadały na dno komory, skąd od czasu do czasu usuwali je kanalarze.

Trzy odpływy, łącznie z tym, którym przybyłem, umieszczono w trzech ścianach na różnych poziomach, wysoko nad dnem, żeby nie odprowadzały śmieci. Przez najniższy woda już wypływała ze studzienki.

Na powierzchni szalała burza, więc poziom wody w studzience zaczął się podnosić ku mojemu punktowi obserwacyjnemu, środkowemu z trzech odpływów. Musiałem przenieść się do najwyższego kanału i kontynuować wędrówkę.

Występy w betonie pozwolą mi przedostać się na przeciwległą ścianę bez wchodzenia w brudy na dnie. Musiałem tylko zachować ostrożność i przemieszczać się bez pośpiechu.

Tunele, którymi do tej pory lazłem, były klaustrofobiczne dla człowieka mojego wzrostu. Dla Andre, biorąc pod uwagę jego gabaryty, będą nie do zniesienia. Na pewno uzna, żc któryś rykoszet zranił mnie albo zabił. Nie pójdzie za mną.

Wygramoliłem się na występ. Kiedy spojrzałem w głąb rury, w dali zobaczyłem światło. Andre stękał, wspinając się do mnie z uporem.

55

Spodobał mi się pomysł, żeby wyciągnąć zza pasa pistolet Datury i strzelić do Andre, gdy czołgał się w tunelu. Rewanż. Żałowałem tylko, że nie mam strzelby, a jeszcze lepiej miotacza ognia, jakim Sigourney Weaver przypiekała robale w *Obcych*. Kadź wrzącego oleju, większa od tej, którą Charles Laughton jako garbus z Notre Dame wylał na paryski motłoch, też byłaby super.

Datura i jej akolici sprawili, że byłem mniej skłonny niż zwykle nadstawić drugi policzek. Obniżyli mój próg gniewu i zwiększyli tolerancję dla przemocy.

To doskonale ilustruje, dlaczego zawsze należy ostrożnie wybierać ludzi, z którymi spędza się czas.

Balansując na piętnastocentymetrowym występie plecami do mętnej wody, jedną ręką trzymając się krawędzi ścieku, nie mogłem zakosztować zemsty. Ryzyko było zbyt duże. Gdybym spróbował strzelić do Andre, odrzut zachwiałby moją cenną równowagą i niewątpliwie spadłbym do studzienki.

Nie wiedziałem, jaką głębokość ma woda ani co kryje się pod powierzchnią. Ostatnio szczęście niezbyt często mi dopisywało, mógłbym więc spaść na złamany trzonek łopaty, dość ostry, żeby unieszkodliwić Draculę, na zardzewiałe zęby wideł, na kilka ostrych jak włócznie prętów ogrodzeniowych albo może nawet na kolekcję samurajskich mieczy.

Nieuszkodzony przez mój strzał Adre dotarłby do końca kanału i zobaczył, że leżę nadziany na dnie studzienki. Odkryłbym wtedy, że choć wygląda na troglodytę, potrafi się radośnie śmiać. Po mojej śmierci głosem Datury powiedziałby: „Fajtłapa".

Dlatego zostawiłem broń za paskiem i zacząłem sunąć po występie na drugą stronę studzienki, gdzie parę centymetrów nad moją głową znajdował się wylot najwyższego ścieku, sto dwadzieścia centymetrów wyżej niż ten, z którego przed chwilą wypełzłem.

Spadające z wysoka kaskady brudnej wody wzbijały krople, które obryzgiwały mi dżinsy do połowy uda. Nie mogłem już być brudniejszy albo w bardziej opłakanym stanie.

Gdy tylko ta myśl wpadła mi do głowy, spróbowałem ją przepędzić, bo wydała się wyzwaniem rzuconym światu. Nie ulegało wątpliwości, że w ciągu dziesięciu minut będę niewyobrażalnie brudniejszy i w znacznie bardziej opłakanym stanie niż w tej chwili.

Sięgnąłem do góry, chwyciłem oburącz krawędź najwyższego ścieku i podciągnąłem się, drapiąc stopami ścianę.

Ukryty w nowym labiryncie, pomyślałem, czy nie powinienem zaczekać, aż Andre pojawi się w wylocie tunelu i nie strzelić do niego z góry. Jak na faceta, który wcześniej tego samego dnia z niechęcią odnosił się do używania broni palnej, nabrałem nieprzyzwoitej ochoty do faszerowania przeciwników ołowiem.

Natychmiast jednak spostrzegłem wadę w moim planie. Andre też miał pistolet. Będzie ostrożny i nie wyskoczy jakby nigdy nic z dolnego tunelu, a gdy do niego strzelę, odpowie ogniem.

Kolejne rykoszety w tych betonowych ścianach, jeszcze więcej ogłuszającego hałasu...

Miałem za mało amunicji, żeby przyszpilić go do czasu, aż woda podejdzie do jego kanału i zmusi go do ucieczki. Najlepsze, co mogłem zrobić, to iść dalej.

Tunel, do którego się wspiąłem, miał odprowadzać wodę jako ostatni z trzech. W czasie zwyczajnej burzy przypuszczalnie pozostałby suchy, ale nie w czasie tego potopu. Poziom wody w studzience podnosił się z minuty na minutę.

Na szczęście nowy tunel miał większą średnicę niż poprzedni, może metr dwadzieścia. Nie musiałem się czołgać. Mogłem posuwać się pochylony, w niezłym tempie.

Nie wiedziałem, dokąd trafię, ale tęskniłem za zmianą scenerii.

Gdy wstałem i przyjąłem wyżej wymienioną postawę, w studzience za moimi plecami rozległo się przenikliwe świergotanie. Andre nie zrobił na mnie wrażenia faceta skorego do ćwierkania, więc jego źródłem musiało być coś innego. Po chwili zrozumiałem: nietoperze.

56

Grad na pustyni jest rzadkością, ale raz na jakiś czas burza może zasypać Mojave kuleczkami lodu.

Jeśli na zewnątrz padał grad, to gdy tylko poczuję czyraki na karku i twarzy, będę pewny, że Bóg postanowił się zabawić, odtwarzając dziesięć plag egipskich na mojej znękanej osobie. Nie sądzę, aby nietoperze były jedną z plag biblijnych, choć powinny. Jeśli mnie pamięć nie myli, Egipt sterroryzowały żaby.

Ogromne kohorty wściekłych żab nie przyspieszają bicia serca ani o połowę tak bardzo, jak chmara tych rozsierdzonych latających ssaków. Ten fakt skłania do zastanowienia nad boskim talentem dramaturgicznym.

Kiedy żaby zdechły, wylęgły się z nich wszy, które były trzecią plagą. Zesłał ją ten sam Stwórca, który nad Sodomą i Gomorą pomalował niebo na krwawoczerwono, spuścił na oba miasta deszcz ognia i siarki, zburzył wszystkie domostwa, w których próbowali ukryć się ludzie, rozbijając kamienne budynki jak jaja.

Okrążając studzienkę po występie i wciągając się do wyższego tunelu, nie kierowałem światła w górę. Najwyraźniej ze stropu zwisała rzesza skrzydlatych myszy, pogrążonych we śnie.

Nie wiem, co je zaniepokoiło — może nic. Noc zapadła już dawno temu. Może zwykle budziły się o tej porze, przeciągały skrzydła i leciały, aby wczepiać się we włosy małych dziewczynek.

Zaczęły nagle przeraźliwie wrzeszczeć. W chwili gdy kończyłem się podnosić, padłem na płask i zakryłem głowę rękami.

Nietoperze opuszczały sztuczną jaskinię najwyższym z kanałów. Ten szlak nigdy nie był całkowicie wypełniony przez wodę i zawsze stanowił przynajmniej częściowo niezablokowane wyjście.

Gdyby zapytano mnie o liczbę osobników, które nade mną przelatywały, powiedziałbym: „tysiące". Godzinę później na to samo pytanie odpowiedziałbym, że setki. W rzeczywistości było ich mniej niż sto, może tylko pięćdziesiąt czy sześćdziesiąt.

Szelest ich skrzydeł, odbity od zakrzywionych betonowych ścian, brzmiał jak trzaskanie gniecionego celofanu — w taki sposób specjaliści od efektów dźwiękowych naśladują odgłosy trawiącego wszystko ognia. Nie wywołały dużego podmuchu, ale niosły ze sobą smród amoniaku, który zawsze im towarzyszy.

Kilka z nich otarło się o ręce, którymi osłaniałem głowę. Muskały grzbiety moich dłoni jak piórka, powinienem więc bez problemów wyobrazić sobie, że są ptakami. Zamiast tego jednak widziałem rojące się owady — karaluchy, wije, szarańczę — i w ten sposób miałem nietoperze na żywo i robaki w głowie. Szarańcza była ósmą z dziesięciu plag egipskich.

Wścieklizna.

Gdzieś czytałem, że jedna czwarta każdej kolonii nietoperzy jest zarażona wirusem wścieklizny. Bałem się, że zostanę pokąsany. Ani jeden mnie nie skubnął.

Choć żaden mnie nie ugryzł, parę narobiło na mnie w czasie przelotu, co odebrałem jako swego rodzaju rzuconą od niechcenia obelgę. Świat usłyszał i podjął moje wyzwanie: byłem teraz brudniejszy i bardziej żałosny niż dziesięć minut temu.

Podniosłem się i ruszyłem przygarbiony, oddalając się od studzienki. Gdzieś niedaleko na pewno znajdę właz albo jakieś inne wyjście z systemu. Dwieście metrów, uspokoiłem sam siebie, najwyżej trzysta.

Oczywiście pomiędzy tu i tam musiał czyhać Minotaur. Potwór żywiący się ludzkim mięsem.

— Taa... — mruknąłem pod nosem — ale tylko dziewic. — Zaraz jednak przypomniałem sobie, że też jestem dziewicą.

W świetle latarki zobaczyłem, że tunel się rozwidla. Lewa odnoga opadała. Prawa zasilała kanał, którym szedłem od studzienki, a ponieważ się wznosiła, uznałem, że doprowadzi mnie bliżej powierzchni i wyjścia.

Przeszedłem tylko dwadzieścia czy trzydzieści metrów, gdy znowu usłyszałem nietoperze. Wyleciały w noc, stwierdziły, że szaleje burza, i natychmiast postanowiły wrócić do przytulnego podziemnego schronienia.

Ponieważ nie wierzyłem, że w czasie drugiej konfrontacji

też uniknę pokąsania, zawróciłem ze zwinnością zrodzoną z paniki i pobiegłem, zgarbiony jak troll. Dotarłem do rozwidlenia, skręciłem w prawą odnogę, tę prowadzącą w dół, i pozostała mi tylko nadzieja, że nietoperze pamiętają swój adres.

Kiedy gorączkowy łopot osiągnął apogeum, a potem ścichł za moimi plecami, zatrzymałem się zasapany i oparłem o ścianę.

Może w czasie powrotu nietoperzy Andre był w studzience i przechodził po występach ze środkowego do najwyższego kanału. Może rzuciły się na niego, a on spadł do wody, nadziewając się na jeden z samurajskich mieczy.

Ta fantazja przepełniła ciepłem moje serce, ale na krótko, bo nie wierzyłem, że Andre boi się nietoperzy. Albo czegokolwiek innego, skoro o tym mowa.

Usłyszałem złowieszcze zgrzytliwe dudnienie, jakby ktoś przesuwał jedną wielką granitową płytę po drugiej. Zdawało mi się, że źródło dźwięku znajduje się pomiędzy miejscem, w którym się zatrzymałem, a studzienką.

Zwykle taki odgłos oznacza, że otwierają się tajemne drzwi w kamiennej ścianie, przez które wchodzi zły cesarz w pelerynie i wysokich do kolan butach.

Z wahaniem wróciłem do rozwidlenia, przekrzywiając głowę to w jedną, to w drugą stronę, próbując zlokalizować źródło dźwięku.

Dudnienie przybrało na sile. Teraz odbierałem je nie tyle jak zgrzyt kamieni, ile jak tarcie żelaza o skały.

Kiedy przycisnąłem rękę do ściany tunelu, poczułem wibracje płynące przez beton.

Wykluczyłem trzęsienie ziemi, które spowodowałoby wstrząsy, a nie przeciągły zgrzyt i jednostajne drżenie.

Dudnienie ustało.

Wibracje przestały przenikać beton pod moją ręką.

Szum. Nagły powiew zwichrzył mi włosy, gdy coś wypchnęło powietrze z niedalekiego rozwidlenia.

Gdzieś otworzyły się wrota śluzy.

Powietrze ustąpiło wodzie, która runęła ze wznoszącej się odnogi, zbiła mnie z nóg i poniosła w mroczne trzewia systemu przeciwpowodziowego.

57

Rzucany i okręcany, koziołkując i wirując, pędziłem przez tunel niczym kula w lufie karabinu. Promień przypiętej do lewej ręki latarki oświetlał wzburzony szary nurt, migotał w rozpryskujących się kropelkach wody, rozjaśniał brudną pianę. Ale mankiet grotołaza rozpiął się, zsunął i zabrał światło ze sobą.

Pędząc w ciemności jak pocisk, objąłem ramiona rękami i starałem się nie rozłączać nóg. Gdybym wymachiwał kończynami, pewnie złamałbym nadgarstek, kostkę lub łokieć, uderzając o ścianę.

Usiłowałem płynąć na grzbiecie, twarzą do góry, mknąc przed siebie z fatalizmem olimpijskiego bobsleisty, zjeżdżającego po długim torze. Nurt odwracał mnie z uporem, wciskając usta w wodę. Walczyłem o oddech, składając się jak scyzoryk, żeby odwrócić się na plecy, i chwytałem powietrze, gdy tylko moja głowa wyłaniała się na powierzchnię.

Łykałem wodę, wynurzałem się, krztusiłem, kaszlałem

i desperacko wciągałem do płuc wilgotne powietrze. Nie miałem już sił i ten skromny potok równie dobrze mógł być Niagarą niosącą mnie ku zabójczym kataraktom.

Nie mam pojęcia, jak długo trwały te wodne tortury, ale ponieważ moje siły zostały nadszarpnięte jeszcze przed tą szaloną jazdą, ogarniało mnie coraz większe zmęczenie. Wielkie zmęczenie. Moje ręce i nogi zrobiły się ciężkie, szyja zesztywniała z wysiłku, gdy walczyłem o utrzymanie głowy na powierzchni. Bolały mnie plecy, miałem wrażenie, że nadwerężyłem lewe ramię, a każda próba zaczerpnięcia powietrza zmniejszała rezerwy siły. Byłem bliski kompletnego wyczerpania.

Światło.

Kanał o średnicy stu dwudziestu centymetrów wypluł mnie do jednego z wielkich tuneli przeciwpowodziowych, które, jak sobie wyobrażałem, w czasie następnej wielkiej wojny będą służyć jako podziemne autostrady do transportu międzykontynentalnych pocisków balistycznych z Fort Kraken do dalszych części doliny Maravilla.

Zastanawiałem się, czy lampy w tunelu wciąż się palą od czasu, gdy je włączyłem po wejściu do budyneczku znajdującego się niedaleko Blue Moon Cafe. Miałem wrażenie, że od tamtej pory minęły tygodnie, nie godziny.

Tutaj prędkość nurtu nie była taka zawrotna jak w mniejszym i znacznie bardziej stromo nachylonym kanale. Poruszając rękami i nogami, mogłem utrzymywać się na wodzie, gdy prąd niósł mnie środkiem kanału.

Szybko jednak się przekonałem, że nie zdołam popłynąć w poprzek rwącego nurtu. Nie dotrę do podniesionej kładki, którą szedłem wczoraj, tropiąc Danny'ego i porywaczy.

Po chwili zrozumiałem, że kładka znikła pod wodą, gdy znany mi wcześniej strumień rozrósł się w tę potężną Missisipi. Gdybym nawet kosztem heroicznego wysiłku lub za sprawą cudu dotarł do ściany tunelu, i tak nie zdołałbym uciec z tej rzeki.

Jeśli system przeciwpowodziowy odprowadza wodę burzową do wielkiego podziemnego jeziora, zostanę wyrzucony na jego brzeg. Robinson Crusoe bez słońca i kokosów.

Takie jezioro mogło nie mieć brzegów. Mogło być otoczone stromymi skalnymi ścianami, wygładzonymi przez miliony lat ściekającą wodą tak bardzo, że nie zdołam się na nie wspiąć.

Jeśli nawet brzeg istniał, mógł okazać się niegościnny. Bez światła będę ślepcem w pustym Hadesie. Śmierć głodowa zostanie mi oszczędzona tylko wtedy, gdy spadnę w przepaść i skręcę kark.

W tej chwili beznadziei pomyślałem, że umrę pod ziemią. I w ciągu godziny umarłem.

Unoszenie się na wodzie i utrzymywanie głowy nad powierzchnią stanowiło okrutną próbę dla mojej wytrzymałości, choć tutaj nurt był mniej burzliwy. Nie miałem pewności, czy przetrwam, zanim dotrę do jeziora. Utonięcie uchroni mnie przed śmiercią głodową.

Niespodziewanie ujrzałem promyk nadziei w postaci wodowskazu pośrodku nurtu. Płynąłem prosto na biały słupek sięgający niemal do stropu, który zakrzywiał się ponad trzy i pół metra nade mną.

Gdy prąd niósł mnie obok tej ostatniej deski ratunku, zahaczyłem o nią ramieniem. Przytrzymałem się nogą. Uznałem, że jeśli zdołam się utrzymać plecami do nurtu, obejmując słupek nogami, napór wody nie pozwoli mi odpłynąć.

Wcześniej, kiedy holowałem zwłoki wężowatego faceta od tego czy może innego słupka do wyniesionej kładki, woda miała około pół metra głębokości. Teraz sięgała powyżej półtora.

Bezpiecznie zakotwiczony, przez chwilę opierałem głowę o słupek, odpoczywając. Słuchałem bicia swojego serca i nie mogłem się nadziwić, że żyję.

Po kilku minutach zamknąłem oczy, a wówczas mój umysł fiknął koziołka i zacząłem powoli zapadać w sen. Przestraszony, rozwarłem powieki. Jeśli zasnę, puszczę słupek i znowu porwie mnie woda.

Przez jakiś czas będę pewnie tkwić w tej sytuacji bez wyjścia. Ponieważ woda zalała kładkę, nikt nie zejdzie do kanału. Nikt nie zobaczy, że uczepiłem się słupka, i nie sprowadzi pomocy.

Jeśli jednak wytrzymam, po burzy poziom wody opadnie. W końcu kładka wyłoni się z wody. Strumień zrobi się dość płytki, żebym mógł przebyć go w bród, jak wcześniej.

Wytrwałość.

Aby zająć czymś myśli, zacząłem robić mentalną inwentaryzację przepływających rzeczy. Liść palmy. Niebieska piłka tenisowa. Opona od roweru.

Przez jakiś czas rozmyślałem o pracy w Tire World, o uczestniczeniu w życiu świata opon, o pracy w zapachu gumy, i to mnie uszczęśliwiło.

Żółta poduszka z krzesła ogrodowego. Zielone wieczko lodówki turystycznej. Kawałek grubej, szerokiej deski ze sterczącym zardzewiałym gwoździem. Martwy grzechotnik.

Widok martwego węża uświadomił mi, że w wodzie mogą być także żywe węże. Co więcej, jeśli niesiona szybkim prądem duża deska, taka jak tamta, trzaśnie mnie w kręgosłup, mogę doznać poważnych obrażeń.

Zacząłem od czasu do czasu oglądać się przez ramię, lustrując nadpływające śmieci. Może wąż był znakiem ostrzegawczym. Dzięki temu zauważyłem mojego prześladowcę, zanim na mnie wpadł.

58

Zło nie umiera nigdy. Zmienia tylko oblicze.

Temu obliczu dość się napatrzyłem i kiedy zauważyłem Andre, przez chwilę myślałem — i miałem naiwną nadzieję — że ściga mnie trup.

Ale żył, jak najbardziej, i był w lepszej formie niż ja. Zbyt niecierpliwy, żeby czekać, aż wartki nurt przyniesie go do wodowskazu, młócił wodę rękami, zdecydowany do mnie podpłynąć.

Pozostawała mi tylko ucieczka w górę.

Bolały mnie mięśnie. Pękały mi plecy. Mokre ręce ślizgały się po mokrym słupku.

Na szczęście linie wskazujące głębokość były nie tylko zaznaczone białym kolorem, ale również wgłębione. Posłużyły mi jako uchwyty dla rąk i oparcie dla stóp, płytkie, ale lepsze niż nic.

Ścisnąłem słupek kolanami, napiąłem mięśnie i zacząłem podciągać się ręka za ręką. Osunąłem się, zahaczyłem palcami stóp o płytki występ, zacisnąłem kolana i spróbowałem jeszcze raz, podciągając się centymetr po centymetrze i desperacko walcząc o każdy z nich.

Kiedy Andre zderzył się ze słupkiem, poczułem wstrząs i spojrzałem w dół. Miał szeroką i tępą jak maczuga twarz, nabitą kolcami oczu, które wyostrzyła mordercza furia. Sięgnął do mnie jedną ręką. Miał długie ręce. Jego palce musnęły podeszwę mojego prawego buta.

Podciągnąłem nogi. Bojąc się, że zjadę prosto w jego ramiona, mierzyłem postępy numerowanymi karbami, posuwałem się kawałek po kawałku, aż uderzyłem głową w strop.

Ponownie spojrzałem w dół i zobaczyłem, że nawet z maksymalnie podkurczonymi nogami, ściskając słupek udami, jestem tylko jakieś dwadzieścia pięć centymetrów poza jego zasięgiem.

Z trudnością zahaczał grubymi paluchami o karby. Próbował wyciągnąć się z wody.

Czubek wodowskazu wieńczyła gałka, jak na słupku poręczy na szczycie schodów. Chwyciłem ją lewą ręką i trzymałem się jak nieszczęsny King Kong masztu cumowniczego dla sterowców na szczycie Empire State Building.

Analogia niezbyt trafna, bo Kong wisiał na słupku pode mną. Może bardziej przypominałem Fay Wray. Zdawało się, że wielka małpa zapałała do mnie nienaturalnym uczuciem.

Obsunęły mi się nogi. Poczułem, jak Andre skrobie łapą mój but. Wściekle kopnąłem go w rękę, raz i drugi, i znów podciągnąłem kolana.

Przypomniałem sobie o pistolecie Datury za paskiem na plecach. Sięgnąłem po niego prawą ręką. Niestety, zgubiłem go gdzieś po drodze.

Podczas gdy szukałem nieobecnej broni, bestia poderwała się i chwyciła mnie za lewą kostkę.

Wierzgałem i wywijałem nogą, ale trzymał mocno. Co więcej, zaryzykował, puścił słupek i złapał mnie oburącz.

Ogromny ciężar ciągnął moją nogę z tak bezlitosną siłą, że powinien wywichnąć mi ją w biodrze. Usłyszałem krzyk bólu i wściekłości, potem drugi, i dopiero wtedy zrozumiałem, że wydobywają się z moich ust.

Gałka nie była wycięta z tego samego kawałka drewna co wodowskaz, tylko przymocowana.

Oderwała się.

Razem z Andre spadłem do pędzącej wody.

59

Gdy spadaliśmy, puścił moją nogę.

Wpadłem do wody z takim impetem, że zanurzyłem się i dotknąłem dna. Potężny prąd szarpnął mnie, okręcił i wyrzucił na powierzchnię, kaszlącego i plującego wodą.

Cheval Andre, byk, ogier, unosił się cztery i pół metra przede mną, zwrócony twarzą w moją stronę. Walcząc z morderczym prądem, nie był w stanie płynąć na spotkanie ze śmiercią, której najwyraźniej pragnął.

Jego paląca furia, jego wrząca nienawiść, jego chęć zadawania bólu była tak wyniszczająca, że wolał doprowadzić się do kompletnego wyczerpania, byle tylko wywrzeć zemstę. Nie obchodziło go, czy sam utonie po tym, jak już mnie utopi.

Poza tanim blichtrem nie doszukałem się u Datury niczego innego, żadnej cechy, która mogłaby wzbudzić bezgraniczne oddanie — całą duszą, sercem i ciałem — w mężczyźnie ani trochę niesentymentalnym. Czy taki twardy brutal jak Andre mógł kochać piękno tak bardzo, żeby dla niego umrzeć, choć było to piękno powierzchowne i zepsute i należało do obłąkanej, narcystycznej intrygantki?

Szpony powodzi okręcały nas, podnosiły, opuszczały i zanurzały, niosąc z prędkością pięćdziesięciu kilometrów na godzinę, a może szybciej. Czasami dzieliły nas niespełna dwa metry, nigdy więcej niż sześć.

Minęliśmy miejsce, w którym kilka godzin temu wszedłem do tuneli, i pędziliśmy dalej.

Zacząłem się martwić, że znajdziemy się w nieoświetlonej części kanału, w ciemności. Mniej się bałem wrzucenia na oślep do podziemnego jeziora niż tego, że stracę z oczu Andre. Jeśli była mi pisana śmierć przez utonięcie, niech zabierze mnie powódź. Nie chciałem umrzeć z jego rąk.

Przed nami ukazał się stalowy krąg kratownicy dopasowanej do obwodu tunelu. Przypominała spuszczaną bronę w bramie twierdzy.

Pomiędzy krzyżującymi się prętami były otwory, w których mogły zmieścić się ręce. Brama służyła jako ostatni filtr, odcedzający niesione przez wodę śmieci.

Znaczne przyspieszenie nurtu sugerowało, że niedaleko znajduje się wodospad, a poniżej niewątpliwie czekało jezioro. Nieprzeniknione ciemności za bramą zapowiadały otchłań.

Rzeka pierwszego przyniosła do kraty Andre, ja dobiłem parę sekund później, niespełna dwa metry na prawo od niego.

Po zderzeniu z bramą wdrapał się na czop śmieci u jej podstawy.

Na wpół zamroozony chciałem tylko odpocząć, ale ponieważ wiedziałem, że Andre zaraz po mnie przyjdzie, też wgramoliłem się na śmieci i chwyciłem bramy. Przez chwilę wisieliśmy bez ruchu, jak pająk i jego ofiara na sieci.

Zaczął posuwać się bokiem wzdłuż stalowej kraty. Nie dyszał ani w połowie tak ciężko jak ja.

Miałem ochotę uciec, ale nie było dokąd. Od ściany tunelu dzielił mnie niecały metr.

Stojąc na poziomym pręcie i jedną ręką trzymając się kraty, wyciągnąłem nóż z kieszeni dżinsów. Spróbowałem go otworzyć i udało mi się to za trzecim razem, gdy Andre był oddalony ode mnie o długość ręki.

Wreszcie nadeszła godzina próby. On albo ja. Wóz albo przewóz.

Nie okazując lęku przed nożem, przysunął się bliżej.

Ciąłem wyciągniętą dłoń.

Zamiast krzyknąć czy choćby się wzdrygnąć, zacisnął ostrze w krwawiącej garści.

Wyrwałem nóż nie bez pewnej szkody dla jego palców.

Ranną ręką złapał mnie za włosy i próbował oderwać od bramy.

To było brudne, intymne, straszne — i konieczne. Wbiłem mu nóż głęboko w brzuch i bez wahania ciąłem w dół.

Puścił moje włosy i chwycił dłoń, w której trzymałem nóż. Odepchnął się od kraty, pociągając mnie za sobą.

Stoczyliśmy się z hałdy śmieci do wody, wychynęliśmy na powierzchnię twarzą w twarz. Szamotaliśmy się, walcząc o nóż, Andre wciąż mnie trzymał i wolną ręką tłukł po ramieniu, po głowie. Pociągnął mnie w dół, zanurzyliśmy się, ślepi w mętnej wodzie, ślepi i pozbawieni tchu. Potem wyskoczyliśmy w górę, na powietrze. Kaszlałem i parskałem, w oczach mi się ćmiło. W pewnej chwili Andre odebrał mi nóż i czubkiem, który wydawał się nie ostry, lecz gorący, wypalił ukośną kresę na mojej piersi.

344

Nie pamiętam, co się stało zaraz potem. Nie wiem, po jakim czasie zrozumiałem, że leżę na śmieciach u podstawy bramy, oburącz trzymając się poziomego pręta. Bałem się, że zjadę do wody i nie zdołam wynurzyć głowy nad powierzchnię.

Wyczerpany, wyzuty z sił i pozbawiony energii, uświadomiłem sobie, że byłem nieprzytomny i że lada chwila znów zemdleję. Kosztem niewyobrażalnego wysiłku podciągnąłem się trochę wyżej i wsunąłem ręce głęboko pomiędzy pręty. Jeśli mimo woli rozluźnię dłonie, być może zgięte w łokciach ręce uchronią mnie przed osunięciem się do wody.

Andre unosił się na lewo ode mnie, zatrzymany przez śmieci, twarzą w górę, martwy. Oczy miał wywrócone, gładkie i białe jak jaja, białe i ślepe jak kość, ślepe i przerażające niczym natura w swej obojętności.

Odjechałem.

60

Bębnienie nocnego deszczu o szyby... Płynący z kuchni rozkoszny aromat mięsa duszonego z warzywami...

W salonie Mały Ozzie niemal wylewa się z ogromnego fotela.

Ciepłe światło lamp Tiffany'ego, perski dywan w kolorze drogocennych kamieni, dzieła sztuki. Wystrój wnętrza odzwierciedla jego dobry gust.

Na stole obok fotela stoi butelka caberneta, talerz z serami, miseczka orzechów — świadectwa jego wytwornego dążenia do samozagłady.

Siedzę na sofie i przez chwilę patrzę, jak delektuje się lekturą, po czym mówię:

Zawsze pan czyta Saula Bellowa, Hemingwaya i Josepha Conrada.

Nie pozwala sobie na przerwę w środku akapitu.

Założę się, że chciałby pan pisać coś bardziej ambitnego niż historie o bulimicznym detektywie — dodaję.

Ozzie wzdycha i skubie ser, wbijając oczy w stronicę.

Ma pan talent, jestem pewien, że mógłby pan pisać, co tylko pan chce. Ciekawe, czy próbował pan kiedyś.

Odkłada książkę i sięga po wino.

Och — mruczę zaskoczony. — *Teraz rozumiem, jak to jest.*

Ozzie trzyma kieliszek w ręku, delektuje się winem i spogląda w przestrzeń.

Szkoda, że nie może pan tego usłyszeć. Zawsze był pan moim serdecznym przyjacielem. Cieszę się, że zmusił mnie pan do napisania historii o Stormy i o mnie, i o tym, co ją spotkało.

Po kolejnym łyku wina otwiera książkę i wraca do lektury.

Może bym zwariował, gdyby nie kazał mi pan tego opisać. Gdybym tego nie zrobił, nigdy nie zaznałbym spokoju.

Straszny Chester, wspaniały jak zawsze, wychodzi z kuchni i staje, patrząc na mnie.

Gdyby się udało, opisałbym także historię Danny'ego i dał panu drugi rękopis. Spodobałby się panu mniej niż pierwszy, ale może nie byłby najgorszy.

Chester zaszczyca mnie jak nigdy wcześniej, siadając u moich stóp.

Kiedy przyjdą powiedzieć panu o mnie, proszę nie zjadać całej szynki na kolację ani smażonego sera w głębokim tłuszczu — mówię.

Pochylam się, żeby pogłaskać Chestera, który wydaje się zadowolony z dotyku mojej ręki.

Mógłby pan zrobić dla mnie jedną rzecz: napisać historię z gatunku, jaki sprawia panu największą przyjemność. Jeśli zrobi pan to dla mnie, oddam prezent, jaki mi pan dał, i to mnie uszczęśliwi.

Podnoszę się z sofy.

Jest pan kochanym, grubym, mądrym, grubym, wielkodusz-

nym, prawym, troskliwym, cudownie grubym człowiekiem
i nie chciałbym, żeby był pan inny pod żadnym względem.

Terri Stambaugh siedzi w kuchni w swoim mieszkaniu nad Pico Mundo Grille, pije mocną kawę i powoli przewraca kartki albumu ze zdjęciami.

Spoglądając nad jej ramieniem, widzę ją i jej męża Kelseya zmarłego na raka.

Z głośników płynie piosenka Elvisa *I Forgot to Remember to Forget.*

Kładę ręce na jej ramionach. Oczywiście nie reaguje.

Dała mi tak wiele — słowa otuchy, radę, pracę, gdy miałem szesnaście lat, wyszkoliła mnie na pierwszorzędnego kucharza — a w zamian dostała tylko przyjaźń, moim zdaniem zdecydowanie za mało.

Chciałbym pokazać jej coś nadprzyrodzonego. Wprawić w szybki ruch wskazówki ściennego zegara z Elvisem i nakłonić ceramicznego Elvisa do zatańczenia na kuchennej ladzie.

Później, kiedy przyjdą jej powiedzieć, zrozumiałaby, że to ja się wygłupiałem, mówiąc jej w ten sposób do widzenia. Wiedziałaby, że u mnie wszystko w porządku, i wiedząc o tym, sama też czułaby się dobrze.

Nie mam w sobie gniewu poltergeista. Nie mogę nawet sprawić, żeby w zaparowanym kuchennym oknie ukazała się twarz Elvisa.

Komendant Wyatt Porter i jego żona Karla jedzą kolację w kuchni.

Karla jest dobrą kucharką, a on lubi dobrze zjeść. Twierdzi, że dzięki temu jeszcze są małżeństwem.

348

Ona mówi, że ich małżeństwo nie rozpadło się tylko dlatego, iż byłoby jej cholernie przykro prosić go o rozwód. W rzeczywistości ich związek jest zespolony przez wyjątkowo głęboki wzajemny szacunek, poczucie humoru, wiarę, iż wiąże ich siła większa niż oni sami, oraz miłość — tak bardzo niezachwianą i czystą, że niemal świętą.

Lubię sobie wyobrażać, że taki byłby mój związek ze Stormy, gdybyśmy się pobrali i przeżyli razem tyle lat, co komendant i Karla: dobrani tak idealnie, że spaghetti i sałatka w kuchni w deszczową noc, tylko we dwoje, sprawia większą satysfakcję i bardziej cieszy serce niż kolacja w najlepszej restauracji w Paryżu.

Nieproszony siadam z nimi przy stole. Wstydzę się, że podsłuchuję ich prostą, pełną wdzięku rozmowę, ale to nigdy więcej się nie powtórzy. Nie będę zwlekać. Pójdę dalej.

Po chwili dzwoni komórka.

— Mam nadzieję, że to Odd — mówi Porter.

Karla odkłada widelec, wyciera ręce w serwetkę.

— Jeśli coś mu się stało, chcę jechać z tobą.

— Słucham — zgłasza się Wyatt. — Bill Burton?

Bill jest właścicielem Blue Moon Cafe.

Komendant marszczy brwi.

— Tak, Bill. Oczywiście. Odd Thomas? Co z nim?

Jakby coś przeczuwała, Karla odsuwa krzesło od stołu i wstaje.

— Zaraz tam będziemy — mówi Wyatt Porter.

Podnosząc się od stołu, wtrącam:

A jednak umarli mówią, proszę pana. Tylko żywi ich nie słyszą.

61

Oto największa tajemnica: jak dotarłem od kraty w stylu zamkowej brony do kuchennych drzwi Blue Moon Cafe. Kompletnie nie pamiętam tej podróży.

Jestem przekonany, że umarłem. Wizyty złożone Ozziemu, Terri i Porterom w ich kuchni nie były wytworami wyobraźni.

Później, kiedy opowiedziałem im swoją historię, mój opis tego, co robili w czasie wizyty, idealnie zgadzał się z ich wspomnieniami z tego wieczoru.

Bill Burton mówi, że zjawiłem się poturbowany i przemoczony przy tylnych drzwiach jego restauracji, prosząc o zatelefonowanie do komendanta Portera. Wtedy deszcz już nie padał, a ja byłem tak brudny, że wystawił krzesło na zewnątrz i przyniósł mi butelkę piwa, czego jego zdaniem najbardziej potrzebowałem.

Nie przypominam sobie tej części. Pamiętam tylko, że

siedziałem na krześle i popijałem heinekena, podczas gdy Bill oglądał ranę na mojej piersi.

— Płytka — oznajmił. — Ledwie draśnięcie. Krwawienie samo ustało.

— Umierał, kiedy się na mnie zamierzył — odparłem. — Ciosowi zabrakło siły.

Może to prawda. A może było to wyjaśnienie, które sam chciałem usłyszeć.

Niedługo później w uliczkę wjechał radiowóz policji Pico Mundo, bez włączonej syreny, ale z migającymi światłami, i zatrzymał się za restauracją.

Komendant Porter i Karla wysiedli z wozu, podeszli do mnie.

— Przykro mi, że nie dokończyliście spaghetti — powiedziałem.

Wymienili zdumione spojrzenia.

— Oddie — zaczęła Karla — masz rozdarte ucho. Skąd ta krew na koszulce? Wyatt, wezwij karetkę.

— Nic mi nie jest — zapewniłem ich. — Byłem martwy, ale ktoś tego nie chciał, więc wróciłem.

— Ile piw wypił? — zapytał Wyatt Billa Burtona.

— To jest pierwsze.

— Wyatt, wezwij karetkę — powtórzyła Karla z naciskiem.

— Dla mnie nie trzeba — powiedziałem. — Ale Danny jest w kiepskiej formie i przydadzą się sanitariusze do zniesienia go po schodach.

Karla przyniosła z restauracji drugie krzesło, postawiła je obok mojego i zajęła się mną troskliwie. W tym czasie Wyatt wezwał karetkę przez policyjne radio.

Kiedy wrócił, zapytałem go:

— Proszę pana, czy pan wie, co jest nie w porządku z ludzkością?

— Wiele rzeczy.

— Największym darem, jaki dostaliśmy, jest wolna wola, a my wciąż niewłaściwie jej używamy.

— Nie przejmuj się tym teraz — poradziła mi Karla.

— Wie pani, co jest nie w porządku z naturą, ze wszystkimi jej trującymi roślinami, drapieżnymi zwierzętami, trzęsieniami ziemi i powodziami?

— Niepotrzebnie się ekscytujesz, skarbie.

— Kiedy zazdrościliśmy, kiedy zabijaliśmy z zawiści, upadliśmy. A kiedy upadliśmy, zepsuliśmy cały ten kram, naturę i siebie.

Manuel Nuñez, pracownik kuchni, który dorabiał sobie w Grille, zjawił się z nowym piwem.

— Chyba nie powinien pić więcej — powiedziała zmartwiona Karla.

Biorąc piwo, zapytałem:

— Jak się miewasz, Manuel?

— Wygląda na to, że lepiej niż ty.

— Przez jakiś czas byłem martwy, to wszystko. Manuel, czy wiesz, co jest nie w porządku z czasem kosmicznym, który wszystko nam kradnie?

— Chodzi ci o to, że „wiosną do przodu, jesienią do tyłu"? — zapytał w przekonaniu, że mówimy o zmianie czasu.

— Kiedy upadliśmy — podjąłem — zepsuliśmy także naturę, a kiedy zepsuliśmy naturę, zepsuliśmy czas.

— To ze *Star Treka*? — zapytał Manuel.

— Całkiem możliwe. Ale to prawda.

— Lubiłem te filmy. Pomogły mi nauczyć się angielskiego.

— Dobrze mówisz po naszemu.

— Przez jakiś czas miałem irlandzki akcent, bo za bardzo wczułem się w postać Skotty'ego.

— Kiedyś nie było drapieżników, nie było ofiar. Panowała harmonia. Nie było trzęsień ziemi ani burz, wszystko pozostawało w równowadze. Na początku czas nie płynął, tylko po prostu istniał... nie było przeszłości, teraźniejszości i przyszłości, nie było śmierci. Ale my wszystko zepsuliśmy.

Komendant Porter spróbował odebrać mi heinekena.

Przytrzymałem butelkę.

— Proszę pana, czy pan wie, co jest największą bolączką ludzkości?

— Podatki — odparł Bill Burton.

— To coś jest jeszcze gorsze.

— Benzyna jest za droga i nie ma już tanich kredytów hipotecznych — wtrącił Manuel.

— Najgorsze jest to, że ten świat był darem dla nas, a my go zepsuliśmy. Część problemu polega na tym, że jeśli chcemy go naprawić, musimy zacząć od siebie. Ale nie możemy. Próbujemy, ale nie możemy.

Rozpłakałem się. Te łzy mnie zaskoczyły. Myślałem, że skończyłem z płaczem raz na zawsze.

Manuel położył rękę na moim ramieniu.

— Może zdołamy go naprawić, Odd. Wiesz? To naprawdę możliwe.

Pokręciłem głową.

— Nie. Jesteśmy zepsuci. Zepsutej rzeczy nie można naprawić.

— Może jednak można — powiedziała Karla, kładąc rękę na moim drugim ramieniu.

Ciekło ze mnie jak z kranu. Smarki i łzy. Siedziałem zakłopotany, ale nie na tyle, żeby wziąć się w garść.

— Synu — zaczął komendant Porter — to nie tylko twoja robota, wiesz?

— Wiem.

— Cały ten zepsuty świat nie spoczywa wyłącznie na twoich barkach.

— Na szczęście dla świata.

Szef kucnął koło mnie.

— Nie powiedziałbym tego. Absolutnie.

— Ani ja — dołączyła się Karla.

— Okropnie się rozkleiłem — szepnąłem przepraszająco.

— Ja też — przyznała Karla.

— Mogę przynieść piwo — zaproponował Manuel.

— Pracujemy — przypomniał mu Bill Burton, ale zaraz dodał: — Dla mnie też weź jedno.

— Są dwa trupy w Panamint i dwa w tunelu przeciwpowodziowym — poinformowałem go.

— Powiedz, co się stało, a my zajmiemy się resztą.

— To, co trzeba było zrobić... było złe. Bardzo złe. Ale najgorsze...

Karla podała mi kilka chusteczek higienicznych.

— Co było najgorsze, synu? — zapytał komendant.

— Najgorsze, że ja też umarłem, ale ktoś tego nie chciał, więc wróciłem.

— Tak. Już to mówiłeś.

Coś ściskało mnie w piersi i w gardle. Ledwo mogłem oddychać.

— Szefie, byłem tak blisko Stormy, tak blisko służby.

Ujął moją mokrą twarz w dłonie i zmusił mnie, żebym na niego spojrzał.

— Co nagle, to po diable, synu. Wszystko w swoim czasie, zgodnie z rozkładem.

— Pewnie tak.

— Wiesz, że to prawda.

— To był bardzo ciężki dzień, proszę pana. Musiałem zrobić... straszne rzeczy. Rzeczy, z którymi nikt nie powinien żyć.

— O Boże, Oddie — szepnęła Karla. — Och, skarbie, nie... — Odwróciła się do męża. — Wyatt?

— Synu, nie można naprawić zepsutej rzeczy, łamiąc jej inną część. Rozumiesz?

Pokiwałem głową. Rozumiałem. Ale zrozumienie nic zawsze pomaga.

— Poddanie się byłoby zepsuciem innej części siebie.

— Pozostaje nam wytrwałość — stwierdziłem.

— Otóż to.

Na końcu uliczki, z błyskającymi światłami, ale bez syreny, pojawiła się karetka.

— Myślę, że Danny ma połamane jakieś kości, lecz starał się nie pokazywać tego po sobie — powiedziałem do komendanta.

— Zaopiekujemy się nim. Będziemy się z nim obchodzić jak z jajkiem, synu.

— On nie wie o swoim tacie.

— Rozumiem.

— To będzie trudne, proszę pana. Powiadomienie go o tym. Bardzo trudne.

— Ja mu powiem, synu. Zostaw to mnie.

— Nie. Bardzo chciałbym, żeby pan ze mną był, ale to ja muszę mu powiedzieć. Pomyśli, że to wszystko jego wina. Będzie zdruzgotany. Będzie potrzebował oparcia.

— Może się oprzeć na tobie.

— Mam nadzieję.

— Może się mocno oprzeć, synu. W kim innym znalazłby lepsze oparcie?

Pojechaliśmy więc do Panamint, gdzie śmierć siadła do gry i jak zawsze wygrała.

62

Z czterema radiowozami, jedną karetką, furgonetką z kostnicy, trzema technikami kryminalistycznymi, dwoma sanitariuszami, jednym komendantem i jedną Karlą wróciłem do Panamint.

Czułem się jak wychłostany, ale nie byłem tak bardzo wyczerpany jak wcześniej. Przez jakiś czas byłem martwy i to mnie postawiło na nogi.

Kiedy otworzyliśmy drzwi windy na jedenastym piętrze, Danny ucieszył się na nasz widok. Nie zjadł żadnego batonika kokosowego z rodzynkami i upierał się, żeby mi je oddać.

Wypił wodę, którą mu zostawiłem, nie dlatego jednak, że czuł pragnienie.

— Po tej strzelaninie potrzebowałem butelki, żeby się wysikać — wyjaśnił.

Karla pojechała z nim karetką do szpitala i potem, w pokoju Danny'ego w Country General to ona, a nie komendant, została ze mną, kiedy mówiłem mu o tacie. Żony Spartan są tajemnymi filarami świata.

W mrocznych, pełnych popiołu przestrzeniach wypalonego pierwszego piętra znaleźliśmy szczątki Datury. Puma znikła.

Jak się spodziewałem, zły duch tej kobiety nie zwlekał z odejściem. Już nie miała wolnej woli, surowy egzekutor upomniał się o nią.

W salonie apartamentu na jedenastym piętrze krople krwi i śrut dowodziły, że trafiłem Roberta. Na balkonie leżał luźno zawiązany but, który najwyraźniej zgubił, gdy zahaczył o prowadnicę rozsuwanych drzwi, cofając się chwiejnie.

Wprost pod balkonem, na parkingu, znaleźliśmy pistolet i drugi but, jakby nieboszczyk go zdjął, żeby móc iść równym krokiem.

Po takim długim upadku na twardą powierzchnię powinien leżeć w kałuży krwi. Ulewa zmyła parking do czysta.

Wszyscy sądzili, że Datura i Andre przenieśli ciało w suche miejsce.

Nie podzielałem tej opinii. Datura i Andre pilnowali schodów. Nie mieliby ani czasu, ani ochoty, żeby oddać zmarłemu ostatnią posługę.

Oderwałem oczy od buta i omiotłem spojrzeniem pustynną noc za hotelem, zastanawiając się, jaka potrzeba — albo nadzieja — i jaka siła napędzała Roberta.

Może pewnego dnia turysta znajdzie zmumifikowane szczątki w czarnym ubraniu, ale bez butów, skulone w pozycji embrionalnej w jamie, z której wyniosły się lisy, aby zapewnić schronienie człowiekowi pragnącemu spocząć poza zasięgiem swojej wymagającej bogini.

Zniknięcie Roberta przygotowało mnie na to, że władzom nie uda się również znaleźć ciała Andre i wężowatego faceta.

W pobliżu końca systemu przeciwpowodziowego zobaczyliśmy poskręcaną i wykrzywioną otwartą bramę. Za nią woda spadała do jaskini, pierwszej z wielu, które tworzyły archipelag podziemnych mórz ze wszystkich stron otoczony lądem, królestwo w znacznej mierze niezbadane i zbyt zdradliwe, żeby zapuszczać się tam w poszukiwaniu zwłok.

Zdaniem wszystkich woda, obdarzona ogromną siłą i tamowana przez czop śmieci, wykrzywiła stal, wygięła wielkie zawiasy i wyrwała zamek.

Choć ten scenariusz mnie nie satysfakcjonował, nie miałem ochoty prowadzić niezależnego dochodzenia.

W imię samokształcenia, które podejmuję czasami ku wielkiemu zadowoleniu Ozziego Bonne'a, sprawdziłem znaczenie niektórych określeń uprzednio mi nieznanych.

Słowo *mundunugu* występuje w podobnej formie w różnych językach Afryki Wschodniej i oznacza szamana.

Wyznawcy voodoo wierzą, że duch ludzki składa się z dwóch części.

Pierwsza to *gros bon ange*, „duży dobry anioł", siła życiowa, którą posiadają wszystkie istoty i która je ożywia. *Gros bon ange* wnika w ciało w chwili poczęcia, a po śmierci natychmiast wraca do Boga, od którego pochodzi.

Drugą jest *ti bon ange*, „mały dobry anioł". To kwintesencja człowieka, portret jednostki, suma jego życiowych wyborów, czynów i przekonań.

Po śmierci *ti bon ange* niekiedy błąka się i ociąga z podróżą do wiecznego domu, dlatego jest bezbronny wobec zakusów bokora, kapłana voodoo zajmującego się raczej czarną niż białą magią. Może on pochwycić *ti bon ange*, zamknąć go w butelce i wykorzystywać do wielu różnych celów.

Podobno dobry bokor może także skraść *ti bon ange* żywej osobie.

Wykradzenie *ti bon ange* innemu bokorowi albo *mundunugu* jest uważane za wyjątkowe dokonanie.

Cheval to po francusku „koń".

Dla wyznawcy voodoo *cheval* jest zabranym prosto z kostnicy albo zdobytym innymi sposobami trupem, w którym instaluje się *ti bon ange*.

Taki ożywiony przez *ti bon ange* trup być może tęskni za niebem — albo nawet za piekłem — ale pozostaje pod kontrolą bokora.

Nie wyciągnąłem żadnych wniosków ze znaczenia tych egzotycznych słów. Definiuję je tutaj tylko dla waszej wiedzy.

Jak powiedziałem wcześniej, jestem człowiekiem rozumu i zarazem mam nadprzyrodzone zdolności. Codziennie stąpam po bardzo cienkiej linie. Żyję dzięki temu, że umiem znaleźć złoty środek pomiędzy rozsądkiem i jego brakiem, pomiędzy racjonalnym i irracjonalnym.

Bezmyślna wiara we wszystko co irracjonalne jest szaleństwem w pełnym tego słowa znaczeniu. Ale opowiadanie się za racjonalizmem i przeczenie istnieniu jakiejkolwiek tajemnicy życia i jego sensu jest nie mniejszym szaleństwem niż ślepe zawierzenie brakowi rozsądku.

Wspólną zaletą życia kucharza i montera zakładającego opony jest to, że w godzinach pracy po prostu nie mają czasu na rozmyślanie o tych sprawach.

63

Wuj Stormy, Sean Llewellyn, jest księdzem i proboszczem parafii św. Bartłomieja w Pico Mundo.

Po śmierci matki i ojca siedmioipółletnia Stormy została adoptowana przez małżeństwo z Beverly Hills. Przybrany ojciec ją molestował.

Samotna, zdezorientowana i zawstydzona, w końcu jednak znalazła odwagę, żeby powiadomić pracownika opieki społecznej.

Później, stawiając godność nad upokorzeniem, odwagę nad rozpaczą, mieszkała w sierocińcu św. Bartłomieja do czasu ukończenia liceum.

Ojciec Llewellyn jest łagodnym człowiekiem o szorstkiej powierzchowności, głęboko utwierdzonym w swoich przekonaniach. Wygląda jak Thomas Edison grany przez Spencera Tracy'ego, ale ma ostrzyżone na zapałkę włosy. Bez koloratki mógłby uchodzić za zawodowego żołnierza piechoty morskiej.

Dwa miesiące po wypadkach, jakie rozegrały się w Panamint, komendant Porter poszedł ze mną na konsultację do ojca Llewellyna. Spotkaliśmy się w jego gabinecie na plebanii.

W zaufaniu, zobowiązując księdza do zachowania tajemnicy, powiedzieliśmy mu o moim darze. Komendant potwierdził, że pomogłem mu rozwiązać pewne kryminalne zagadki, a także poręczył za moją poczytalność i prawdomówność.

Moje pierwsze pytanie do ojca Llewellyna brzmiało, czy wie coś o zakonie skłonnym zapewnić dach nad głową i wikt młodemu człowiekowi, który odpłaciłby się za to ciężką pracą, ale nie sądzi, że kiedykolwiek chciałby zostać mnichem.

— Chcesz być konwersem w religijnej wspólnocie? — zapytał ojciec Llewellyn. Ze sposobu, w jaki to uczynił, poznałem, że ten układ może być niezwykły, choć nie niespotykany.

— Tak, proszę księdza. O to chodzi.

Z szorstkim niedźwiedzim wdziękiem zatroskanego sierżanta piechoty morskiej, który udziela rady zmartwionemu żołnierzowi, powiedział:

— Odd, w zeszłym roku życie dało ci w kość. Poniosłeś ciężką stratę... ja też... niezwykle trudno było mi się pozbierać, bo Bronwen była... taka dobra.

— Tak, proszę księdza. Była. Jest.

— Żal uzdrawia i dobrze jest mu się poddać. Godząc się z poniesioną stratą, poznajemy siebie i sens naszego życia.

— Nie uciekałem przed żalem — odparłem.

— A nie poddałeś mu się zbyt mocno?

— Nie, proszę księdza.

— To mnie martwi — powiedział komendant, zwracając się do ojca Llewellyna. — Dlatego nie pochwalam jego decyzji.

— Nie spędzę tam reszty życia — zapewniłem ich. — Może rok, a potem zobaczymy. Po prostu chcę, żeby przez jakiś czas wszystko było prostsze.

— Wróciłeś do Grille? — zapytał ksiądz.

— Nie. To ruchliwe miejsce, ojcze, a w Tire World jest niewiele lepiej. Chcę wykonywać pożyteczną pracę, żeby zająć myśli, ale wolałbym pracować tam, gdzie jest... spokojniej.

— Nawet jako konwers, nie uczestnicząc w naukach, będziesz musiał dostosować się do duchowego życia zakonu, jeżeli zechcą cię przyjąć.

— Dostosuję się, proszę księdza. Będę żyć w harmonii ze wszystkimi braćmi.

— Jakiej pracy się spodziewasz?

— Pielęgnowanie ogrodu. Malowanie. Drobne naprawy. Szorowanie podłóg, mycie okien, generalne sprzątanie. Mogę gotować, jeśli będą chcieli.

— Od kiedy o tym myślisz, Odd?

— Od dwóch miesięcy.

— Czy już wtedy rozmawiał z panem? — zapytał ojciec Llewellyn komendanta Portera.

— Mniej więcej.

— Zatem nie jest to pochopna decyzja.

Szef pokręcił głową.

— Odd nie jest pochopny.

— Nie wierzę też, że ucieka przed żalem. Albo w żal.

— Po prostu potrzebuję prostoty — wyjaśniłem. — Prostoty i ciszy, aby myśleć.

— Jako przyjaciel, który zna go lepiej niż ja — rzekł ksiądz do Portera — i jako człowiek, którego najwyraźniej podziwia, czy ma pan jakieś powody sądzić, że Odd nie powinien tego robić?

Po chwili namysłu komendant Porter odparł:

— Nie wiem, co bez niego zrobimy.

— Niezależnie od pomocy, jakiej udziela wam Odd, przestępczości nie da się wyplenić.

— Nie o to mi chodzi. Po prostu... Po prostu nie wiem, co my bez ciebie zrobimy, synu.

Od śmierci Stormy zajmowałem jej mieszkanie. Te pokoje znaczą dla mnie mniej niż meble, bibeloty, osobiste drobiazgi. Nie chciałem pozbywać się jej rzeczy.

Z pomocą Terri i Karli spakowałem dobytek mojej dziewczyny, a Ozzie zaproponował, że przechowa wszystko w wolnym pokoju w swoim domu.

Przedostatniego wieczoru siedziałem z Elvisem w przyjemnym świetle starej lampy z naszywanym paciorkami kloszem, słuchając jego muzyki z pierwszych lat legendarnej kariery.

Za życia nade wszystko kochał matkę. Po śmierci bardziej niż czegokolwiek pragnął ją zobaczyć.

Na kilka miesięcy przed swoją śmiercią — możecie przeczytać to w wielu biografiach — Gladys Presley martwiła się, że sława uderzy mu do głowy, że zejdzie na manowce.

Zmarła młodo, zanim osiągnął szczyt powodzenia, i wtedy się zmienił. Przez długie lata nie mógł otrząsnąć się z żalu, zapomniał jednak o przestrogach matki i z roku na rok jego życie coraz bardziej się wykolejało. Można powiedzieć, że zmarnował połowę talentu.

W wieku czterdziestu lat — biografowie również to odnotowują — dręczyło go przekonanie, że zbezcześcił pamięć matki, że przyniósł jej wstyd swoim uzależnieniem od narkotyków i brakiem umiaru.

Zmarł w wieku czterdziestu dwóch lat i dotąd zwleka z odejściem ze strachu przed tym, czego tak rozpaczliwie pragnie: przed spotkaniem z Gladys Presley. Wcale nie trzyma go tutaj umiłowanie tego świata, jak kiedyś myślałem. Wie, że matka go kocha i weźmie w ramiona bez słowa krytyki, ale płonie ze wstydu, że choć stał się największą światową gwiazdą — nie był człowiekiem, o jakim marzyła.

Zapewniłem go, że w przyszłym świecie matka powita go z radością, on jednak czuje, że nie jest godzien jej towarzystwa. Wierzy, że Gladys obcuje ze świętymi.

Powiedziałem mu to tej przedostatniej nocy w mieszkaniu Stormy.

Kiedy skończyłem, łzy zasnuły mu oczy i na długi czas opuścił powieki. Wreszcie znów na mnie spojrzał i chwycił za rękę.

Rzeczywiście właśnie dlatego zwleka. Moje słowa nie wystarczyły, aby go przekonać, że strach przed spotkaniem z matką jest bezpodstawny. Czasami potrafi być upartym starym rockandrollowcem.

Podjęta przcze mnie decyzja wyjazdu z Pico Mundo, przynajmniej na jakiś czas, doprowadziła do rozwikłania kolejnej tajemnicy związanej z Elvisem. Nawiedza to miasto nie dlatego, że ma ono dla niego jakieś znaczenie, ale ponieważ ja tu jestem. Wierzy, że kiedyś stanę się mostem, który zawiedzie go do domu, do matki.

Dlatego chce uczestniczyć ze mną w następnym etapie podróży. Wątpię, czy mógłbym go powstrzymać, i nie mam powodu go odtrącać.

Bawi mnie myśl, że Król rock and rolla będzie straszyć w klasztorze. Towarzystwo mnichów może mu wyjść na dobre, a ja jestem pewien, że on sam będzie dobrym towarzyszem dla mnie.

Ten wieczór jest moim ostatnim w Pico Mundo. Spędzę go w gronie przyjaciół.

Trudno mi będzie opuścić to miasto, w którym przespałem wszystkie noce mojego życia. Będę tęsknił za jego ulicami, dźwiękami i zapachami, i zawsze będę pamiętać pustynne światło i cienie, przydające mu tajemniczości.

Znacznie trudniej będzie rozstać się z przyjaciółmi. Ale wiem, że Stormy czeka na mnie w następnym świecie, i to czyni obecny świat mniej mrocznym, niż byłby w innym wypadku.

Na przekór wszystkiemu wybrałem życie. Będę żyć.

Od autora

Indianie Panamint z rodziny Szoszoni-Komancze nie prowadzą kasyna w Kalifornii. Gdyby posiadali Ośrodek Rekreacyjny Panamint, nie doszłoby do żadnej katastrofy, a ja nie miałbym tematu.

DK

APOKALIPSA

Wizja współczesnego świata u progu zagłady – trzymający w napięciu thriller, którego bohaterowie, dwójka zwykłych ludzi, muszą toczyć bój o przyszłość ziemskiej cywilizacji. Koniec świata zaczął się od deszczu – nagłego i gwałtownego. Zapowiedź Apokalipsy unosiła się wraz z dziwnym zapachem w wilgotnym powietrzu. Wybudzona ze snu Molly Sloan, mieszkanka małego górskiego miasteczka, czuła, że niedługo stanie się coś złego. Jej wyostrzone do granic możliwości zmysły rejestrowały zjawiska, które nie powinny mieć miejsca. Wizja w lustrze ukazywała zgliszcza i ruinę. Szaleńcza ulewa, jak nowy Potop, spada na cały świat. Załamują się systemy komunikacji, przestają funkcjonować struktury wojskowe i rządowe, wyzwalają się najgorsze ludzkie instynkty, dochodzi do straszliwych morderstw. Sparaliżowana strachem ludzkość staje na krawędzi zagłady. Co i w jakim celu przybyło na Ziemię? W końcu Molly i jej mąż odkryją przerażającą prawdę...

PRZEPOWIEDNIA

Życie za życie. W ponurą burzową noc Rudy Tock czeka na przyjście na świat swojego pierworodnego syna. W tym samym czasie na oddziale intensywnej terapii umiera jego ojciec. Przed śmiercią chory wypowiada niezwykłą przepowiednię – chłopcu, który za chwilę się urodzi, przydarzy się w życiu pięć strasznych dni. Dni, których daty każe zapisać. Kilka minut później na świat przychodzi mały Jimmy Tock. Okazuje się, że stary człowiek przewidział także dokładny czas jego urodzin, wzrost, wagę, a nawet fakt, że będzie miał zrośnięte palce u stóp. Dziwna przepowiednia niespodziewanie nabiera cech realności.... Dwadzieścia lat później rodzina Tocków w napięciu oczekuje nadejścia pierwszego z feralnych dni. Jakim koszmarom będzie musiała stawić czoła?

PRĘDKOŚĆ

Jeśli nie przekażesz tego listu policji, zabiję uroczą blond nauczycielkę. Jeśli przekażesz ten list policji, zabiję zamiast tego starszą panią. Masz sześć godzin na podjęcie decyzji.
Billy Wiles, niedoszły pisarz, dorabiający jako barman, nie może powiedzieć, że nie pozostawiono mu wyboru. Pozostawiono. Mógł zdecydować, kto umrze – jasnowłosa nauczycielka, czy zajmująca się działalnością charytatywną starsza pani. Pozostawiony na wycieraczką samochodu list wydawał się początkowo głupim żartem – ale makabryczne zabójstwo nauczycielki rozwiało wszelkie wątpliwości co do szczerości zamiarów jego autora. Billy musi samotnie stawić czoła tajemniczemu szaleńcowi, który z niewiadomych przyczyn wciąga go w śmiertelną grę. Jeśli chce przeżyć i uratować swoją narzeczoną, musi sam zacząć stosować metody przeciwnika.